Bircan Yıldırım

HAYAT O
TORPİ

DESTEK
yayınları

DESTEK YAYINLARI: 924
KİŞİSEL GELİŞİM: 166

BİRCAN YILDIRIM / HAYAT CESURLARA TORPİL GEÇER

İmtiyaz Sahibi: Yelda Cumalıoğlu
Genel Yayın Yönetmeni: Ertürk Akşun
Yayın Koordinatörü: Özlem Esmergül
Editör: Devrim Yalkut
Kapak Tasarım: İlknur Muştu
Sayfa Düzeni: Cansu Poroy
Sosyal Medya-Grafik: Tuğçe Budak
Sesli Uygulama: Mesut Güngör, Dijital Meydan

Destek Yayınları: Nisan 2018
1.-44. Baskı: 2018
45.-100. Baskı: Ocak 2019
101.-120. Baskı: Şubat 2019
121.-150. Baskı: Mart 2019
151.-170. Baskı: Nisan 2019
171.-180. Baskı: Mayıs 2019
181.-200. Baskı: Temmuz 2019
201.-210. Baskı: Ağustos 2019
211.-250. Baskı: Eylül 2019
251.-270. Baskı: Ekim 2019
271.-290. Baskı: Aralık 2019
291.-300. Baskı: Ocak 2020
Yayıncı Sertifika No. 13226

ISBN 978-605-311-395-9

© Destek Yayınları
Abdi İpekçi Caddesi No. 31/5 Nişantaşı/İstanbul
Tel. (0) 212 252 22 42 – Faks: (0) 212 252 22 43
www.destekyayinlari.com – info@destekyayinlari.com
facebook.com/DestekYayinevi – twitter.com/destekyayinlari
instagram.com/destekyayinlari

Deniz Ofset – Nazlı Koçak
Sertifika No. 40200
Maltepe Mahallesi
Hastane Yolu Sokak No. 1/6
Zeytinburnu / İstanbul

Bircan Yıldırım

HAYAT CESURLARA TORPİL GEÇER

Uçurumun kenarındaysan cesaretli
olmaktan başka çaren yoktur!

DESTEK
yayınları

Yazar Hakkında

Denizli'de doğdu. İlk ve ortaöğrenimini Almanya'da tamamladı. Daha sonra İzmir Buca Lisesi'nden mezun olan Bircan Yıldırım, Cumhuriyet Üniversitesi Sosyoloji bölümünü bitirdi. Mezun olduktan sonra Milli Eğitim Bakanlığı'nda kadrolu felsefe grubu öğretmenliğine atandı. Uzun yıllar öğretmenlik yaptı.

Beynimizin özellikleri, insan psikolojisi ve kuantum felsefesi alanına her zaman özel bir ilgi duymuş, araştırmalarının büyük çoğunluğunu bu alanda sürdürmüştür. Daha fazla bilgiye ulaşabilmek için birçok değişik şehirlerde farklı eğitim ve seminerlere katılan Yıldırım, uzun yıllar nefes, meditasyon teknikleri ve yaşam terapisi ile kendisini şifalandırmak amacıyla çalışmıştır. Enerji çalışmalarını büyük bir titizlikle ve sevgiyle her gün kendisine uygulamıştır. İçindeki çocukla kucaklaşmanın verdiği mutluluğun anlatılamayacağına ancak deneyimlenebileceğine ve bu keyifli keşif yolculuğunun bir ömür boyu devam edeceğine inanmaktadır. Daha çok insanı içindeki iyileşmeyi, sevgiyi bekleyen yaralı çocukla buluşturmayı ve gerçek mutluluklarını yakalayabilmelerini sağlamak en büyük hedefidir. "Kendini sev, hayatını sev!" Yıldırım'ın başlıca yaşam felsefesidir. Yıldırım aldığı tüm eğitimlerden elde ettiği sentezlerle Yaşam Terapisi'ni geliştirmiş ve danışanları üzerinde izlediği hızlı dönüşüm ve iyileşme sürecinden sonra en büyük hedefi "Yaşam Terapisi" tekniğini tüm dünyaya yaymak olmuştur. Yıllardır kendi ve danışanları üzerinde uyguladığı bu terapiyi özellikle nefes çalışmaları ile yoğun olarak desteklemektedir.

Instagram: @bircanyildirim_
Facebook: Bircan Yıldırım Sosyolog
Twitter: @bircanyildirim_
Web: www.bircanyildirim.com
https://www.youtube.com/BircanYıldırım

Yazara ulaşabileceğiniz mobil uygulama:

Aldığı Eğitimler

Aile Danışmanlığı Eğitimi, Nefes Koçluk Eğitimi, Nefes Terapisi Eğitimi, Çocuk Nefes Eğitimi, Yaşam Koçluğu Eğitimi, Öğrenci Koçluğu Eğitimi, EFT (Duygusal Özgürleşme Tekniği) Eğitimi, Kuantum Düşünce Tekniği Eğitimi, Hızlı Okuma Eğitimi, Hafıza Teknikleri Eğitimi, Ho'oponopona Eğitimi, Kozmik Enerjiler Eğitimi, Reiki, Access Bars Eğitimi, Kısa Süreli Çözüm Odaklı Danışmanlık, Çocuk BDT Eğitimi, BDT Depresyon Eğitimi

Verdiği Eğitimler

Sertifikalı Yaşam Terapisi Eğitimi
İyi Hisset, İyi Yaşa
Kendini Sev, Hayatını Sev
Yaşam Terapisi ile Bilinçaltı Çalışması
İçimdeki Ben
Hayalimdeki Aşkı Yaratıyorum
Motivasyon İçerikli Eğitimler

Teşekkür

Beni yüreklendirip desteklerini benden esirgemeyen, her zaman yanımda olan, beni olduğum gibi her halimle kabul eden canım ailem ve değerli okurlarım, sizler benim "iyi ki"lerimsiniz! Biz sevgi dolu kocaman bir aileyiz artık! Emin olun sizler olmasanız bu kitap da olmayacaktı! Harika bir enerjiniz var ve aramızda çok güçlü bir bağ oluştu! Yaşam enerjimi önce Yaradan'dan sonra sizlerden alıyorum, iyi ki varsınız! Yaşamı ve sizleri seviyorum Yaradan'dan ötürü! Hepimizin yolu aynı, hepimiz Yaradan'a yürüyoruz! Yolda sizlerle karşılaşmam en büyük armağanımdır!... Ah evet bir de bu süreçte duygularımı coşturan, şarkılar ve kokusuyla beni büyüleyip ilham kaynağım olan kahveler, sizler de iyi ki varsınız:))

Terk edilince aşktan daha güçlü bir duygunun,
intikam duygusunun pençesine düşen Dilhun'un
bireysel aşktan ilahi aşka ulaşma serüveninde
yolu Vaveyla ve Logos'la kesişir.
İntikam duygusunu başarıya dönüştürme
sürecinde, yaşamdaki en ufak bir zerreciğe dahi
zarar veremeyecek kadar iyiyken
nasıl bu kadar kötücül bir insan olabildiğini
adım adım sorgular.

VAVEYLA: Merhaba. Uzun, tutkulu ve gizemli bir yolculuktan döndüm. Hayatımın serüvenini yaşadım. Bu yolculuk neye mi yaradı? Çıkardı bütün eksikliklerimi ortaya, sınadı tüm bedenimi ve ruhumu! Yargıladı tüm geçmişimi. Aşılmaz gibi görünen engellerin, sınırların, sevginin gücüyle aşılabileceğini gördüm. Uzun acılardan ve zorlu savaşlardan sonra ortaya çıktı, önümdeki aydınlık günler. Beni nasıl da incitmişti ruhumun derinliklerinden gelen sessiz çığlıklarım. Günler boyu ürkerek ve tiksinerek saklandığım kahredici korku nöbetleriyle sarsıldığım, kendimden geçtiğim o karanlık günler artık geride kaldı. Şaşırtıcı bir gerçeği bulmanın en kesin en kestirme yolunun aklımı kullanmak olduğunu öğrendim. Yaradan'ın aşkıyla yaşam yolculuğuma devam ederek her şeyi mucizevi şekilde daha önceden görmediğim biçimde yeniden görmeye başladım. Zihnimin derinliklerinden gelen belirsiz, biçimden yoksun, karışık olan her şeyden özgürleştim. Artık daldan dala konan sisli düşüncelerle hiçbir işim yok. Hiçbir işe yaramayan acının bu dünyada bir insanın başına gelebilecek en korku verici şey olduğunu öğrendim. Bu yolculukta onunla, Logos'la tattığım sevinç ve acı Yaradan'dan gelen büyük bir armağandan başka bir şey olabilir miydi? Bütün iyi ve kötü yanlarımla ve olanca gücümle çalışıp çabalayarak her türlü güçlüğü yenmiş, bugünkü diri ve sağlam kişiliğimle her yeni doğan güneşi umutla karşıladığım için kendimle gurur duyuyorum. İnsanın kendisine yapacağı en büyük iyilik kendi acıklı güçsüzlüğünü büyük bir hoşgörüyle kucaklayabilmesidir.

Zihnimdeki bu huzur verici düşüncelerle sahilde dolaşırken eski günlerim geldi bir anda aklıma. Bunalımlı dönemler, haftalarca süren yıkıcı sarsıntılar. Kendimi tanıyamadığım, bana neler olduğunu bilemediğim günler. Kendimle hiçbir bağlantımın kalmadığı, kendimden tamamen koptuğum günler. Hiçbir şeyin anlamının kalmadığı... Acı çektiğim buralara adım atmak istemediğim. Adım atsam da keyif alamadığım hiçbir şey hissetmediğim, ölü balık gibi baktığım günler. Kendimi nasıl da kaybetmiştim? Ne günlerdi ama... Ne kadar acı dolu, sancılı günler. Tünelin sonundaki ışığı göremeden tünelin karanlığına tutunup kaybolduğum, Logos'la tanışmadan önceki hayatım. Şimdi öylesine değiştim öylesine huzur doluyum ki... Dünya yine hiç değişmedi, çevremde yine pek çok kötülük ve adilik var ve ben bunları şimdi çok daha açık bir biçimde görüyorum. Yargılamadan kabul edip saf sevgide kalabiliyorum. Tüm bunlara rağmen hayatı artık yaşanmaya değer buluyorum. Belki de ilk kez kendi hayatımı yaşayabildiğim ve kendim olabildiğim için. Bu benim için çok heyecan verici müthiş bir macera... Yaşamı sürdürmek bana anlamsız geliyordu çünkü hiç istemediğim ve her an gözden çıkarabileceğim kendime yabancılaşmış bir hayat yaşıyordum. Yine her şeyi kontrol edemiyorum tabii ki, üzüldüğüm, acı çektiğim sorunlarımın olduğu süreçler oluyor ama onlara tutunmuyorum artık. Önümden geçen sisin dağılacağını bildiğim gibi olumsuz düşüncelerimin de dağılacağını biliyorum. Cesurca sisin içinden yürüyüp geçebilmenin özgürlüğünü yaşıyorum artık. Bu anlatılmaz müthiş bir duygu. Kendinle gurur duyuyorsun. Eski sen ile kendini kıyaslıyorsun, olumlu yönde ne kadar değişmiş olduğunu görebiliyorsun. Geldiğin noktayı görebilmek, kendi gücüne inanmak ne kadar güçlü bir duygu Allahım. Denizin kokusunu alabilmek, rüzgârı hissedebilmek, martıların sesini duyabilmek, bunların hepsi birer mucize. Tıpkı çocukluğumdaki yabanmersinleri arasındaki varoluşun gücünden gelen mucizeyi hissetmem gibi. Yüreğimdeki Yaradan'ın sonsuz aşkını ve O'nun gücünü her an hissediyorum. İnişli çıkışlı günlerimi hatırlatan hırçın dalgalar artık beni korkutmuyor. Aksine bana daha güçlü olmayı, anda kalmayı, olaylara ve sürece tutunmamayı, akıp gitmeyi hatırlatıyor. Su gibi olmayı öğrendim bak Logos. Sayende hayattan keyif almayı, nefes almayı öğrendim. Çektiğim acıların, yaşadığım sıkıntıların beni bu kadar büyüteceğini inan hiç düşünmemiştim. Sadece ben değil, ben değişince tüm dünyam değişti biliyor musun Logos? Çocuklarımın kahkahaları, eşimin dokunuşu, bankadaki dostların tavırları, pazarda tezgâhtarın davranışlarına kadar her şey değişti. Kaybetmekten korkmuyorum! En iyi dostum kim biliyor musun? En iyi kiminle zaman geçiriyorum? Evet doğru tahmin ettin. Kendimden hiç sıkılmıyorum. Yapacak o kadar çok şeyim var ki! Kendimle zaman geçirmek beni büyütüyor, besliyor biliyor musun Logos?

LOGOS: Selam Vaveyla, sesin ne kadar coşkulu geliyor. Nefes nefese konuşuyorsun, heyecanını hissediyorum. Biliyorum Vaveyla, geldiğin noktayı her şeyi biliyorum. Harika işler başarıyorsun. Kendi aklını kullanmayı ve kendine güvenmeyi öğrendin.

VAVEYLA: Çok zor günler geçirdim Logos, biliyorsun işte. Dipsiz kuyulardan, ucu görünmeyen karanlık tünellerden sen çıkardın beni ama şimdi kendi şarkımı söylüyor kendi dansımı yapıyorum. La la la la laaa!...

LOGOS: Işığına sahip çıkmayı sen seçtin Vaveyla! Biliyorsun ben senin akılcı yönünüm, sana ve tüm insanlığa

Yaradan'ın armağanıyım. Yolun hep aydınlık olsun ama öğrendiklerinin diğer insanlara faydası olabilmesi için çaba göstermelisin. İnsanlar acı çekiyor. Benimle ne kadar çok kişiyi tanıştırırsan hepinizin tekâmül süreci hızlanacak ve ilahi düzene hizmet etmiş olacaksınız. Biliyorsun ben her insanın içinde var olan akılcı yönüm ama insanlar artık görmüyor, duymuyor ve hissetmiyor. Dünya çok hızlı bir şekilde değişiyor. Sen kimsin Vaveyla? Sen içinde taşıdığın diğerisin. Sen düşüncelerinin gücüne ve aklına inanıyorsun. Ama diğerleri sürekli ötekinin arzusu olmaya çalışıyor. Ötekilerin beklentilerine göre davranışlarını belirliyor. Onlar gerçeklerden kaçıyor. Benimle tanışmayan herkes kendi içindeki boşluğu arıyor. Bu süreçteki talepleri ise diğerinin sevgisi. Parayı da, başarıyı da, kariyeri de, saygıyı da ötekinin ilgisi için istiyor. Arzuladığı şeyi gerçekten istemiyor. İsteyince heyecanını hemen kaybediyor. Sürekli zavallı bir şekilde bir hazdan diğerine koşup duruyorlar. Arzuladıklarına ulaştıklarında içlerini yeni bir boşluk duygusu kaplıyor. O boşluğa hemen yeni bir şeyler koymaya çalışıyorlar. Ama o boşluğu hiçbir zaman dolduramayacaklar. Ta ki benimle tanışıp akıllarını kullanmayı öğreninceye dek. Tüm canlıların hareket edebilmesi için boşluğa gerek var. O boşluğu ancak akıllarını kullanarak Yaradan'ın aşkı ile doldurabileceklerini bilmiyorlar. O boşluğu hep başka şeylerle doldurmaya çalışıyorlar. İnsanları bir arada tutacak olan şey sevgidir. Sezgisel yönünü giderek kaybeden günümüz insanının tek kurtuluşu aklını kullanarak diğerleriyle yeniden bağ kurmaktır. İçinizdeki boşluk anlarında Yaradan'ın aşkıyla birbirinizin sevgisini hissedebilmelisiniz. Merak etme dünya giderek daha iyiye ulaşıyor. Sizleri bir arada tutan Yaradan'ın gücüdür. İnsanlara yüreklerinden Yaradan'ın aşkını hiç eksik etmemelerini ve akıllarını kullanmaları gerektiğini öğretmelisin Vaveyla. İnsan önce anne rahminden sonra da anne memesinden ayrıldı. Bu süreçte derin bir boşluk duygusu hissetti. Bunların yerine dili koyarak, konuşarak bu eksikliğini, sessizliği ve boşluk duygusunu kapatmaya çalıştı. Ama o boşluğu, o eksikliği, o sessizliği asıl Yaradan'ın aşkının kapattığını unuttu. Bebeğin anne memesinden ayrıldığı andan itibaren hissettiği boşluk duygusu tüm hayatı boyunca en derin olanıdır. Allah yaşamdaki tüm boşlukları, sessizlikleri, kendisinden akan sevgiyi hissedip dili aracılığıyla diğer insanlara da aktarabilmesi için bırakmıştır. Ama insanlar boşluk anlarında akan Yaradan'ın aşkını hissedemediği için dilini her geçen gün daha da yıkıcı kullanıyor. Sevgisiz, amaçsız ve boş... Herkes bir şey arıyor ama kimse ne aradığını bilmiyor. Oysaki herkes o boşluk anlarında yaşamın anlamını, Yaradan'ın aşkını arıyor. Yaşamdaki tüm boşluk anları ve sessizlikler insanların Yaradan'ın aşkını hissedip yaşamı daha anlamlı kılmaları için vardır. İki kelime arasındaki boşluklar, kayıp süreçlerinde yaşanan boşluklar ve daha niceleri... Bir arada kalmanız ve mutlu olabilmeniz için sevgi sözcüklerinin olması gerekiyor. Bu sevgi sözcükleri ise ancak ve ancak sessizlikte duyulabilir. Sizi ideolojiler, kurumlar, dernekler aynı çatı altında tutmaya yetmiyor artık. Sizin yeni yepyeni bir şeye ihtiyacınız var. Sizi bu süreçten sonra bir arada tutabilecek tek şey aklınızın gücünü kullanıp tüm sessizliklerdeki sevgiyi hissedip bunu paylaşmanızdır.

Biliyorsun Vaveyla birçok kişi bilinçaltını değiştirmeye çalışıyor. Oysaki sizi yüzde doksan dokuz oranında bilinçaltınız yönetse de tüm seçimlerinizi yaptırıp karar vermenizi sağlayan kısım yüzde birlik etkisiyle beyninizin ön kısmıdır, yani serebral korteks, düşünen beyin. Çünkü her zaman son kararı veren bilinçli zihninizdir! Bilinçaltı derya deniz ve bunu değiştirmek neredeyse imkânsızdır. Değişimin tek çözüm yolunun bilinçli zihnin güçlendirilip akıllı olmaktan geçtiği tüm insanlığa aktarılmalı!

Birçok insan hastalanıyor, iflas ediyor, aldatılıyor, acı çekiyor. Çözüm olarak da üretilen birçok şeyin pek de işe yaramadığı ortada. Çünkü ilahi düzen saf sevgiye doğru tekâmül ediyor, ilerliyor ve içinde artık direnen, kin, öfke, hırs içeren hiçbir şeyi barındırmak istemiyor. Çünkü kendisini arındırıyor. Sadece saf sevgide kalabilenlere yer açıyor. İlahi düzende zorlamadan, direnmeden, yarışmadan, öfkelenmeden, intikam duygusu gütmeden yürüyenlere açılmayacak kapı yoktur! Bunları ve daha birçoğunu insanlara aktarman için dünyanın sana ve senin gibi yüksek bilince sahip kişilere çok ihtiyacı var Vaveyla!

Bu diğer insanlara uzattığın yardım eli, senin gelişim sürecinin tamamlanması için de oldukça önemli. Kazandığın bu gücü diğerlerinin faydasına kullanmak senin görevin olmalı. Böylece daha mutlu ve verimli bir hayat yaşayacaksın.

VAVEYLA: O zaman bir yerden başlamamın vakti geldi de geçiyor bile. Örneğin şu sahilde tek başına yürüyen kadın. Sezgilerim o kadının çok acı çektiğini ve bana ihtiyacı olduğunu söylüyor. Ne dersin?

LOGOS: Biliyorsun hayatta hiçbir şey tesadüf değil. Sen ruhunun sesini dinlemeyi çok iyi öğrendin, hislerinin seni yanılttığını düşünmüyorum. Hadi kolay gelsin Vaveyla! Işığına kavuştur onu Vaveyla! Biliyorsun her zaman yanı başındayım, bana ihtiyacın olduğunda seslenmen yeterli.

VAVEYLA: Artık acı çeken bir insanın yüreğine kayıtsız kalamayacak kadar güçlüyüm. Bir insan kendini kurtaramıyorsa onu hiç kimse kurtaramaz. Ona kendi gücünü göstermeliyim. Baksana onun gelecekten bir beklentisi kalmamış gibi. Oysaki yine de bir uğraştır beklemek. Bekleyecek bir şeyi, kimsesi olmamaktır asıl korkunç ve acı olan.

Bak öfkesinden kanatırcasına ısırdığı dudaklarını belli ki hissetmiyor... Bazı şeyleri hazmedemiyor, kabullenemiyor gibi. Her şeyi yakıp yıkmak yok etmek ister gibi bir hali var.

DİLHUN: Sadece ben değil, sadece o değil herkes yok olmalı! Kimse yaşamayı hak etmiyor! Bu benim daha önceden hiç yaşamadığım bir duygu. Allahım ne kadar güçlü bir duygu bu? Ben bu duyguyla ne yapacağım, nasıl baş edeceğim? O benim canımı nasıl yaktıysa ben de aynısını ona yaşatmak istiyorum. Acıtmak, kanatmak istiyorum yüreğinin en derin yaralarını. Göğsümün tam ortasına taş gibi oturdu bu duygu. Çıkarıp atmak istemiyorum da. Hayır o intikam duygusunun yok olmasını istemiyorum. Bu duygu yok olursa onun canını acıtamam. Yemin ederim ki bu duygunun sadece onun canını acıtarak geçmesine izin vereceğim. Ne ilginç, içimi acıtan bu duygu bana zevk veriyor. Bu duygunun sönüp gitmesini istemiyorum.

İçim acıyor, yüreğim çok kanıyor, Allahım bunu neden yaptı bana? Onu hem çok seviyor, özlüyorum, hem de nefret edip intikam almak istiyorum. Beni ne hale getirdi kendimi tanıyamıyorum! Acı çektiren yalnızlık duygum onu yok etme arzumu doğuruyor. Kendimi bir hiç gibi anlamsız ve iğrenç hissediyorum. Ama ne tuhaf, tüm güzellikleri yakıp yıkmasına, ansızın çekip gitmesine rağmen özlüyorum onu. Bana yaptığı bütün kötülüklere rağmen. Anladım ki; özlemek bir insanın sahip olabileceği en savunmasız duyguymuş. Ne kadar acı çektirirse çektirsin avuçlarımda kalan birkaç anıya tutunuyorum, onları bırakmakta zorlanıyorum. Darbe üzerine darbe yedim hayattan. Direnme gücüm kalmadı artık. Nasıl oldu da ona bu derece kapıldım ve bana acı yaşatmasına izin verdim? Hayatta defalarca da kendimi kötü ve yenik hissettim ama hiçbir şey onun kadar güçsüz hissettirmedi. Onu asla affetmeyeceğim. Gözyaşlarıma engel olamıyorum, günlerdir perişan oldum ve bunun intikamını elbet bir gün alacağım.

VAVEYLA: Ruhunun karanlık odalarından çıkan çığlıklarının hepsini duyuyor, acılarını ben de şu anda seninle birlikte hissediyorum...

DİLHUN: Sen de kimsin? Çekil git başımdan Allah aşkına hiç uğraşamayacağım seninle.

VAVEYLA: Seni o kadar iyi anlıyorum ki, içindeki güvensizliği, hiçbir şeyin değişmeyeceğine dair olan inancını... Senden sadece bana inanmanı ve güvenmeni istiyorum.

DİLHUN: Benim acım bana yeter. Kim olduğunu bile bilmiyorum, seni daha önce hiç görmedim. Sana inanmamı, güvenmemi istiyorsun. Zaten başıma ne geldiyse insanlara güvenmekten geldi. Bu dünyada bundan sonra hiç kimseye güvenmeyeceğim, anlıyor musun beni? Lütfen beni yalnız bırak.

VAVEYLA: Burada kal, biraz benimle zaman geçir. Kaçma benden hemen. Kim olduğumu ve ne demek istediğimi zamanla anlayacaksın. Zamanın akışına teslim et kendini!

DİLHUN: Ne demek istediğini anlamıyorum. Defol git buradan hadi! Kim olduğunu bile bilmeden sana güvenmemi istiyorsun. Niye güveneyim ki sana? Defol hadi! Senin yardımını isteyen yok.

VAVEYLA: Yaşamında bir sürü belirsizlik var biliyorum. Şu koca dünyada kendini yapayalnız kalmış ve kandırılmış hissediyorsun. Köklerinden ve göğe uzanan dallarından koparılmış bir ağaç gövdesi gibi yaşamın orta yerinde öylece kalakaldığını düşünüyorsun! İnsanoğlu ne halde, benim yaşamım nereye kadar ve ne olacak gibi kafanda cevabını bilemediğin bir sürü soruyla boğuşuyorsun. Bu sorularla zihninde boğuşurken bir de benimle hiç uğraşamayacağını düşünüyorsun. Bu yüzden benim buradan çıkıp bir an önce gitmemi istiyorsun!

DİLHUN: Kimsin sen Allah aşkına?

VAVEYLA: Seni mucizelere götürecek sihirli bir güç olarak düşünebilirsin beni. Ne dersin? Bu hoşuna gitmedi mi?

DİLHUN: Anlamsız ve saçma şeyler söylüyorsun. Anlamıyorum bile dediklerini. Tek bildiğim hissetmemem, hiçbir şey hissetmemem anlıyor musun beni? Seni dinlemenin işe yarayacağını düşünmüyorum. Bana sadece sen değil hiç kimse yardım edemez anladın mı?

VAVEYLA: Seni benden başka hiç kimse anlayamaz şu anda. Seni o kadar iyi anlıyorum ki... Belki hikâyelerimiz farklıydı ama geldiğimiz nokta aynı. Kısa bir süre önce ben de şu anda aynı senin hissettiğin şeyleri hissettim. Hatta daha kötüsünü. Bak sen ne yaşamış olursan ol, ne kadar kırılgan ve güçsüz hissediyor olsan da yine de dışarıya adım atacak gücü bulabilmişsin kendinde. Bak mesela ben günlerce aynaya bakamadığım, tek bir insanın yüzünü bile görmek istemediğim için günlerce dışarıya adım atmadığımı hatırlıyorum. Ben biraz önce senin haykırışlarını duydum, bana inanmalısın. Aynı süreçten geçmiş bir yolcu olarak seni öylesine derinden hissediyorum ki git desen de gitmem, bırakmam seni. Yaşadığın her şeyin yeniden bütünleşmen ve kendini dönüştürmen için Yaradan'ın bir yol gösterici armağanı olarak sana geldiğini anlayıncaya dek, seni dipsiz kuyulardan çıkarmadan gitmem. Anlıyor musun beni?

DİLHUN: Of! Bu aşamadan sonra hiçbir şeyin düzeleceğine dair inancım kalmadı.

VAVEYLA: Gizemli ve tehlikelerle dolu bir dünyada yapayalnız olduğunu mu düşünüyorsun? Gecenin karanlığı, bilinmeyen yollar, tehlikeli insanlardan mı korkuyorsun? İnan bana bu düşüncelerinde yalnız değilsin. Şu anda dünyanın yarısından fazlası senin gibi düşünüyor. Şimdi seni ruhsal yolculuğuna davet etsem, ne dersin? Senden sadece bu teklifimi kabul etmeni istiyorum. Bu yolculuk sadece senin için hazırlandı. Bu yolculukta sınırlarını öğrenecek, kendini yakından tanıyacaksın. Bu yolculuk dünyanın dört bir tarafında binlerce kişinin hayatını değiştiren mucizevi bilgilerden oluştu. Yolculuk boyunca alacağın özel ipuçları ve tavsiyelerle bu hayatta sen de usta bir oyuncu olmayı öğreneceksin. Haydi şimdi benimle birlikte bu ruhsal yolculuğa çık ve bu dünyada en iyi şekilde hayatta kalmanın yollarını keşfet! Sırlarla dolu bu dünyanın muhteşem gücünden yararlanmak için bilmen gereken her şeyi öğrenmeye hazır mısın? Bu hayatta isteklerine ulaşmanın yollarını da adım adım öğreneceksin. Bir daha bilinmeyenden korkmana gerek kalmayacak! Bunların aklını başından alacaklarına emin olabilirsin. Yaradan'dan aldığın güçle ve O'nun izniyle istediğin her şeyi inşa etmen mümkün olacak. Yeter ki sen istemesini bil ve Yaradan'ım ol desin. O ol dedi mi her şey olur. Bu söylediklerimin seni heyecanlandırdığını biliyorum. Ama nereden başlayacaksın? Bu hayatta gerçek başarıyı, mutluluğu yakalamış ustalarla boy ölçüşebilecek misin? Bu soruların kafanı karıştırdığını biliyorum. Derinlerde yatan asıl korkun bu! Merak etme hepsinin ipuçları sana bu yolculukta tek tek verilecek. Diğer oyuncuların hayranlığını kazanacak ilahi düzene inanılmaz şekilde hizmet etmeye başlayacaksın! Alacağın özel ipuçları ve tavsiyelerle kısa sürede becerikli bir oyuncu olacaksın! Eğer kendini bu yolculuğun içine bırakırsan ve sana söylenen öğretilere uyarsan yolculuk bittiğinde eksik yanlarının büyük bir kısmını tamamlamış olacaksın. Hak ettiğin hayatı yaşayıp Yaradan'dan sana gelen bolluk ve bereketi oluk oluk alabileceksin. İstediğin aşk, para, başarı, sağlık hepsini evet hepsini! Sana acı veren, sürekli neden benim başıma geliyor dediğin hikâyelerinden kurtulup ezberlerini bozup yeni bir hayata başlamaya var mısın? Ah uğraşıyorum, uğraşıyorum bir türlü olmuyor kahretsin dediğin dileklerini, Yaradan'dan alacağın güçle gerçekleştirmeye hazır mısın peki? Sana vaat ettiğim şeylerin güzelliğini yüreğinde hisset! Var mısın, hazır mısın benimle bu muhteşem yolculuğa çıkmaya! Ne dersin?

DİLHUN: Söylediğin hiçbir şey bana gerçekçi gelmiyor, çok duydum bunları ben.

VAVEYLA: Pekâlâ beni birazdan buradan uğurlayabilirsin. Ancak arkamdan bakarken bunun senin en zor vedan olacağını ve tadıma bakmadığın için pişmanlığını asla unutamayacağını sana hatırlatmak isterim. Görmüyor musun kaybedecek neyin kalmış ki zaten?

DİLHUN: Evet şimdiye kadar tüm söylediklerinin içinde tek doğru olan bu! Kaybedecek başka neyim kaldı ki? Başka çarem de yok zaten. Peki tamam deneyelim o halde...

VAVEYLA: O zaman başlıyoruz, kaybedecek zamanımız da yok çünkü. Harika! Merak etme bu ağacın kökleri toprağa güvenle tutunacak ve dalları göğün en üst katmanlarına coşkuyla yükselecek. Bu dünyada artık bir yabancı olmayacaksın. Yaşam yolculuğuna ruhunla ve aklınla güçlü köprüler kurarak devam edeceksin. Ruhun aktif, kanatlı, hareketli, canlandırıcı, uyarıcı, kışkırtıcı, ateşleyici ve ilham verici olarak her geçen gün daha da yükselecek. Tüm bunlar sence de çok heyecanlandırıcı değil mi? Hadi şimdi bana kendinden bahset biraz. Kime kızgınsın bu kadar? Kim yaktı canını? Kim üzdü seni?

DİLHUN: 32 yaşındayım, içmimarım, büyük bir şirkette çalışıyorum ve...

VAVEYLA: Yaşın, cinsiyetin, mesleğin, dinin, dilin ırkın beni hiçbir şekilde ilgilendirmiyor. Bana hikâyenden ve duygularından bahset hadi.

DİLHUN: Yaşamda hiçbir zaman kendimi bu denli sıkışmış hissetmedim ben. Gözyaşlarım hiç bu kadar kanatmamıştı yaralarımı. O beni nasıl terk eder Allahım! Üstelik benden alacağını aldı ve sonra gitti. İşte bunu hazmedemiyorum! Olmamalıydım, onunla birlikte olmamalıydım. Ah kahretsin duramıyorum yerimde, kuduruyorum Allahım, öfkeden kuduruyorum. Şuursuzca kendimi tırmalıyorum, tırmaladıkça tırmalıyorum görüyor musun? Bunu günlerdir yapıyorum. Elim yüzüm her yanım kan ve tırnak izi. Ama hissetmiyorum. Acımı hissetmemek ne de acı! Ellerimi bir anda saçlarımın arasına atıyorum ve avuç avuç yoluyorum saçlarımı. Yoldukça yeniden yoluyorum. Bunu da günlerdir yapıyorum biliyor musun? Acı değil haz duyuyorum bu yaptıklarımdan! Yetmiyor göğsüme göğsüme hızla vurmaya başlıyorum.

Çıkmıyor Allahım bu acı niye çıkmıyor? Göğsüme vurdukça bağırmaya başlıyorum. Belki bağırdıkça çıkar acım diye, ama nafile. Göğsümü yarıp atıp çıkarmak istiyorum içimdeki tüm kini! Ama ne ilginç Allahım bir yandan da çıkmasın diye iyice diplere derinlere itiyorum tüm kinimi. Yırtıcı ama çaresiz bir hayvan gibiyim. Ondan nasıl intikam almak istiyorum bir bilsen. Yapamıyorum ama hiçbir şey yapamıyorum. Elim kolum bağlı ve bu da beni kahrediyor. İçimdeki intikam duygusunu sürekli sıcak tutmalıyım! Unutmama izin vermemeliyim. Ben acıdan beslenmek zorundayım yoksa nasıl alırım intikamımı? Unutmak istemiyorum, onun bana yaptıklarını asla unutmak istemiyorum. Sen de terk edilmiş olsaydın, bunun ne kadar berbat bir duygu olduğunu anlardın ama sen beni anlayamazsın. Bu yüzden sen bana yardım edemezsin anladın mı?

VAVEYLA: Bu hepimizin başına gelen bir şey. Herkes hayatta en az bir kez olsun birileri tarafından terk edilmiştir unutma. Bu arada terk edilenler yalnız değildir! Birlikte yürüdüğün her yolcunun seni Yaradan'ın ışığına götürmek için ödünç olduğunu ama onlara sahip olmadığını hep hatırla. Pekâlâ kim bu kişi, neler oldu aranızda? Anlat bana hikâyeni.

DİLHUN: Ah kahretsin, lanet olsun! Hakan benim dört yıllık sevgilimdi, ta ki altı ay öncesine kadar. İlişkimizde gelgitler yaşıyorduk zaten. Daha önceden de defalarca ayrıldık birleştik ama hiç bu kadar küs kalmamıştık. Bu defa altı ay oldu ve hiç aramadı. Defalarca aradım onu ama hiçbir şekilde ulaşamadım. Defalarca ona mesaj attım, gördü ama cevap vermedi. Susuyor, canımı yaktı, beni yüzüstü bıraktı gitti, şimdi de susuyor. Bazen de hıncımı alamayıp onu öldürmek istiyorum biliyor musun?

VAVEYLA: Bu arada tanışalım istersen, benim adım Vaveyla. Senin adın ne?

DİLHUN: Ne değişik ismin varmış, daha önceden hiç duymadım. Benim adım da Dilhun.

VAVEYLA: Duyacaksın Dilhun, bundan sonra sen de diğerleri gibi çok duyacaksın çünkü sen de bir yeryüzü Vaveylası olacaksın.

DİLHUN: Söylediklerinden hiçbir şey anlamadım. Yeryüzü Vaveylası da ne demekmiş?

VAVEYLA: Bilmene gerek yok zaten şimdi. Zamanı gelince her şeyi öğreneceksin... Peki biz kaldığımız yerden devam edelim. Altı ay önce ne oldu? Hakan'ın gitmesine ve susmasına sebep olan bir olay yaşamışsınızdır mutlaka. Yaşadığınız hangi olay sizi bu sürece getirdi?

DİLHUN: Yaşamaz olsaydım keşke. Aylar öncesinde biz evlenmeye karar vermiştik. İşlerimizin biraz daha yoluna girmesini bekliyorduk. Giderek bana ayırdığı zaman azalıyordu. Önceliği olmadığımı hissetmeye başlamıştım. Nedensiz kavgalar, sebepsiz küsmeler, alınganlıklar giderek artıyordu. Bana karşı giderek sorumsuz davranıyordu. İlişkinin devamlılık ve sorumluluk gerektirdiğini söylediğimde çok sinirlendi. Ona karışamayacağımı, evlenince onun tüm hayatını kontrol etmeye çalışacağımı söyledi ve çekip gitti. Neden bu kadar sinirlendiğini, asıl sorunun ne olduğunu bile tam olarak anlayamadım. Bunlar çözülemeyecek sorunlar değildi. Gitmek istemeyen, gitmesi için sayısız geçerli sebebi bile olsa kalmak için bir neden bulur. Kaybetmeyi göze alanla ne yaparsan yap ilişkiyi yürütemiyorsun ve bir neden bulup gidiyor işte... Ona defalarca ulaşmaya çalıştım ama hiçbir şekilde ulaşamadım. Hiçbir aramama ve mesajlarıma geri dönüş yapmadı. Günlerce gece gündüz uyumadan çok acı çektim. Pişman olup geri geleceğine dair içimdeki umut hiç tükenmemişti. Özgürlük sorunu yüzünden benden uzaklaşan adamın bu kadar önem verdiği o özgürlüğü ne yapacağını kendine bir gün soracağını düşündüm. Bu özgürlükle baş edemeyip kapımı bir gün çalacağından o kadar emindim ki. İlişkimizde ne kadar bir şeyler eksik olsa da bensiz yapamayacağını, onun da özlediğini ama aradan çok zaman geçtiği için dönmeye yüzü tutmadığını sanmıştım. Geleceğini düşünmek, bu acıyla birlikte bana her şeyin üstesinden gelebileceğimize dair bir güç de veriyordu. İlişkimizin çok daha güçleneceğini düşünüyordum. Gurur ve şehvetten gelen bir tutku vardı içimde ve bu tutku giderek güçleniyordu. Ama zamanla hiç de düşündüğüm gibi olmadığını, artık onu sonsuza kadar kaybettiğimi anladım. Ondaki "Ben"in giderek yok olmasını hissetmem bendeki "O"nu her geçen gün daha da büyütüyordu. Bendeki "O" gidince geriye sadece kocaman bir boşluk kalıyordu ve ben o boşlukla nasıl baş edebileceğimi bilemediğim için içimdeki "O"nu her geçen gün daha da büyütüyordum.

Yüreğim artık pişmanlıkla, hayal kırıklığıyla, başarısızlık duygusuyla dolu. Anladım ki insanlar bizim onlara verdiğimiz şeyler ölçüsünde değil; bize neye mal oluyorlarsa aynı oranda bizim oluyorlar. Bir insanı kendime bağlamak için hayatımı ona adamak yerine onu iliklerine kadar sömürmem gerekiyormuş. Bu uzun aşk serüveni içimde kocaman bir boşluk duygusu yaratmaktan başka hiçbir halta yaramadı. Bu defa aşk benim için tam bir kıyım oldu. Ruhum çöküntü içinde. Çok acı çekiyorum ve bu acı giderek hem ruhumu katılaştırdı hem de çok yordu. Ondan intikam almak istiyorum anlıyor musun? Ondan intikam alıp tüm bu duygulardan kurtulmak istiyorum.

Eğer bir şeyin tadını çıkardıktan sonra geriye hoşnutsuzluk ve eksiklik kaldıysa, bu zevkin artık bittiğini açıkça söylemesi gerekmiyor muydu?

Ben böyle hiçbir açıklama yapılmadan çekip gidilmesini hazmedemiyorum.

VAVEYLA: Seni çok iyi anlıyorum Dilhun. Öncelikle bana güvenip hikâyeni paylaştığın için çok teşekkür ederim. Anladığım kadarıyla sorunlu, çalkantılı bir aşk yaşamın olmuş.

DİLHUN: Bir şeyler hep eksikti sanki ilişkimizde, anlatabiliyor muyum? Yeterince emek verilmemiş, beslenmemiş bir ilişkiydi belki de. Bitirilmesi gereken ama bir türlü bitirilemeyen.

VAVEYLA: Şimdi sana bir soru sormak istiyorum. Annenle babanla yani ailenle ilişkilerin nasıl Dilhun? Geriye dönüp baktığında, çocukluğunda ailenle aranızda geçen, sende hoş duygular uyandırmayan anıların var mı? Ailenin seni yeterince sevdiğine ve ilgilendiğine inanıyor musun? Hayatında keşke yaşamasaydım dediğin, dibe vurduğun bir kök travma diyebileceğin bir olay oldu mu? Yoğun acı ve üzüntü yaşamana sebep olacak. Her şeyin boğazında düğümlendiğini hissettiğin, midenin bulandığı, karnına taş gibi oturan bir his... Hepimiz küçük ya da büyük mutlaka keşke yaşamasaydım dediğimiz olaylar yaşamışızdır. Sana küçük gelen travma bana büyük gelirken bana küçük gelen travma sana büyük gelebilir. Olayın küçüklüğü büyüklüğü değil kişide bıraktığı iz ve hayatındaki etkisi önemlidir. Bu para durumu, sevgi, huzur, aldatma, aldatılma, intihar girişimi, cinayet, kürtaj, göç gibi birçok olay olabilir. Bu kabul etmekten yüzleşmekten korktuğun için hiç hatırlamamak üzere bilincinin en derinlerine gömdüğün farkında bile olmadığın bir travma da olabilir.

DİLHUN: Biraz düşünmem gerek, hoşuma gitmeyen yaşanmışlıklarım var tabii ki ama kök travma hangisidir bilemiyorum...

VAVEYLA: Peki şimdi rahat olmanı istiyorum. Gözelerini kapattığını ve şu gördüğün denize girip yüzüstü yattığını ve tüm sorunlarını suya bıraktığını düşün. Şimdiki yaşından anne karnına doğru giderek her yaşının sana getirdiği acıları ve üzüntüleri hepsini tek tek bırak. Su alıp hepsini götürecek ama sadece bir tanecik olay seninle kalacak. Onu suya bir türlü bırakamıyorsun, sıkı sıkı tutunuyorsun. Onun etkisini hâlâ bedeninde hissediyorsun. Bırakırsan içinde bir boşluk olmasından korkuyorsun. İşte tutunduğun, bırakamadığın, seni en çok üzen ve en çok etkisi altına alan olay kök travman. Buna odaklanmanı ve bu olayın içine girmeni istiyorum. Sanki şimdi oluyormuş gibi.

DİLHUN: Sanki o olayın içindeyim...

VAVEYLA: Evet, güzel, anlat bana.

DİLHUN: Olayda annem ve babam var. Annem çok çalışıyor, sabah çok erken saatlerde evden çıkıp gece geç saatlerde geliyor. Aile düzenimiz pek yok. Babam zaten nakliye şirketimiz olduğu için sürekli seyahat etmek zorunda. Annem şirketin İstanbul'daki resmi işlerini yürütürken babam da sık sık şehir dışına çıkmak zorunda kalıyor. Belki de onunki de kaçış bilmiyorum. İkisi de tam bir işkolik ama çok büyük paralarımız yok. Bu kadar çalışmaya öyle çok varlıklı bir aile falan değiliz yani. Bize anne annem bakıyor daha çok, halam geliyor yemeklerimizi falan yapıyor. Bir gerginlik bir huzursuzluk hissediyorum. Her evde yaşanan geçimsizlikten biraz daha fazla ama. Özel günlerde babam eğer şehir dışında değilse anneme hediyeler alıyor, dışarıya yemeğe götürüyor, gönlünü yapmaya çalışıyor ama birbirlerini çok sevmiyorlar. Can sıkıcı bir evliliği bizden dolayı zoraki canlı tutmaya çalışıyor. Bunu hissedebiliyorum. Dışarıdan bakanlar birbirimize destek olduğumuzu, aile bağlarımızın güçlü olduğunu düşünüyor. Oysaki herkes birbirinden kopuk bir şekilde kendi hayatını yaşayıp gidiyor...

VAVEYLA: Peki devam et Dilhun, başka başka neler oluyordu?...

DİLHUN: Bilmiyorum ki, şimdi sen sorunca aklıma direkt gelmiyor, olayları kesit kesit hatırlıyorum... Kafam çok karışık, sürekli gelgitler yaşıyorum. Daldan dala atladığımın farkındayım...

VAYEYLA: Hiç önemli değil, durma devam et sen. Gir girebildiğin kadar hikâyenin içine, şimdiymiş gibi gir. Ailenden sana kalan duyguları anlat bana, ailenin sana hissettirdiklerini...

DİLHUN: Bunları sana niye anlatıyorum anlamadım ki?

VAVEYLA: Sana bir şey öğretmeyen her türlü acı boşuna çekilmiş bir acıdır. Acı çekmenin ne belalı bir iş olduğunu çok iyi bilirim. Acının büyüklüğüne üzülecek yerde onun bir işe yaramayışına üzül. Yaşadığın acıya katlanmaya çalışman onu azaltmaz. Bunun yerine bu yıkıma serinkanlılıkla bakıp onun üzerinde derin derin düşünerek ondan bir yarar sağlamalısın. Hiçbir şey yapmadan sadece onu düşünmen en kolay yoldur. Acı çekmenin bile yaratıcı olması için önce sıkıcı olması gerekir. Artık bu acıdan sıkıldığını, içgüdüsel olarak bunun seni eyleme yönelttiğini görüyorum. Hayatta öğrenebileceğimiz şey bilinçlenmeye geçiş sürecidir. Büyük bir şey yapmak, çilekeşler gibi bu dünyadan el etek çekmek, def olup gitmek istedin. Terk edilmenin ne kadar zor olduğunu çok iyi bilirim Dilhun! Kendini koskoca dünyanın ortasında çaresiz, savunmasız, zavallı ve çırılçıplak hissetmenin ne demek olduğunu çok iyi biliyorum...

Sen ne bir yere kaçabildin ne de bu acınla baş edebildin. Son darbeden çıkaracağın acı ders de, son altı ayda iç hesaplaşmanla hiçbir şeyi değiştirmiş ya da düzeltmiş olmamandır. Düşüncelere dalarak bu bataklıktan kurtulabileceğin avuntusunu artık bırakmalısın. Acı çekmek bir üstünlük, ayrıcalık değil. Seninle yapacağımız ruhsal yolculuk acıyı daha da korkunçlaştırsa bile bunu yapmak zorundasın. Kendine acımaktan vazgeç ve dönüştür acını. Acın sana bir armağan sunuyor ve bu hikâyende gizli. Bunu bulabilmemiz için hadi bana yardım et ve anlat hikâyeni. Neler hissettin büyüdüğün evde anlat hadi?

DİLHUN: Pekâlâ Vaveyla, bunun için elimden geleni yapacağım. Duyguları hatırlamam için sanırım biraz daha olayların içine girmem gerekiyor. Hımmm... sanırım şey, evet evet bir şeyler hatırlıyorum... Babam uzun süreliğine seyahate çıkınca annem belli bir zaman sonra sinirlenmeye ve bize öfkelenmeye başlıyordu. Uzun iş seyahatlerinden dolayı bize daha az vakit ayıran babam, biraz da bu nedenle olacak ki bizi şımartır, hediyelere boğardı. Eee biz de çocuk olduğumuz için babamızı daha çok severdik. Yeterince yerine getirmediği babalık görevlerini böyle telefi etmeyi huy edinmişti. Aramızda duygusal hiçbir bağ yoktu, sanki hep bir boşluk vardı. Sürekli yollarda olduğu için onu kaybetmekten, gidip geri gelmemesinden de çok korkardık. Trafik kazası geçirmesinden, bir gün onun ölüm haberinin gelmesinden çok korktuğumuzu hatırlıyorum. Yine o uzun seyahatlerden döndüğü bir akşam, babamın bizi sinemaya götürmesini istediğimizde o da bizi kırmamış ve hemen kabul etmişti. O an annemin tepkisini görmeliydin. O zaman neden öyle davrandığını anlayamamıştım. Çok sinirlenmiş, ağzına geleni saymıştı. "Oh ne âlâ! Tüm sorumluluğu benim üzerime yıkmışsın. Günler sonra dönüyorsun ve çocukları sinemaya götürmekle her şeyin hallolacağını düşünüyorsun öyle mi? Bıktım artık hayatı tek başıma götürmekten, çok yoruldum, anlıyor musun çok!" dedi.

O akşam birbirlerine girdiler. İşte o zaman kendimi çok suçlu hissetmiştim. Dediğim gibi çok nadir kavga ederlerdi. Aslında birbirlerinden o kadar vazgeçmişlerdi ve sıkılmışlardı ki kavga edecek enerjileri bile yoktu. Keşke sinemaya gidelim demeseydik diye acayip bir suçluluk duygusu hissetmiştim. Çok da üzülmüştüm, annemlerin boşanacağını düşünüp ağlamaya başlamıştım.

VAVEYLA: Seni şimdi çok daha iyi anlıyorum Dilhun. Acını hissediyorum. Şimdi şu sorumu çok iyi cevaplamanı istiyorum. O anda işte tam da o anda kendi kendine o duyguyla bir karar aldın, o korkuyla birlikte. Bu kararın ne olduğunu bana şimdi söylemeni istiyorum.

DİLHUN: Annemin çok sert, sevgisiz, babama ve bize kötü davrandığını düşünüp onun gibi olmama kararı almış olabilirim, bir de babam gibi sürekli çalışan bir erkekle evlenmeyeceğim çünkü eşini ve çocuklarını ihmal ediyor diye karar aldım sanırım. Başıma gelenlerin onların sorumsuzluğu yüzünden olduğunu düşünmüştüm. Yoğun suçluluk duygusu ve korku hissediyordum. Bu korku ve suçluluk duygusundan tek kaçışın annem ve babam gibi olmamak olduğunu, kendimi ancak böyle koruyabileceğimi düşünmüştüm. O alçağın yüzünden kendimi kirlenmiş, böcek gibi değersiz, önemsiz hissediyordum. Bu duyguyla birlikte şuna da inanmıştım: "Erkeklere asla güvenilmez, çocukları ve eşleriyle ilgilenmemek için evden uzaklaşıyorlar, onları üzüyorlar." Ayrıca "Ben hayatın hiçbir güzelliğini hak etmeyecek kadar kirli ve değersizim" inancını da oluşturdum sanırım. Ben annem gibi olmayacağım dedim ve onun tam tersi saçını süpürge yapan herkese sevgi dağıtmaya çalışan biri oldum ta ki Hakan'ın beni terk ettiği güne dek. Terk edildikten sonra ise içimden adeta bir canavar çıktı, sevgisiz, gaddar ve taş gibi ruhsuz biri oldum. Sanki zamanla anneme daha çok benziyordum. Hem de gittim tam da babam gibi bir erkeği buldum. Hakan da babam gibi çok çalışıyor, sorumsuz davranışları var. Değersiz olduğum ve kirlendiğim inancıyla da ne hak ettiğim paraya ne de kariyere kavuşabiliyorum. İşin ilginç tarafı Hakan beni bırakıp gittiğinde sinema olayındaki duyguları hissettim biliyor musun? Benzer duyguları yaşadım, bu çok ilginç değil mi? Sen tam bir harikasın Vaveyla. Rahatlıyorum, evet seninle konuştukça rahatlıyorum. Bana iyi geliyorsun. Hikâyemin düğümlerini çözüyorum sanki...

VAVEYLA: Evet Dilhun, tüm amacımız bu duyguyu ve bu duygu yoğunluğuyla ilgili kararı bulmaktı. İnsan yargıladığı kişiye dönüşür unutma. Anlamlandıramadığın, kelimelere dökemediğin, saklamak zorunda kaldığın bu travma anındaki duyguların ve düşüncelerin aracılığıyla oluşan enerji blokajlarını, inançlarını temizlemeliyiz öncelikle.

Sözcüklerin hayatımızdaki yerini kavrayabiliyor musun Dilhun? Eğer o süreçte güvenip bir kişiye dahi bu olayı sözcüklerle ifade edebilseydin travma olmayacaktı. Travma anlatılamayan, dile getirilemeyen, bizde derin, sıkışmış duygular yaratan olaylardır. Daha seninle çok çalışmamız gerek Dilhun. Hadi bir an önce başlayalım yoksa hayatına hep aynı kişileri çekersin ve acın asla dinmez.

DİLHUN: Kolay kolay kendi yaradılışının dışına çıkamıyor insan. Eskiden de çok acı çektim ve hâlâ çekiyorum. Bütün korkunç geçen aylara rağmen hayatımda hiçbir şey değişmedi hâlâ acı çeken bir zavallıyım.

VAVEYLA: Bunlar bütünsel ve karmaşık olaylar Dilhun acele etme. Zamanla tüm sorularının cevabını bulacaksın merak etme. Bak görüyorsun düğümler tek tek açılıyor...

Ruhunda yaşadığın bu olaylar sürecinde boşluklar oluştu ve bunları değişmez olaylar olarak kaydetti. Boşluğu doldurman gerektiğini fısıldadı ruhun hep sana ama sen neyle doldurabileceğini göremedin. Çünkü görebilmen için bu olaydan ayrılman gerekiyordu. Ama bunu yapabilmen senin için adeta imkânsızdı. Sen sadece onunla var olabileceğini düşündün. Yaşadığın tüm olaylara onunla anlam verebileceğine inandın. Oysaki bu hayatındaki boşlukları gerçekçi düşünceler ve hislerinle doldursaydın hiçbiri olmayacaktı. İhtiyacın olan gücü ve sevgiyi Yaradan'dan alarak rotanı çok daha kolay belirleyebilecektin. Bakara Suresi 286. ayette, "Allah hiçbir nefse gücünün yeteceğinden öte yük yüklemez" der. Başına ne gelirse gelsin bundan sonra bu ayetteki derin anlamı hiçbir zaman unutma tamam mı?

Yaşadığın olaylar için ne düşünüyorsun çok dikkat et! Önce hislerinle duygularını birbirinden ayırmayı öğrenmelisin.

His özünden gelir. Yani zihnin devre dışıdır, orada sadece Yaradan'ın koşulsuz, saf sevgisi vardır. Bir şeyle ilk defa karşılaştığında hiçbir benzetme olmaksızın yani öncesi ve sonrası olmadan sadece o ana özel olması hislerinin en önemli özelliklerindendir. Yani hiçbir olayla zihnin henüz ilişkilendirme yapmamıştır. Derinlerden gelir, saftır, tertemizdir... Duyguların ise düşüncelerden, geçmiş deneyimlerinden gelir. Geçmişte yaşadığın olaylarla bağlantı kurup ilişkilendirme yaparlar. Olaylara duygularınla tepki verdiğin sürece daha canın çok yanar. Oysaki sana asıl yol gösterecek olan hislerinle aklını birleştirmendir. Aklını kullanarak düşüncelerini ve duygularını çok iyi yönetmelisin. Yoksa kendini hiç de gerçekçi olmayan duyguların ve düşüncelerin içinde bulup onların yarattığı deneyimleri bile yaşayabilirsin. Düşüncelerini kontrol etmezsen, aklını kullanmazsan onlar sana olmamış, gerçekleşmemiş şeyler hakkında senaryolar yazarlar ve sen de bunlara kendini inandırabilirsin. Örneğin, "Ya bir ay sonra annem yanıma gelirken trafik kazası geçirip ölürse?" gibi gerçekçi olmayan düşüncelere kendini inandırıp bir ay boyunca o endişeyi yaşayabilirsin. Ta ki annen sağ salim yanına gelene dek. Ah benim en önemli sorunlarımdan birisiydi endişe. Neyse ki Logos sayesinde anı yaşamayı öğrenerek hepsinden özgürleştim. Önce düşüncelerin oluşur, ardından duyguların, ardından da davranışların. Yapman gereken duygularını tetikleyen düşüncelerinin farkına varıp davranışlarını kontrol etmek. İşte o zaman hiçbir geçekliği olmayan düşünceler susacak, alttan gerçek hisler sana tek tek gelecek ve sen onların sesini duyabileceksin. Pusulan her zaman hislerin ve aklın olmalı. Sana tüm bunları nasıl yapacağını öğreteceğim merak etme.

Her duygu ve düşünce hayatına aynı şekilde etki edebilecek güce sahip değildir. İnandığın ve daha çok duygu yüklediğin olaylar davranışlarını belirler. Şu anda senin hayatını işte bu gerçekçi olmayan, geçmişten gelen duygu ve düşünceler esir almış durumda. Yani bedenini, zihnini ve ruhunu esir alan, artık hiçbir işlevi olmayan, körü körüne hayatını yöneten duyguları önce boşaltmalıyız. Bilincin, bilinçaltından gelen, farkında olmadığın bilinmeyeni, bilinir kılmaya çalışır. Yani duygularını sana maddeleştirerek gerçeğin haline getirmeye çalışır. O egemendir. Duyguların düşüncelerinin çok iyi bir hizmetkârıdır. Hissettiğin ama hatırlamadığın duygular ve olaylar enerjisini açığa çıkarmak için bedeninde güçlü bir manyetik alan oluşturuyor. Bunları sadece olumsuz duygular olarak düşünme. Bu sende iz bırakan tüm duyguların için geçerlidir. Burada bilmeni istediğim nokta bu duyguların her zaman doğru ve gerçekçi olmadığıdır.

DİLHUN: O zaman şimdiki gerçekliğimizin büyük bir kısmını geçmiş yaşantılarımız mı oluşturuyor? Düşüncelerimiz ve bunun sonucu oluşan duygular? Eğer öyleyse bu benim için çok kötü! Zira geçmişimin hiç de iyi olmadığını biliyoruz artık.

VAVEYLA: Bu senin geçmişte yaşadıklarının sende bıraktığı kötü izlerle nasıl mücadele edeceğine ve dönüştüreceğine bağlı.

DİLHUN: Üzgün ve gergin olduğum zamanlarda yalnızca içimdeki eleştirel sesi duyuyorum. Sevecenlik içeren sakin bir sesi hiç duymuyorum. Beni tedirgin eden düşüncelere karşıt iyi bir ses duysam bile inanmadığımın şimdi farkına vardım. Düşüncelerimin gerisindeki duygusal güçler öylesine yoğun ki kendime gelmemi, toparlanmamı istemeye başladığım anda kendimi daha da çok yetersiz ve güçsüz hissetmeye başlıyorum.

VAVEYLA: İşte bu süreçte kendini daha çok yargıladığın için hikâyeni ve sana zarar veren inançlarını güçlendirmiş oluyorsun. Tüm bunları destekleyici kanıtlar bulmak için zihnini zorluyor, aksini ortaya koyan her şeyi göz ardı ediyorsun. Bunların da farkındasın değil mi?

DİLHUN: Evet gerçekten de tam da dediğin gibi oluyor. Hakan'ı bazen affetmek, unutmak istiyorum. Neden onu bu kadar takıntı haline getirdim, neden onu bir türlü kafamdan atamıyorum diye düşünüyor fakat işin içinden çıkamıyorum. Olumlu kararlar alıp tam toparlanacakken yine başaramayacağım gibi düşünceler zihnimi zorluyor ve bu düşüncelerimi güçlendiriyorum. Gerçekten bende bir sorun var ama Vaveyla! Buna daha fazla dayanamayacağım. Neden Hakan'la olan ilişkimi bitiremiyorum? Neden bir tek kişinin hayatımı bu denli etkilemesine ve mahvetmesine izin veriyorum?

VAVEYLA: Hiç kimse hayatına tesadüf girmez. Hayatındaki herkes senin bir yönünü (tarafını) yansıtır. İşte şimdi senin için müthiş bir bilgi geliyor. Hazır ol! Diğerinde bir yansıman olarak gördüğün o yönün (tarafın) senin kurtuluşun için var! Beni gör, kabul et ve kurtul diye yansıyor ama sen ne yapıyorsun? Korkup kaçıyor ve ısrarla o yönünü görmezden gelip yok sayıyorsun. Unutma en çok merak ettiğin, nefret ettiğin ve yargıladığın şeye zamanla dönüşürsün. Bu yüzden yaşamın sen isyan ettikçe, öfkelendikçe içinden çıkılmaz hale geliyor, battıkça batıyorsun. Neyi merak ettiğine, yargıladığına ve neden nefret ettiğine lütfen dikkat et. Hayatına giren hiç kimse ve yaşadığın hiçbir olay gereksiz ve anlamsız değildi anlıyor musun? Hepsi seni kahramanlaştırmak içindi. Korkunun olmadığı yerde ne vardır biliyor musun? Zafer vardır! Bu korkusuzluktan kahramanlar oluşur. Yaşadığın bu olayların hepsi bilinçlenmen ve aklını kullanmayı öğrenmen içindi. Niye benim başıma geliyor dediğin olayların şiddeti ve büyüklüğü ne kadar çoksa bil ki o hız ve güçte bilinçaltının oyunundan çıkmaya ihtiyacın var. Bilinçaltının oyunlarına gelip aklını kullanmadığın sürece acı çekmeye devam edersin. Sen bu olayı kabul ettiğinde aynı zamanda yaşama dair direncin bitecek ve Yaradan'la senin aranda müthiş bir sevgi seli oluşacak. İşte ancak o zaman kendini bu dünyaya ait hissedebileceksin. Bu duygunun muhteşemliğini, bunun gücünü hissedebiliyor musun? Bu, ilahi düzenin kurallarına itiraz etmeden, direnmeden teslim olman demektir. İlahi düzene teslim olduğunda sadece şimdide yaşarsın. Şimdinin gücünde gerçekçi olmayan geçmiş ve geleceğe dair düşünceler dolayısıyla duygular da olmayacağı için hislerinin sana fısıldadıklarını net bir şekilde duyabileceksin. Bu yüzden en başarılı ve güçlü kişiler gücünü Yaradan'dan alanlar, O'na teslim olanlardır. Yaradan'a teslim oldun mu tüm ayrılıklar biter ve sen yalnızlık duygusundan kurtulup, kendini bu dünyaya ait hissetmeye başlarsın. Hepsi O'nun sana birer armağanıydı. Unutma Allah mucizeleri ve bu dünyanın en güzel meyvelerini sana vermek için hazırlık yapıyor. Çünkü O mucizeleri sadece almaya hazır olanlara gönderir!

DİLHUN: Bu gerçekten beni çok rahatlattı. Neden bilmiyorum ama yüklerimden biraz daha kurtulmuş hissediyorum kendimi. Sen iyi bir dost ve harika bir öğretmensin.

VAVEYLA: Teşekkür ederim. Hayatına giren herkese karşı saygılı olursan sana yeni bir güzellik sunmak için geldiğinin farkında olursun. Şimdi sana bir soru daha sormak istiyorum. Hep ne istiyorsun da olmuyor? Hep ne yaşıyorsun? Tekrar tekrar yaşadığın olaylar neler? Hayatında hep istemediğin ne gerçekleşiyor?

DİLHUN: İlişkilerimi sağlıklı yürütemiyorum, yeterli doyuma ulaşamıyorum. Bir türlü sevildiğimi hissedemiyorum. Ayrıca en kötüsü, bir süre sonra tıkanan, bitirilmesi kaçınılmaz hale gelen ilişkiyi bitirecek güce de çoğu zaman sahip değilim, bazen ben de bırakıp gitsem bile. Bu yüzden de genellikle terk edilen taraf ben oluyorum. Sonra da tahmin ettiğin gibi önemsizlik, değersizlik, suçluluk, yetersizlik duygularıyla boğuştuğum, hiç bitmeyecekmiş gibi görünen günler yaşıyorum.

Neden sürekli aynı şeyleri yaşıyorum? Neden hep ilişkilerim aynı? Ben mi tuhafım? Ben neden hep alttan alan, yumuşak başlı, anlayışlı taraf olmak zorundayım? Defalarca bana zarar verdiğini bildiğim halde asla görüşmeyeceğim, yüzünü görmeyeceğim dediğim insanları bir süre sonra affedip hiçbir şey yokmuş gibi davranıyorum! Takılıyorum, ilişkilerimde çok sorunlar yaşıyorum, ilerleyemiyorum ama en kötüsü de vazgeçemiyorum. Niye insanların sürekli beni kullanmasına izin veriyorum ve hep üzülen ben oluyorum! En kötüsü de hâlâ akıllanmıyorum? Hatta düşünebiliyor musun, o nefret ettiğim ve intikam almak için yanıp tutuştuğum Hakan bile bir gün geri dönse, tüm olanları yok sayıp yine ona dönebilecek kadar tutarsız bir davranış sergileyebilirim.

VAVEYLA: Hayatta sürekli aynı şeyleri yaşıyorsan bil ki bu senin kök travmanla ilgili. Sürekli aldatılıyor, terk ediliyor, iflas ediyor, bitirmen gereken ilişkini sağlıklı bir şekilde bitiremiyor veya incitiliyorsan hepsi kök travmayla ilgili. Hayatta büyüklü küçüklü herkesin yaşadığı travmalar vardır. Yaşanılan her travma ilk travmaya götürür insanı. Bazı durumlardaki travmatize olmuş hallerimiz, başka şeylerin ikincil travmasıdır. Bu kök travma oluş zamanına göre bedenimizi etkiler, sinir sistemimize yerleşir ve gelişimimize engel olur. Hangi dönemde bu travmayı yaşadıysak o dönemle ilgili bir takılma, bir zorlanma, gelişimsel bir basamak atlama olabiliyor. Unutma sözcüklerle dile getirilemeyen, aktarılamayan sıkışmış duygular travma yaratır. Bu kök travma dediğimiz olay dengemizi bozar ve en ufak bir üzüntü, istenmeyen bir olay yaşadığımızda bizi hemen ona geri götürür. Hadi gel o zaman şimdi birlikte yapacağımız bu basit ama etkili çalışmayla önce kök travmandan özgürleşmeni sağlayalım.

DİLHUN: Evet lütfen, lütfen bunun için yardım et bana. Kapkara ve sürekli tedirgin eden düşünceler artık beni çok bunaltıyor.

VAVEYLA: Güzel kabule adım adım yaklaşıyorsun.

İnançlarının çoğu sana acıyla programlandı. Bu inançlar hayallerinle senin aranda kocaman duvarlar örerek seni bloke eden enerjilerdir. Onları dönüştürmenin ilk yolu daha güçlü duygularla onları boşaltmaktır. Birazdan bilinçli olarak acını artırıp boşaltacağız. Yaşam boyu süren, seni esir alan inançlardan güçlü bir şekilde duygusal yoğunluğunu artırabilirsen kısa bir zamanda kurtulabilirsin. Bu süreçte duygularını sürekli ve şiddetli olarak hissedemezsen seni bloke eden enerjiden kurtulman aylar ya da yıllar alabilir. Mümkün olduğu kadar ağlayıp bağırmalısın. Bunu tabii ki kendine acıyarak ya da kendini suçlayarak değil, bedenin ve ruhun teslimiyetteki saklı gerçekliğine, özgürlüğüne ve cesaretine yönelik ağlamalısın. Bu kurtuluşuna yardımcı olacak. Ağlayıp bağırmak gerekli olmasa da yeniden programlamaya hız kazandırmak için gereken yoğunluğu sağlamanın en iyi yoludur. Ağlarken "Kendimle kavga etmek zorunda değilim, çok acı çektim, çok zor günler geçirdim ama artık buna dur demek istiyorum. Sıkıldım hayattan, çok sıkıldım ve artık yeni başlangıçlar yapmak istiyorum" de kendi kendine. Ne kadar çok ağlayıp olanca gücünle haykırırsan, bilincini enerji blokajını kaldırmaya odaklarsan, seni huzursuz eden enerjiyi de o kadar etkili şekilde ortadan kaldırman kolay olur. İyileşmen için ağlayıp bağırman şart değildir fakat süreci hızlandırır. Çünkü bu enerji blokajının büyük bölümü şok, acı ağlama ve sessiz çığlıklarla bilincine yerleştirildi. Ağlayıp yüksek sesle bağırmak, mevcut acıyı bilinçli olarak artırmana yardımcı olur; böylece bu enerjiyi hızlıca silip atabilirsin. Duygularının çalkantısı sona erdiğinde dur. Sessizce seni dinleyeceğim fakat bir şey söylemeyeceğim. Sana hiçbir şekilde müdahale etmeyeceğim. Sen ağladığında yanındaki çoğu insan "Her şey yoluna girecek, hadi sil gözyaşlarını" diyorlar ya da oyalanacak bir şeyler öneriyorlar değil mi sana? Fakat bu acı çekmene neden olan enerji blokajından kurtulmana engel olur. Yani ezberlerini bozup bilincini güçlendirmene ket vurur. Eğer duygularını durdurmaya çalışırsan geçici olarak kendini iyi hissedersin. Fakat bu seni gelecekte benzer durumlarla karşılaştığında otomatik olarak aynı duygulara ve düşüncelere sürükleyecektir. Sen merak etme, ben buradan senin titreşimini hissedip, seni ağlayıp, bağırıp çağırman için sessizce cesaretlendireceğim. Sen de bunun için duygularını harekete geçiren her şeyi yapmalısın. Örneğin sana o olayı hatırlatan en yoğun duyguları hissettiğin, dinleyince gerçekten üzüldüğün şarkıları dinleyebilirsin. Müzik duyguları harekete geçiren en hızlı ve güçlü araçtır çünkü; anılar, müziği sever... Müzik, sözcülerin ulaşamadığı yerlere sadece o dokunabilir!... Gözlerimizle göremediğimiz şeylerin içinde bazen hayat bulabiliriz. Tıpkı müzik gibi ve de tıpkı bir şeyleri görmenin ötesindeki inanç gibi. Hissedilen ama görülmeyen... Elini kalbinin üzerine koy ve dinle... Dinle sana içeriden seslenenleri... Başka onu sana hatırlatan kıyafet, yiyecek, koku veya herhangi bir eşya varsa, yanındaysa, mümkünse onları da görebileceğin bir yere koy. Kurtulmak istediğin canını yakan olay nerede gerçekleştiyse kendini oradaymış gibi düşünmeni istiyorum. Olayı şimdi oluyormuş ve şimdi görüyormuşsun gibi zihninde canlandırmalısın. Duygusal yoğunluğun için ihtiyacın olan her şeyi yapacağım. Ancak duygusal yoğunluk kazandığında ezberlerini bozmak için büyük bir fırsat elde edeceksin. Artık dış dünyada olan şeyler hemen seni esir alıp canını sıkmayacak. Duyguların sende bıraktıkları hayatın ta kendisidir bunu sakın unutma. Sözle ifade edilememiş sessiz, derin, sinsi olan bu enerji güçlü, gerçekten çok güçlü bir enerjidir. Bu derin bir dönüşüm çalışması olduğu için sen farkında olsan da olmasan da senin ilk travmandaki hislerinin ve oluşturduğun düşüncelerle birlikte enerjinin de boşalmasını sağlayacaktır. Bu enerji boşaldığında sen yeniden doğacaksın.

DİLHUN: Bunu yapmak istemiyorum. Tam da unutmaya çalışırken, tam da vazgeçmeye çalışırken. Hayır yeniden canımı yakmak istemiyorum. Hayır!

VAVEYLA: Bu çok kısa sürecek bir çalışma merak etme. Dakikalarca ağlayıp harap bitap düşmene izin vermeyeceğim.

Sadece 3-4 dakikada zaten içindeki çalkantının durulduğunu hissedeceksin. Ya bu çalışmayı yaparsın ve sadece 3-4 dakika daha üzülmene izin verip bu döngüyü kırarsın ya da bir ömür bu döngüye devam edersin. Seçim senin!

DİLHUN: Sanırım haklısın, peki hazırım. Bu ne kadar zor olsa da hazırım. Başlayalım!

VAVEYLA: Evet seçtiğin müziği de açıyorum. Cebinde sakladığın onun sana hediye ettiği bilekliği kolyeyi de çıkartıp görebileceğin şekilde buraya bıraktığına göre başlayabiliriz.

Harikasın! Şimdi şu şekilde niyet et ve çalışmamıza başlayalım: "Allahım şimdi ve tüm zamanlarda doğru hatırladığım veya hatırlamadığım, hayatımı istemediğim şekilde yöneten duygu ve düşüncelerimin bu çalışmayla boşalmasını niyet ediyorum!" Hayal etmek veya düşünmek zorunda değilsin. Sende hissettirdiği değersizlik, yalnızlık, üzüntü, suçluluk, korku gibi duygulara odaklan. Hani şu yerli yersiz midene, göğsüne, boğazına oturan o illet duygu var ya seni böcek gibi hissettiren, sadece o ana odaklanmanı istiyorum. Bir anda tüm hayatını esir alan!

DİLHUN: Bu müzik, bu ezgi, bu notalar çok canımı yakıyor. Bir film şeridi gibi her şey gözümün önünde yeniden canlanıp akıp geçiyor. Hakan sanki karşımdasın. Sanki buradasın. Kızamıyorum bile, gözlerine doyasıya bakmak istiyorum. Sana sarılmak, sana yeniden dokunmak, senin olmak istiyorum. Yokluğun çok acı veriyor. Senin kokunu çok özledim. Her gün bana geri gelmeni bekledim. Yemeden içmeden, günlerce yataktan çıkmadan sadece seni özledim. Şimdi ise gözlerinde bir yabancı görüyorum. Oysaki yokluğunda yalnızlığımı kemiren sessiz gecelerde belki de sen başkasıyla birlikteydin. Bunun ne demek olduğunu bilir misin sen, bilmezsin, hiçbir zaman da bilemeyeceksin. Sana bağıramıyorum, kızamıyorum, yüzüne tükürmek istiyordum tüküremiyorum. Çünkü korkuyorum. Gidip tekrar gelmemenden korkuyorum. Ben senin bana gelebilme ihtimalini bile sevdim. Ayaklarım titriyor, duramıyorum, ayakta duramıyorum. Midem bulanıyor. Kendimi kusacak gibi hissediyorum, hiç iyi hissetmiyorum Vaveyla!

Kendimi bu dünyada yapayalnız hissediyorum Vaveyla. Herkes tarafından terk edilmiş, sevgiye layık olmayan, hayatın tüm kötülüklerini yaşamaya gelmiş lanetli biri gibi görüyorum kendimi. Korkuyorum, içinde bulunduğum yalnızlık duygusu beni çok korkutuyor. Duygularım o kadar yoğun ki ağlamaktan yoruldum artık. Gözyaşlarımın ıslaklığını hissetmiyorum bile. Kendimi hiç kimsenin yanında rahat ve iyi hissetmiyorum...

Kendimi çok yorulmuş hissediyorum. Beni seven birisini aramaktan çok yoruldum. Önümde sadece beni kullanmak isteyen insanları görüyorum. Dünya karanlık, çok karanlık ve insanlar çok bencil, çok acımasız. Dünya iyi bir yer değil Vaveyla! Burası bana göre değil. Kendimi tek başına, yol bilmez iz bilmez, yollara düşmüş zavallı bir yolcu gibi görüyorum. Hiçbir yerde istenmeyen barınamayan. Vicdan azabı... Çok vicdan azabı çekiyorum. Herkese karşı gerilim hissediyorum. İçimden uzaklaşmak geliyor gitmek istiyorum ama hiçbir yere gidemiyorum. Kendimi bağlı hissediyorum. Bağırmak, haykırmak istiyorum Vaveyla! Sanki dediğin gibi bağırsam tüm düğüm çözülecek gibi.

VAVEYLA: Öyleyse ne duruyorsun? Engelleme kendini. Bir kez olsun kendine izin ver, içindekileri haykır tüm gücünle. Boşalt onları. Şu anda çok güçlü bir hisle bağlantı kurdun. Bu hissin özüne in. Bu hissin özüne bilinçli olarak inmen için kendine izin ver. Daha da derine inmelisin. Hadi izin ver kendine.

DİLHUN: Nihayet artık önümdeki tüm engelleri kaldırıyorum. Bağırıyorum, bağırıyorum! Ah! Kendime engel olamıyorum, Hakan'ın tüm bedenini yumruklamak istiyorum. Onun yüzüne tükürmek, küfürler savurmak istiyorum. Artık daha fazla bu halde kalmak istemiyorum.

VAVEYLA: Aynen böyle devam et! Doğru yoldasın, durma. Öfkeni, kinini kus, duygularını serbest bırak. Kimin haklı kimin haksız olduğunu tartışmıyoruz. Hiçbir düşüncenin seni sakinleştirmesine izin verme. Yalnızca duygularının çalkantısı sona erdiğinde dur. Öfkeni serbest bırak, sanki karşında Hakan varmış gibi ne yapmak istiyorsan nasıl davranmak istiyorsan davran, serbest bırak kendini.

DİLHUN: Nefret ediyorum senden nefret! Korkaksın sen korkak! Keşke seni hiç tanımasaydım. Seni tanıdığım o ilk güne lanet olsun. Hiç mi sevmedin, sahiden beni hiç mi sevmedin? Neden umutlandırdın, o zaman neden hayallerimle oynadın? Senin yüzünden o kadar acı çektim, geceler boyu o kadar ağladım ki hâlâ ilk günkü gibi acımı yüreğimde hissediyor, hıçkırarak ağlıyorum...

VAVEYLA: Bırak aksın! Tutma bırak acın çıksın. Devam et. İşte bu, harikasın. Ağla ki duygun boşalsın. İzin ver, duygunun senden çıkmasına izin ver. Aynen böyle. Duygularını tüm potansiyelinle kullan. Biraz daha enerjiye ihtiyacın var. Hadi şimdi kalan acın ve duygunun midende toplandığını hissedeceksin. Kurtulmak istediğin midende toplanan bu duygunun büyüklüğü sende korku ve endişe yaratıyor. İçinde oluşan bu korku ve endişeyi avuçlarınla alıp göklere fırlatmanı istiyorum, evet şimdi!

Şimdi içinde müthiş bir boşluk duygusu oluştu. Bu boşluk seni korkutmasın. Yıllarca hep bu boşluk duygusundan korktuğun için acını bırakamamıştın. Evren boşluğu sevmez biliyorsun. Şimdi başının üzerinde madeni para büyüklüğünde bir delik açıyorum ve Yaradan'dan gelen saf sevgi ve güç sana akmaya başlıyor. Yaradan'dan, ilahi düzenden tüm hücrelerini dolduracak kadar sana oluk oluk saf sevgi akmaya başlıyor. Aktıkça akıyor, aktıkça akıyor. Bu hissettiğin boşluk duygusunun yerini sadece Yaradan'ın aşkı dolduruyor.

Şimdi Hakan'ın gözlerine baktığını imgele ve ona şunları söyle: "Sen ve ben biriz, sen ve ben biriz, sen ve ben biriz. Şimdiye kadar çok canımı yaktın, beni çok üzdün ama artık buna izin vermeyeceğim. Kendimle senin yüzünden kavga etmek zorunda değilim, çok acı çektim, çok zor günler geçirdim ama artık buna dur demek istiyorum. Sıkıldım hayattan çok sıkıldım ve artık yeni başlangıçlar yapmak istiyorum. Bilerek ya da bilmeyerek canını yaktığım her durum için özür diliyorum ve bilerek veya bilmeyerek benim canımı yaktığın her şey için seni affediyorum. Seni Yaradan'dan gelen saf sevgiyle ilahi adaletin terazine teslim ediyorum. İçim çok rahat, yolumuz açık olsun. Şimdi gözlerini aç buraya gel Dilhun. Nasıl hissediyorsun kendini?

DİLHUN: Çok yoğun ve sarsıcı bir çalışmaydı. Daha önceden hiç böyle bir şey denememiştim. Sadece aşk acısından değil yıllarca tüylerimi diken diken yapan bir ıstıraptan da sanırım artık kurtuldum. Sanki hep kalbim göğsümden fırlayacakmış gibi gelirdi, bu duyguyu artık hissetmiyorum.

Zincirlerimden kurtardığın ve bana hayatımı geri kazandırdığın için teşekkür ederim Vaveyla. Ama aklıma gelen bir soruyu da sormadan yapamayacağım. Gelecekte yine aynı şeyleri yaşamam değil mi Vaveyla?

VAVEYLA: Bu bundan sonraki süreçte aklını kullanmana ve içindeki boşluk duygusunu Yaradan'dan aldığın güç ve sevgiyle doldurman gereken, enerjinin gücüne bağlı. Merak etme bunun için yapman gerekenleri sana tek tek öğreteceğim. Rahat ol!

DİLHUN: Hâlâ kendime inanamıyorum. Nasıl oldu da bu hallere düştüm?

VAVEYLA: Bir ilişkide taraflardan biri diğerinden daha fazla verdiği diğeri de daha fazla aldığı anda denge bozulur. Birlikte olduğunuz süreçte kimin daha fazla verdiğini ya da kimin daha fazla aldığını saptasaydınız ardından verme ve almayı yeniden dengeye getirmeye çalışsaydınız her şey çok daha farklı olabilirdi. Onu verdiklerinle boğduğun için gitti. Her ilişki kişinin bir şeyden vazgeçmek zorunda oluşuyla başlar, çünkü vermenin ve almanın ölçüsü sınırlıdır. Her ilişkide sınırlıdır. Kimileri bunun sınırsız bir ilişki olduğunu düşünür peşinden koşar. Böyle bir ilişki yoktur.

Değil 32 yaşında 70 yaşına dahi gelsen sana zarar veren ilişkiyi yine bitemezsin! Bunun sebebi annenle kurduğun ilişki. Unutma tüm ilişkilerimiz annemizle olan ilişkilerimiz üzerinden yürür. Örneğin geçmişte annenin seninle güvenli ve sağlıklı bir ilişki kuramadığını, seni ihmal ettiğini düşün. Bunun için onu kaybetmekten çok korkarsın ve her an gideceğini düşünüp güvenmezsin. Araştırmalara göre bebek ve anne arasındaki bağlanmanın kalitesi, onun kendine ve dış dünyaya güven duyabilmesi, yaşıtlarıyla ve diğer yetişkinlerle iyi ilişkiler kurabilmesi, ilişkilerde kendini var edebilmesi açısından oldukça belirleyicidir. Başlangıçta anne tarafından sakinleştirilen, duygusal durumu düzenlenen bebek büyüdükçe kendi duygularını düzenleyebilmeye başlar ve ağladığında kendini sakinleştirebilir.

32 yaşında bir yetişkin olmana rağmen bitirmen gereken ilişkiyi bitirememenin asıl sebebi işte annenle kurduğun sağlıksız ilişki olabilir. Hakan'la anneni zihnin aynı yere koyuyor. Artık ha Hakan ha annen farkı yoktur birbirinden. Hakan'a anne anlamı yükledin. Onu kaybedeceğine dair düşünceler zihninde oluşmaya başladıktan sonra anneni kaybetme korkuna yönelik aynı duygular tetiklendi, bu da davranışlarına yansıyıp ilişkiyi sürdürmene neden oldu çünkü hissedilen duygu aynıydı. Kaybetme, yalnız kalma vb. duygular. Yaptığımız her çalışmanın amacı farklı. Her çalışma sende farklı açılımlar yaratacak. Şimdi sana tüm ilişkilerinin kökenini iyileştirecek çok güçlü ve değişik bir çalışma yaptırmak istiyorum.

DİLHUN: Gerçekten böyle bir çalışma varsa lütfen hemen yapalım Vaveyla! Bıktım artık!

VAVEYLA: Sen bu dünyaya iki temel soruyla geldin. Ömrün boyunca bu sorularının cevaplarını arayacağını öncelikle bilmeni isterim. Kim olduğunu ve dünyanın nasıl bir yer olduğunu sorgulayacaksın. Zihninin çok derinlerinde hayatta kalmaya programlandın. Tüm yaşamın boyunca hayatta kalmak için mücadele vereceksin. Sen çok güvenilir olan anne karnından hiç bilmediğin tanımadığın insanların olduğu bu dünyaya çığlık çığlığa korkularınla geldin. İlk tesellin anne memen oldu. Anne memenden ayrıldığın andan itibaren ise hep bu tamamlanma arzusuyla annendeki sıcaklığı, güveni ve aitlik duygusunu aramaya başladın. Aradığın başarılarda birçok davranışının ardında yatan duygu bu tamamlanma duygusuydu. Çünkü bu dünyaya geldiğin andan itibaren sadece bu tamamlanma duygusunu anne memesindeyken hissettin. Anne memesindeyken ne kadar kendini tamamlanmış hissettiysen sonraki yaşamında da o kadar tamamlanmış hissettin. Şimdi yapacağımız çalışmayla emdiğin süreçteki ihtiyacın olan annenle güvenli bağlanmayı gerçekleştireceğiz. Böylece önce annenle sonra da tüm diğer kişiler ve yaşamla olan ilişkini şifalandırmak için adım atmış olacağız.

Hadi bırak kendini bana. Senden sadece bunu yapmanı, kendini bana güvenle bırakmanı istiyorum. Şimdi ağzını bir ceviz büyüklüğünde açmanı ve gözlerini kapatmanı istiyorum. Harikasın işte tıpkı bunun gibi. Ağzından alıp yine ağzından vereceğin 40 tane aralıksız bağlantılı nefeslerle bilinçaltının kapısını aralayacağız. Bu nefesler saniyede bir olacak şekilde göğüs nefesleri olmalı. Rahat, çok rahat olmanı, uzanmanı istiyorum. Kendini çok kasıyorsun, kollarını ve bedenini serbest bırak biraz. Hayatta bu şekilde çok yorulursun, hiç zevk alamazsın. Strese girersin, bu da zamanla zihninde ve bedeninde sıkışmalar yaratır. Keyif alamadığın yaşam yolculuğunda kazalar yaptırır. Evet şimdi daha iyisin, 39 ve 40 tamam. Şimdi biraz dinlen ama hâlâ yeterince rahat olduğunu ve bana kendini güvenle tam bıraktığını hissetmiyorum. Pekâlâ şimdi burnundan bir gülü koklar gibi yavaşça alacağın nefesi dudaklarını büzerek ağzından yavaşça bir mumu üfler gibi vermeni istiyorum. Bunu 4-5 defa tekrarlamalısın.

Evet harikasın! Gözlerini açmadan söylediklerimi zihninde canlandır. Şimdi bir doğum gerçekleşiyor ve bu yeni doğan kişi sensin. Mucizevi özeliklere sahip yepyeni bir insan. Tamamen yaşanmışlıkları diğerlerinden farklı olacak olan sen. Şu an hayatının ilk sahnelerini yaşıyorsun ve geleceğine dair en ufak bir fikrin bile yok. Hayattaki en masum en temiz anlarını yaşıyorsun. Şimdi tamamen güvenilir olduğuna inandığın anne karnından hiç tanımadığın bilmediğin gerçek dünyaya geldin ve hayat yolculuğun başladı. Şimdi bu anı hissetmeni ve bu anın içine girmeni istiyorum. Çığlık çığlığa ağlayarak bu dünyaya geliyorsun. Kendini o kadar çaresiz ve yalnız hissediyorsun ki korkudan ne yapacağını bilemiyorsun. İşte o anda annenin memesi imdadına yetişiyor ve seni inanılmaz rahatlatıyor. Şimdi anne memenden ihtiyacın kadar olan tüm sütü kana kana emmeni istiyorum. Evet evet şimdi bunu imgeleyerek yapmanı istiyorum. Annenin sütü o kadar bereketli ki etrafa fışkırıyor. Tüm vücudunda sevgiyle dolaşan annenin ellerinin sıcaklığını, kokusunu, güvenini, sevgisini hissediyorsun. Annenin sevgisi tüm korkularını alıp götürüyor. Bu dünyanın güvenilir bir yer olduğuna, senin değerli ve biricik olduğuna dair kulağına duymak istediğin tüm sözleri fısıldıyor. Annenin sevgi dolu sözcükleriyle gevşedikçe gevşiyor, rahatladıkça rahatlıyorsun. Yüzündeki gülümseme tüm evrene yayılıyor. Hadi daha çok hisset bunu, daha çok hisset. Biraz daha gülümse, biraz daha... Duy duyduklarını, gör gördüklerini, hisset hissettiklerini. Tüm ilişkilerin annenle olan ilişkilerin üzerine kuruldu. Beynin hayalle gerçeği ayırt edememesi özelliğinden yararlanıp bu çalışmayı iyice hissederek yapmanı ve annenle tüm ilişkilerini iyileştirmeni istiyorum. Şimdi bu bilinçle kana kana emmeni istiyorum. Bu süreçte Yaradan'dan geleni, koşulsuz sevgi titreşimlerini tüm hücrelerine kadar hissediyorsun ve sen de ilahi düzene aynı sevgi titreşimlerini geri gönderiyorsun. İlahi düzenle aranda mükemmel bir denge var. İnanılmaz bir alma ve verme dengesi. Yaşamdan aldığın kadarını veriyor, verdiğin kadarını geri alıyorsun. Müthiş bir birlik duygusu, inanılmaz bir huzur, bir ahenk. Annenle olan ilişkin o kadar mükemmel ki bu ilişki tüm dünyayla aranın iyi olmasını sağlıyor. Annenin memesini emdikçe kendini daha da çok bu dünyaya ait hissediyorsun. Şu anda anne memenden imgeleyerek emdiğin süt tüm ruhuna işliyor ve tüm yaralarını iyileştiriyor. Şu anda evet şu anda annenden alman gereken tüm sevgi, aitlik, güven ve saygı duygularının hepsini alıyorsun. Anne memenden akan süt Yaradan'dan gelen şifa kaynağı. Anne sütünü emdikçe zihninin köşelerine bastırdığın, kabul edemediğin, tüm nefret ettiğin yönlerin temizleniyor, arınıyor. Sen emdikçe Yaradan'dan gelen saf, koşulsuz sevgiyle arındıkça arınıyorsun, iyileştikçe iyileşiyorsun. Zihninde tamamlanmayı bekleyen tüm hikâyeler senin ve bütünün hayrına tamamlanıyor. Bu senin için muhteşem bir duygu! Ne zaman ihtiyacın olsa annen hemen koşup geliyor. Şimdi daha iyisin öyle değil mi? Tam bu sırada baban geliyor karşına. Bir yandan anne memeni emerken bir yandan da gülümseyerek babana bakıyorsun. Bir annene bakıyorsun bir babana. Sonra da ikisine birden bakarak şunları söylüyorsun: "Anneciğim ve babacığım, iyi ki benim annem babamsınız. İhtiyacım olan yaşam derslerimin sizlerde olduğunu biliyorum. Bana yapacağınız öğretmenlik için şimdiden çok teşekkür ederim. Yaradan'dan gelen tüm dersleri sevgiyle almaya çalışacağım. İyi ki varsınız. Beni bu dünyaya getirdiğiniz için size minnettarım." Bu sözcükleri söyledikten sonra biraz daha emiyorsun, emiyorsun, evet emiyorsun. O kadar rahatlıyorsun ki bu rahatlıkta annenin memesinde uyuyup kalıyorsun. Sen uyurken hem annen hem baban seni öpüyor, kokluyor ve duymak istediğin söylenebilecek en güzel kelimeleri sana fısıldıyorlar. Tam tatlı bir rüyaya dalmışken uyanıyorsun. Uyandığında biraz daha büyüdüğünü ve artık annenin seni memeden kestiğini görüyorsun. Ağzın bir anda boş kalıyor. Dolduracak bir şeyler arıyorsun. Ama anne memeni emerken Yaradan'dan gelen gücü ve sevgiyi tüm hücrelerine öyle güzel doldurmuşsun ki hiç korkmadan rahatça istediğin kelimeleri seçerek kendini ifade etmeye başlıyorsun. Sözcükleri öylesine kuvvetli öylesine güzel kullanıyorsun ki anne memesinden ayrıldığın andaki bu korkunç boşluğu artık Yaradan'dan gelen tüm güç ve sevgiyle doldurabiliyorsun. Kendini ilahi düzenle, tüm kâinatla bütünleşmiş hissediyorsun. Tüm hücrelerine kadar aitlik duygunu hissettiğinde gözlerini açıyorsun ve buraya geliyorsun.

DİLHUN: Kendimi tüm günahlarımdan arınmış gibi huzurlu hissediyorum. Gözyaşlarıma hâkim olamadım. Kendimi sürece bıraktım. Şimdi ise inanılmaz derecede güçlenmiş hissediyorum kendimi.

VAVEYLA: Evet şimdi senin biraz daha gevşediğini ve rahatladığını hissediyorum. Çünkü bebekken her şeyi zamanında bulabilmen hayatta cesaretli olmanın ilk adımıdır.

DİLHUN: Kendimi yeni bir ilişki yaşayabilecek kadar iyi ve dinlenmiş hissediyorum. Beni mutlu edebilecek bir ilişki yaşayabilecek miyim artık sence Vaveyla?

VAVEYLA: Bu bundan sonraki kendinle olan ilişkine bağlı Dilhun. İlişkilerinde kendini ait hissedemiyor, kendini sürece bırakamıyorsun öyle değil mi? Hep içten içe daha çok sevilmeyi ve arzulanmayı bekledin. Peki ya senden ne haber? Bundan sonra sen arzu edilebilir birisi olabilecek misin? Sen kendini mutlu edebilecek misin? Sen kendinle baş başa kalıp keyifli zaman geçirebilecek misin? Sen gerçekten doyum verici olabilecek misin? Senin yanında bulunmak huzur verici olacak mı?

Başka birisinin seni mutlu etmesini beklemen çok bencilce bir şey. Eğer sen kendini mutlu edecek kadar sevmemişsen bir başkası bunu nasıl başarabilir ki? Sanırım hiç kimse bunu başaramaz öyle değil mi? Kısaca sen kendini mutlu etmeyi öğrenmediğin sürece hiç kimse seni asla mutlu edemeyecektir! Hayır şu anda bunun için henüz hazır değilsin Dilhun. Sağlıklı bir ilişkiyi yaşayabilmen için adım adım senin kendinle bütünleşmeni ve tamamlanmanı sağlayacağız! Duygularının yönetiminden kurtulup, aklını daha iyi kullanmalısın. Zihnindeki tüm karanlık odaların kapısını açıp korkularınla yüzleşmelisin. Öncelikle, duygularının ve düşüncelerinin çoğunun şimdiye ait olmadığını sorgulayabilen çok iyi bir yargıç olmasın.

DİLHUN: Ben neden ruh eşimi bulamadım Vaveyla? Neden hep ilişkilerim yarım kalıyor ve ben sıkıntılı süreçler yaşıyorum?...

VAVEYLA: Pekâlâ şimdi hayalindeki sahip olmak istediğin kusursuz erkek imajının zihninde canlanmasına izin ver. Bu fantezinin içine iyice gir. Kendini buna iyice kaptırmanı istiyorum. Birçok insan bu dünyada ruh eşini arıyor. Bazı insanlar ruh eşlerini bulduğunu düşündü ama bu çok kısa sürdü ve genelde ilişkileri sona erdi. Ruh eşinin olmadığını anlayan kişiler ilişkilerini bitirdiler. Çünkü eğer ruh eşi olsaydı onun arzu ettiği her şeyi yapardı diye düşündü. Bu duyguyu veya benzerini sen de yaşadın. Öyle değil mi?

Şimdi kendini serbest bırakmanı ve gevşemeni istiyorum. Evet gevşe, biraz daha gevşe ve şimdi bir kişinin çıkıp karşına geldiğini ve bu kişinin sevgilin olduğunu düşünmeni istiyorum. O birazdan gelecek. Onu tamamen sevgilin olarak görmelisin. Sana söylediklerini duymanı ve onu hissetmeni istiyorum. Evet şimdi o sana doğru geliyor. Kollarını iki yana açmanı ve onu kucaklamak üzere beklemeni istiyorum. Bu kişi maske takmış bir kişi olarak karşına gelecek. Bu ruh eşinin sahip olmaması gerektiğini düşündüğün her özelliğe sahip. Şimdi şu anda çok sinirleniyorsun çünkü bir anda bu kişi maskesini çıkaracak ve onun sen kendin olduğunu göreceksin. Bak kendine ömür boyu sürecek olan bir yatak arkadaşı bulmuş oldun. Anladın değil mi? Bu kişiyle bir ömür boyu yaşamak ister miydin? Nasıl seni mutlu edebilecek bir kişi mi peki bu?

DİLHUN: Hiç böyle bir şey yapacağın aklıma gelmemişti. Dürüst olmak gerekirse bu gelen kişinin pek de hoşuma gittiğini söyleyemeyeceğim.

VAVEYLA: O halde burayı iyi dinle! Ben şimdi sana ilahi düzenin kurallarını tek tek hatırlatacağım. Bu anlattıklarımı sadece ilişkilerin için değil, tüm hayatın için değerlendirmeni istiyorum. Bütünsel olarak istediğin hayatı yaşamana engel olan asıl şey duyguların. Buna belki de şaşıracaksın ama öyle! Sen şerefli olmadığında şerefsizlik katlanarak sana geri döner. Sen sakin olmadığında öfke katlanarak sana geri döner. Sen sevgi dolu olmadığında korku katlanarak yine sana geri döner. Sen öfkeli oldukça sana öfkeli davranan kişilerle karşılaşırsın. Ezip yok etmek istediğinde ilahi düzen de sana aynı şekilde seni ezip yok etmek isteyen deneyimler gönderir!

Farkında mısın, insanlar hem mutlu, huzurlu, bolluk bereket, aşk ve sağlık dolu bir hayat istiyor hem de küçük şeylerle uğraşıyor! Günlük hayatında diğer insanlar gibi haklı çıkmaya, kendini kanıtlamaya çalışıyor, farklı gözükme çabalarına giriyorsan istediğin ilişkiyi yaşayamazsın. Tüm yaydığın bu duygular ilahi düzene sürekli kaydediliyor. Hem de bunların sana ilk fırsatta kişiler veya deneyimler aracılığıyla geri gönderilmek üzere kaydedildiğini söylesem? Ruhunda intikam duygusu varken aşk nasıl sana dönebilir ki?

DİLHUN: Duygularımın hayatımı bu derece yönettiğini bilmiyordum.

VAVEYLA: Duyguların hayatın ta kendisidir! Onlar sözle ifade edilmemiş sessiz ve derin hareketlerdir. Senin genetik olarak tekâmül etmeni sağlayan duygularındır. Yaşadığın tüm bu deneyimlerinin özünü de oluşturan şey duygularındır. Çünkü her an senin duyguların ortaya çıkıyor ve kendini gösteriyor. Tüm duyguları ruhun kaydediyor. Ama burada çok önemli bir şeyi unutuyorsun. Duygularının her zaman gerçekçi olmadığını unutuyorsun. Seni çok rahat kandırıyorlar. Geçmişte annenle babanın kavga ettiği anda masada bir tabak kavun olduğunu düşün. Bu kavun kokusunun tüm odaya yayıldığını hisset. Şimdi alacağın kavun kokusuna karşı bilinçsizce yüzünü ekşitebilir, bütün ruhsal dünyanı altüst edebilirsin. Hiçbir sebep yokken bir anda kendini kötü hissedebilirsin. Bunun sebebi bilinçaltının kavunla anne babanın kavgasını ilişkilendirmesidir. Aklını kullanırsan şimdi burada kavun olsa da anne babanın kavgasının olmadığı ayrımını yapabilirsin. Eğer sen aklını kullanmazsan hiçbir sebep yokken bu şu anda gerçekçiliği olmayan duyguların bütün gününü mahvetmesine izin verebilirsin. Ama aklını kullanıp iyi bir yargıç olursan onun geçmişten gelen bir duygu olduğunu hatırlayıp rahatlıkla şimdiki zamanın içine geri girebilir, tekâmülünü hızlandırabilirsin. Neden sürekli istemediğim şeyler benim başıma geliyor dememen için aklını kullanmalısın. Bu yüzden duygularına karşı çok uyanık olmalısın. Tekâmülünde duygularının seni esir almasına izin vermemelisin. Doğru tekâmül etmek için akılcı sorular sorarak, bilinçli zihnini yani aklını güçlendirip bu duygulardan çıkmalısın. İyi bir düşünce avcısı olup, nasıl ve ne düşündüğünü, iyi bir duygu kâşifi olup duygularını keşfetmeyi, iyi bir eylemci olup bazı davranışlarını değiştirmen gerektiğini öğrenmelisin. Hemen "Bu düşüncemi daha gerçekçi neyle değiştirebilirim? Bu duyguyu sevgi enerjisine nasıl dönüştürebilirim?" sorusunu ilahi düzene sorman tekâmülünün sürecini hızlandıracaktır. Yaradan'dan aldığın sevgiyle duyguyu dönüştürebilirsin! Alma ve verme dengesi üzerine kurulu olan ilahi sistemde ne verirsen onun karşılığını geri alırsın. İlahi adaletin terazisinden daha güçlü bir terazi yoktur! Terazinin bir kefesine sen şefkat koyduysan o da diğer kefeye aynısından koyar! Sen kin öfke koyduysan o da diğer kefeye aynısından koyar! Kefenin diğer tarafına konmasını istediğin şeyi gerçekten istiyor musun, bunu çok iyi sorgulamalısın. Burada gereken asıl şey sen kefenin bir tarafını doldururken hangi duyguyla dolduruyorsun buna dikkat et! Doldurduğun eşyaya nesneye değil! Herkesi kandırabilirsin ama ilahi düzeni asla! Bir fakire eski kıyafetlerini verdiğini düşün. Ama isteksizce ve merhamet duygusundan yoksun olarak verdiğini! Böyle bir durumda sen ilahi düzenin terazisine merhametsizlik, zorunluluk koymuş oldun, iyilik ve merhamet değil. Gerçekten terazinin kefesine merhamet ve iyilik koymak istiyorsan bu duyguları içinde hissederek vermelisin. Bu yüzden yaptığın her şeyi Yaradan'dan gelen sevgiyle yap! Hayatındaki iki kelime arasındaki, nefeslerin arasındaki ve daha birçok şeyin arasındaki boşluk onun sevgisini hissetmen için var.

DİLHUN: Oysaki benim birçok davranışımın altında önemsenmemek, suçluluk ve haklı çıkma duyguları var öyle değil mi? Yaptığımız çalışmalarda hep bu tür duygular hissettim. Bu yüzden mi beni önemsemeyen ve bende suçluluk duygusu yaratacak kişileri hayatıma çekiyorum! O zaman tüm suç bende Vaveyla?

VAVEYLA: Bak yine aynı şeyi yapıyorsun! Suçlu arıyorsun! Haklı haksız, suçlu suçsuz aramaktan vazgeç artık Dilhun! İlahi düzen buna bakmaz! O seni Yaradan'ın saf sevgisine götürecek, güçlendirecek deneyimler gönderir. İnsanlardan da bunlar sana duygular aracılığıyla iletilir! Kendini suçlu veya yetersiz hissetmen için değil! Hepsi seni daha iyi bir hale getirmek için! Bilincinin seviyesine uygun deneyimler yaşıyorsun. Bilinç seviyen yükseldikçe yaşadıkların, deneyimler ve bunlara yüklediğin anlamlar da değişecek. Kimse tam ve mükemmel değildir unutma! Tekâmülün amacı zaten duygular aracılığıyla seni mümkün olduğunca bütünlüğe yaklaştırmaktır! Tekâmülün hızlandıkça içindeki kin ve öfke duyguların da giderek azalacak, yerini sevgi enerjisine bırakacaktır.

DİLHUN: Peki bunu nasıl başarabilirim?

VAVEYLA: Birçok insanın bu kadar acı çekmesinin sebeplerinden biri de duygularının onları yönetmelerine izin vermeleridir. Hayata dair stres ve belirsizlik arttıkça bilinçaltı yönetimi ele geçirir. Bilinçaltı yönetimi ele geçirdi mi kişinin tehlikede olduğuna dair otomatik düşünceler üretmeye başlar. Hayatta kalmaya programlanan bilinçaltına inançlar duygularla yüklenmiştir. Bilinçaltının yönetimi ele geçirdiğinde otomatik olarak duygularının ve düşüncelerinin devrede olduğunu ve seni esir aldığını unutmamalısın. Bu süreçlerde verme ve alma dengesi de bozulmaktadır. Teraziye korku, endişe, yetersizlik gibi duyguların konulduğunu hatırlayıp süreci değiştirmek için hemen harekete geçmelisin. Bu kısırdöngü günümüzde günden güne artıyor. Bu yüzden insanlar bir an önce bilinçlendirilip, akılcı yönleri güçlendirilmeli. Bu çok önemli bir konu. Sen duygularının ve gerçekçi olmayan düşüncelerinin esiri olmayınca öfken de azalacak, öfken azaldıkça sevgiye dönüşeceksin, sevgiye dönüştükçe hayalini kurduğun hayatı yaşayacaksın! Bunun için biraz sabırlı olmanı ve söylediklerimi çok iyi dinlemeni istiyorum: Ruh eşlerini birbirine neyin bağladığını biliyor musun? Özlerinden gelen tertemiz saf hisler! İşte bu yüzden âşık kişiler her zaman kendilerini birbirlerine yakın hissederler! Hisler olarak beliren düşünceler, onların arasında akar. Gerçekten birbirine âşık kişiler, sevginin güçlü bağlarıyla birbirine bağlıdırlar. Bu esnek bağ sınırsızdır ve uzar. Âşık olan kişiler, birlikte olmadıkları anlarda da, bir nefes, bir his kadar birbirlerine yakındırlar. Aşkın gücü, zaman, mesafe, yer ve görülmeyen âlemi ölçemez veya ayıramaz kılar! Orada çünkü sadece Yaradan'dan gelen saf sevgi vardır anlıyor musun?

Onlar konuşmasalar, birbirlerini görmeseler de hisleriyle anlaşıp birbirlerinin ruhlarını ziyaret ederler. Ruh eşleri birbirlerine karşı nefeslerini kesercesine yoğun his ve heyecan içerisindedirler. Ne olduğunu anlamadan, daha adını bile koyamadan gelirler. Bir anda kendini en yoğun hislerin ortasında buluverirler!

DİLHUN: Ben bunların aynısını hatta daha fazlasını hissetmiştim Hakan'a karşı. Peki sonra neden böyle oldu? Kafam karıştı. O aşk değil miydi, neydi o zaman?

VAVEYLA: Ruh eşini bulman için şimdiki bilinç seviyen bile çok düşük. Sen Hakan'ı şimdiki bilinç seviyenle bile çekmedin! Böyle düşün... Aşk, kişinin kendisini aramasıdır. Kişi kendisine en yakın olanı ya da en çok ihtiyacı olanı bulduğu anda aşkı yakaladığını düşünür. Aşk bizim bilincimizin diğerine yansımasıdır. Aslında aşk üreme için âşıkların birbirlerini çekerek başladığı bir süreçtir. Yani karşındaki kişiye âşık olduğunda bilinçaltında beliren ilk şey "Evet bu kişi benim neslimi devam ettirebilir" duygularıdır. Bu doğrultuda düşünüp hormonlarda hareketlenme olmasıdır. Bu süreçte beyin devre dışı kalır. Mantık devre dışı kalır ve bilinçaltı kişiyi ele geçirir. Aşk, bilimsel olarak da kanıtlanmıştır, geçicidir. Maksimum iki yıl sürer. Fakat önemli olan aşkı sevgiye dönüştürebilme sürecidir.

DİLHUN: Sanırım biz bu aşk kısmını sevgiye dönüştüremedik, burada takıldık!

VAVEYLA: Aşk, uzun soluklu bir ilişkinin karmaşık ve çetrefil yollarının izlerinin sürdüğü bir yolculuktur. Sevgililerin o romantik ve büyülü başlangıçlarının ardından didişmelerden surat asmalara, ilgisizliklerden aldatmalara kadar uzanan birtakım sarsıntılara maruz kalınan bir yolculuktur bu. Hayal kırıklıklarının yaşandığı, ideallerin ve duyguların yerle bir edildiği, varoluşun yarattığı baskılardan, değişimlerden geçen bir yolculuk!

DİLHUN: Aşkın yalnızca bir heves ya da deneyim değil, öğrenmemiz gereken bir beceri olduğunun altını çiziyorsun yani?

VAVEYLA: Tabii ki...

Şimdi gelelim ruh eşini aramaya! Ruh eşin sana ancak adaletin terazisine Yaradan'dan aldığın saf sevgiyi, ilahi adaletin terazisinin alma ve verme kefelerine eşit miktarda koymayı öğrendiğin zaman gelecektir. Ruh eşi kişinin kendi yansımasıdır. Ve kişi bu hayatta ne kadar kendisiyle ve sistemle bütünleştiyse ruh eşiyle de o derecede bütünleşip kucaklaşacaktır. O senin diğer benliğin! Şöyle düşün: Gözlerine baktığında; kimseyi üzmemiş, çöküş içinde yaşamamış, kimseyi küçümsememiş olduğunu hissedeceksin.

Ayrıca dinin, dilin, ırkın, fakirliğin, zenginliğin, etiketlerin hepsi onun gözlerinde eriyip yok olacak.

Kısaca kendini, diğerlerini ve tüm yaşamı yargılamadan olan haliyle kabul edebildiğinde ruh eşini kucaklayabileceksin. Anlıyorsun değil mi demek istediğimi? Birbirlerini ve tüm varoluşu olan haliyle kabul edebilen iki olgun insan çünkü orada sadece Yaradan'dan gelen saf sevgi vardır. Kaybetme, yalnız kalma, sahiplenme, kıskançlık ve ötekileştirme duyguları yoktur.

DİLHUN: İlk doğduğumuz günkü saflığımıza ve temizliğimize ne kadar yaklaşırsak ruh eşimize de aynı oranda yaklaşmış olacağız yani, doğru mu anladım?

VAVEYLA: Evet Dilhun, aynen öyle diyorum. İlk doğduğun anda dünyadaki hiçbir şeyi yargılamıyordun, tertemizdin! Yeniden temizlenmeli, arınmalısın! Ne kadar sıkıntı ve çöküş yaşıyorsan aynı oranda sevineceksin. Eski enerjin yenilenmek için kendini temizliyor, büyük şeyler bu yüzden kötü şeylerden sonra gelir. Hayatındaki tüm kir ve lekeler diye adlandırdıkların, bir an önce temizlenip yüksek bilince geçebilmen için sana armağan edildi! Kirlerinden arınmak gelişim sürecin için çok önemli. Bu süreçte kirlerinden ve lekelerinden kaçarsan tekrar edersin ama yüzleşir ve kabul edersen koşarsın! Bunları sen kirli-temiz, iyi-kötü diye sınıflandırdın. Sistem tüm bunların ayrımını kaldırıp, bir an önce içine almanı, kabul etmeni bekliyor.

DİLHUN: Bundan sonraki yaşam sürecimde olayları iyi-kötü diye değerlendirmeden, yaşadıklarımı olduğu gibi kabul etmeliyim yani? İçimden nefret, kin gibi duygular geçse de bunların her insanın içinde olduğunu, yaşamın amacının zaten onları sevgiyle kucaklamak olduğunu hatırlamalıyım?

VAVEYLA: En önemlisi de ilahi düzene verdiğin duyguların sana aynı oranda geri geldiğini hatırlamalı ve saf sevgide kalmalısın.

DİLHUN: Merhamet, sevgi ve kabul enerjilerini tüm hücrelerime kadar yüklemeliyim çünkü her şey Yaradan'dan tamamlanmam için armağan. İşte ben kendimle ne kadar tamamlanıp bütünleşirsem, ruh eşime de o kadar yaklaşmış olacağım. Ben geliştiğim sürece ruh eşim de paralelimde gelişiyor, bu yüzden kedimle mutlu ve barışık olmadan, mutlu bir ilişkiyi yaşayamam. Yani kısaca ben Hakan'ı kendi eksiklerimi görmem için çektim doğru mu?

VAVEYLA: Kendini ve kimseyi yargılamadan kucakladığında ruh eşini de kucaklayacaksın! Harikasın, tam da anlatmak istediğimi anlamışsın. Tebrikler.

DİLHUN: Oysaki ben her zaman ruhen birinin bana sahip olmasını ve onunla birleşmeyi bekledim... Dahası onun beni mutlu etmesini ve hayata bağlamasını...

VAVEYLA: Neden süslenip güzel kokular sürüyordun? Bunu seni mutlu ettiği için mi, yoksa birilerinin dikkatini çekmek için mi yapıyordun? İçinde bulunmayan bir şeyin dışarıdan diğerleri tarafından doldurulmasını mı bekliyordun? Yani resmen enerjini boşa harcıyordun, anlatabildim mi? Duygusal deliklerle doluydun ve bu duygusal deliklerden sürekli enerji kaçağı meydana geliyordu! Sen içindeki bu boşluğu doldurmaları için birileriyle birlikte olmaya çalışıyordun. İşte bu yüzden ilişkilerin başarısız oluyordu. Sen eğer yüzleşme cesareti göstermeseydin aradığın kişiyi asla bulma şansın olmayacaktı.

Kısaca kendindeki tüm yönlerini kabul edip sevene dek bunun ne oluğunu asla bilmeyeceksin. Sen kendini sevmiyordun. İşte şimdi seninle bu enerjini kaçırdığın yerlerini, deliklerini kapatıyoruz. Bu süreçte sen içindeki tüm parçaları olduğu gibi kabul edip kendini yargısızca kabul edebileceksin. Böylece tüm enerjin sana kalacak! Hiçbir şekilde enerji kaçağı olmayacak olan Dilhun, gücünü hissedebiliyor musun?

DİLHUN: Tamam bunun için ne yapmam gerekiyorsa hepsini yapalım Vaveyla!

VAVEYLA: Aklını kullanmalısın! Akıllı olmanı istiyorum anlıyor musun? Bilinçaltının gücünden çıkmanı ve gerçeklerle yüzleşmeni istiyorum Dilhun! Bilinçaltından gelen imgelerin etkisiyle gerçek hayattan kopuk adeta hayal dünyasında yaşıyorsun. Hayal dünyanla gerçekleri karıştırdın mı sorun yaşarsın. Bunun için aklını kullanmalısın. Sadece kendi aklına güvenmeyi öğrenmelisin. Bilinçaltından gelen imgelerin çoğu gerçek değil! Bunlar geçmişin deneyimleriyle oluşmuş, zihninde korku, endişe ve yoksunluk yaratan tarihi geçmiş deneyimler!

Uyanmanı istiyorum, hem de şimdi hemen uyanmanı! Sınırlı inançlara, sınırlı zihinlere sahip olduğun sürece kendi kendini tüketip hastalandıracaksın.

DİLHUN: Bilinçaltımın tüm tutsaklığından kurtulup yeni başlangıçlar yapmak istiyorum!

VAVEYLA: Kendinle yüzleşeceğin bu süreçte, bazı korkuların kabarabilir. Bu süreçte ruh eşinin de korkuları ortaya çıkacak ve o da kurtulacak. O korkularından özgürleştiğinde bundan sen de yararlanacaksın. Unutma duygular ruha mühürlenir.

Sen kendini sevmeye ve enerji kaçağı olan deliklerini doldurmaya başladığında ruh eşini kendine mıknatıs gibi çekeceksin. Aynaya bakıp da gördüğünle kucaklaşabildiğinde, bu sızdıran delikleri doldurmuş olursun. Ne kadar çok delik doldurursan ve kendine karşı ne kadar samimi olursan o muhteşem varlığı kendine çekersin. Sen kendini severken ve varlığını yüceltirken ruh eşin de yücelecek. Siz ikiniz aynı ruhu ve bilgeliği paylaştığınız için o bilgiler ruh eşine de erişecek.

DİLHUN: Yani ben kendimi sevme süreci boyunca olgunlaşıyor ve gelişiyorum. İçimdeki güç uyandığında ruh eşim de aynı titreşimi hissedecek. Kusursuz varlık haline geri dönme sürecinde, ikimiz birlikte ilerleyeceğiz.

VAVEYLA: Şimdi sana elimdeki şu aynayı veriyorum. Bu tüm deliklerinle seni olduğun gibi yansıtan bir ayna! Eğer aynaya baktığında güvensizlik duyuyorsan, korkuyorsan kendini sevmiyorsun demektir. Aynaya bak ne hissediyorsun? Bu ayna, her halini olduğun gibi kabul ettiğini yansıtıyor mu? Tam olarak yansıtmıyor değil mi? Çünkü duygusal deliklerin var ve hâlâ kendini koşulsuz sevmiyorsun.

Sen sadece ilişkilerinde değil yaşamında takıntılar, sıkıntılar, çıkmazlar, sorunlar yaşıyorsun. Sen hastalıklı deneyimler yaratıyorsun sürekli. Çünkü bu hayatta her ne olduysan öyle olmak istediğin için oldun. Zengin ya da fakir, başarılı ya da başarısız, evli ya da bekâr, güvenli ya da güvensiz isen bunu sen böyle yaptın.

Sorunların için hep dışındaki şeyleri suçladın. Yaşadığın şehri, aileni, sevgililerini, arkadaşlarını, işini ve daha birçoğunu! Hayatına sahip çıkmalısın. Sen hayatını Yaradan'dan aldığın güçle ve ilahi düzenin kurallarıyla yeniden oluşturmalısın. Sorumluluğu üstlendiğinde her şeyi senin kendine çektiğini kavradığında intikam duygundan, nefretinden kurtulacak ve huzura ereceksin.

Sürekli kafam karışık diyorsun, peki kafanı kim karıştırdı? Sorumluluğu üstlen. Onu sen karıştırdın! Bak Âli İmran Suresi 153. ayette söylenenler ne kadar güzel: "Ne elinizden gidene ne de başınıza gelene üzülün."

DİLHUN: Sanki benim için söylenmiş bir ayet. Hem gideni hem de başıma gelenleri bir türlü kabul edemediğim gibi o kadar çok üzülüp yıprandım ki...

VAVEYLA: Şimdi hayatına ve ilişkilerine hâkim olmak istiyorsan şunları söylemeni istiyorum: "Hayatımdaki her şeyi ve herkesi bana kazandıracağı deneyim için ben seçtim. Hepsinden bir şey öğrendim. Hayatımın deneyimlerinden bilgelik kazandım. Hayatıma giren herkesi sevgiyle kucaklıyorum ve affediyorum."

DİLHUN: Tüm bu söylediklerini yapmak çok zor.

VAVEYLA: Tüm deneyimlerini, sonuçta kazanacağın duygusal bilgelik için sen istedin. Bu deneyimlerin boyunca, aldatıldın, kullanıldın, ihmal edildin. İşte önemli olan başına gelen bu olaylar değildir; önemli olan senin olaylara gösterdiğin tepkilerindir. Bu tepkiler sonucunda güçlü bir hazine kazandın. Bu hazineyi kazandın. Sadece sen onu henüz tam bilgelik haline getiremedin. Ancak, suçlama, suçluluk, güvensizlik ve başarısızlık duygularından arındığın zaman bir bilgeye dönüşeceksin. Sen sorumluluğunu üstlenip de bunu Yaradan güçlenmem, kendim olmam ve ona yaklaşmam için istedi ve bu yüzden bu deneyimleri "Ben çektim, ben istedim ve yaşadım" dediğinde, artık suçluluk ya da başarısızlık diye bir şey olmaz; başarı olur, bilgelik olur. Hayatının sorumluluğunu üstlendiğinde artık sevgilini, anneni, babanı, toplumu, patronunu, öğretmenini, komşunu kimseyi suçlamazsın...

DİLHUN: Yolum çok yokuştu, yoluma büyük engeller çıkıyordu, gücüm giderek küçülüyordu ta ki seninle karşılaşana dek... Sayende sanırım artık bunu yapabilecek gücü kendimde bulmaya başladım. Yola devam etmek ve hayatımı iyileştirmek istiyorum... Artık tüm yaraları kapatma zamanı da geldi...

VAVEYLA: Bu söylediklerimi yaparsan bundan sonraki hayatın da ilişkilerin de değişecek çünkü sen değişeceksin anlıyor musun? İçdünyandan yansıyanlar değişeceği ve direnci kaldıracağı için, dış dünyan da değişecek. Şu an da dahil olmak üzere sen öğrendiğin her şeyi ruhunda hissetmeye başlıyorsun ve eş ruhun da neredeyse bu öğretilerin titreşimlerini hissetmeye başlıyor.

DİLHUN: Ama bazen de başaramayacağım korkusuna kapılıyorum. Oysaki beni kıskıvrak yakalayan bu acıyı artık bırakmak istiyorum. Sence böyle hissetmem doğal mı? Neden bu kadar gelgitler yaşıyorum?

VAVEYLA: Bu çok normal. Sana daha önceden de söyledim. Bunu ancak bilinçli zihnin geliştiğinde yapabileceksin. Güzel ilerliyorsun, sakin ol. İnan bana her şey çok daha güzel olacak. Şimdi içindeki devi uyandırmanı istiyorum. Sen uyandığında tüm doğa tüm yaşam uyanacak, hadi. Sadece olmayı ve yaşamı tüm gücünle ve tüm varlığınla sevmeyi istemen gerekir. Aklını kullanıp bilinçaltının oyunlarından kurtulduğunda yaşam enerjin artar.

DİLHUN: Ben şimdiye kadar aklımı kullanmayı beceremiyor muydum? Ne demek istiyorsun yani? Bazen şaşırtıyorsun beni söylediklerinle...

VAVEYLA: Sence becerebiliyor muydun? Akıllı olduğunu düşünmek ayrı bir şey gerçekten aklını kullanmak çok ayrı bir şey! Sen aklının gücünü biliyor musun Dilhun? Her an her dakika onun gücünü hissediyor musun? Aklını kullanarak ilahi düzenin sana gönderdiği mesajları okuyabiliyor musun, içsesini duyabiliyor musun? Onun gücünü hissetseydin zaten bu zihninde yaşadığın ikiliği, ayrılığı yaşamazdın, anlıyor musun? Sana en baştan beri anlatmak istediğim bu. Yaşadığın olayların hepsinin amacı, aklını kullanıp olaylar arasındaki bağlantıları görmeni sağlamak. Sen bir an önce aklını kullanmaya başlamazsan, seni üzen yaşam deneyimlerin her geçen gün artmaya devam edecektir.

DİLHUN: Peki dediğin şekilde aklımı kullanıp kullanmadığımı, doğru yolda olup olmadığımı nasıl anlayabilirim? Gerçekten olaylara çok değişik bakıyorsun...

VAVEYLA: Akıl derken bile yüzündeki acı ifade gidiyor biliyor musun? Bazı şeyleri artık kabul etmelisin Dilhun! Adım atmalısın! Merak etme ihtiyacın olan her şeyi öğreteceğim sana. En önemlisi seni Logos'la da tanıştıracağım.

Tüm amacım o zaten. Onunla bir tanıştın mı başına ne gelirse gelsin ayakta kalabilecek, yoluna devam edebileceksin. İşte Logos'la tanıştın mı aklının gücünü her an içinde hissedeceksin. Akılcı çözümleri ancak kendinde bulabilirsin ve bu da gücünü sana geri getirir. Senin her an neşeni kaçıran bir şeyler var ve o şeyleri kendin yaratıyorsun farkında mısın? Çevrendekiler seni mutsuz ediyor çünkü sen buna izin veriyorsun. Sen tüm mutluluğu kendinde bulacağına diğerleri aracılığıyla bulmaya çalışıyorsun. Seni bir şey mutlu etmiyorsa o şeye gücünü teslim ettin demektir... Diğerlerinin seni yönlendirmesine izin veriyorsun.

DİLHUN: Ben sadece sana güvenip yaşadıklarımı anlattım. Ben Logos'la tanışmak istemiyorum. Yaşadıklarımı başka kimsenin duymasını istemiyorum.

VAVEYLA: Sen istesen de istemesen de Logos zaten seni duyuyor ki. O hep seninle. Hissettiğin her şeyden haberdar.

DİLHUN: Merak etmeye başladım Logos'u, hem de çok. Bazen ilginç şeyler söylüyor beni şaşırtıyorsun.

VAVEYLA: Şaşırmak iyidir insanı canlı tutar. Hadi devam et anlatmaya. Merak etme konuştuklarımız aramızda kalacak, Logos'a söylemeyeceğim.

DİLHUN: Yüzüme bak ve mutlu etmeleri için kaç kişiye fedakârlık yaptığımı gör. Beni mutlu etmeleri için kendime bağlamaya çalıştığım insanlardan bir şey yapmalarını istediğimde hiç de beklediğim gibi olmadı. Benim ihtiyacım olduğunda kimse yoktu yanımda. Oysaki ben... ben onlar için ne fedakârlıklara katlandım. Sırf beni sevsinler, sırf beni kabullensinler diye ne taklalar attım, ne gülünç durumlara soktum kendimi. Şimdi düşündükçe sinirlenmemek elde değil. Artık kendimi kandırmak istemiyorum.

VAVEYLA: Şimdi çok samimi bir şekilde kendine şu soruyu sormanı istiyorum: Bu dünyadan göçme zamanı geldiğinde bu kişilerden herhangi biri senin yerine ölmeyi kabul eder miydi? Bunun üzerine düşünmeni istiyorum. Hakan kabul eder miydi mesela bu teklifini? Hiçbiri bu teklifini kabul etmezdi değil mi? Öyleyse neden onları mutluluğunun anahtarı yapıyorsun? Neden diğerleri senin hayatını bu kadar belirleyebiliyor? Hiç sordun mu bunu kendine? Onları neden hayatının başkahramanı yapıyorsun? Çoğu zaman seni anlayan olmadığını düşünüp susuyorsun. Çoğu kişi tanıştığın gibi kalmıyor, bu sana çok acı veriyor ama hep susup tüm olan biteni içine atıyorsun... Aslında çoğu şeyin farkındasın ama değilmişsin gibi davranıyorsun. Hem kin tutmamalısın hem de sana yapılan hatayı unutmayıp tekrarlatmayacak kadar akıllı olmalısın. Çoğu zaman kendi kendini sakinim diye teselli edip sonra kendinle baş başa kaldığında adeta cinnet getiriyorsun. Sürekli kötülük yapıp hiçbir şey olmamış gibi erdemli yaşamaktan uzak kişiler hâlâ sana dert oluyor farkında değilsin, çünkü sen kendine dertsin. Günümüzde birçok insanın davranışlarının çıkarlarına göre şekillendiğinin de farkında olmalısın. Hayatını bir türlü düzene sokamıyorsun çünkü sınırlarını çizemiyorsun. Sınırlarını çizemediğin için hem ne istediğini hem de ne istemediğini bilmiyorsun. Yaşamın tüm yükünü sırtlanman yetmiyormuş gibi bir de diğerlerinin yerine de sen utanıyorsun. Arada "Sana ne? Canım öyle istedi, ben öyle seviyorum..." demeyi de bilmelisin. Hiç kimseye eyvallahın olmadığında kendin olmayı başarmışsın demektir Dilhun çünkü gücünü ve sevgini Allah'tan aldığını bileceksin. Hem çok hassassın, yoğun suçluluk duyguları hissediyorsun hem de pişman olacağın şeyleri yapmaktan geri kalmıyorsun! Vazgeçmeyi bir türlü öğrenmiyorsun. Vazgeçmeyi öğrenmelisin Dilhun! Sürekli anlaşılmayı bekliyorsun. Anlaşılmayı bırakıp anlatmayı öğrenmen gerekiyor artık anlıyor musun? Bazen de yok sayarak huzuru yakalamayı bileceksin, her şeyi çözemezsin. Alıştığını sandığın birçok şeye içten içe katlanıyorsun ama farkında değilsin! Bu hayatta ayrılık da var Dilhun, ayrılığı da öğrenmen gerekiyor. Seni umursamayan, adam yerine koymayan kişileri çok ciddiye alıyorsun. Tamam şikâyet edebilirsin ama sonra yeniden yaşamla uyumlu hale gelebilirsin, sen koptun mu kopuyorsun. Hayatı kıskıvrak yakalamalı, hamlelerini çok zekice yapmalısın. Artık neden olmuyorlarla uğraşmayı bırakmalısın. Odaklanman gereken neden olması gerektiğine dair bulacağın bir sebep olmalı. Sen bağlanmaktan korkuyorsun ve bu korkun senin sürekli terk edileceğin kişileri hayatına çekmene sebep oluyor. Şikâyet etmeyi, sızlanmayı bırak artık. Nedenleri ortadan kaldırmak için çözüm odaklı düşün ve çöz tüm düğümlerini. İnsanlar seni sevmediğinde en kötü ne olabilir ki? Peki sen kendini sevmediğinde ne olur? Her şey! Gücünü geri almak istiyorsan, aklının sana kazandıracağı berraklık ve aydınlanmadan faydalan. Sorularının cevabı ilahi düzende. Yapman gereken tek şey kendinle, yaşamla uyum içerisinde olup Yaradan'dan istemek! İste ve izin ver olsun ve yolun açılsın!

Mutlu olmak istiyorsan başkalarının da kendi gerçeklerine saygı duymalısın. Kötülük insanın zihninde mevcuttur! Görülmeyen âlemde sana zarar verebilecek, seni ele geçirebilecek hiçbir şey yok. Sadece sen bunu yapabilirsin!

Eğer sana öğrettiklerimi düşünür hislerini takip edersen ve dönüşmesine izin verirsen çok geçmeden artık içinde nefretin, içerlemenin ve kızgınlığın kalmadığını göreceksin.

Onların bıraktığı boşlukta ruhun şifalanacak. Artık canını sıkanlarla uğraşmayı bırakıp sana iyi gelenlere yönelmelisin. Ya bu enerjini çalan sızdırma yapmana sebep olan delikler? Onlar da tıkanmış olacak çünkü sen kabul etmek istemediğin tüm yönlerini sahipleneceksin. İhtiyacın olan güzel hisleri başkalarından beklemekten vazgeçeceksin. Kendi gücüne sahip çıkmış olduğunu anlayacaksın. İşte o zaman yaşamın tüm o gizemini kendine çekeceksin. Çünkü o zaman bunu hak edeceksin. Çünkü hayatı yöneten en güçlü yasaya sahipsin. Akıl! İlahi düzen sana bunu öğretmeye çalışıyor uyan hadi! Yaradan kendini olduğun gibi kabul edebileceğin, aklını, gücünü kabullenebileceğin deneyimleri sana armağan olarak gönderiyor.

DİLHUN: Sanki yıllardır içimde yaşamışsın gibi beni benden iyi tanımışsın. Biraz önce bana bir şey sordun ya o beni çok etkiledi biliyor musun? Benim için hiç kimse ölmezdi evet hiç kimse!

VAVEYLA: Farkında olsak da olmasak da incindiğimiz zaman genelde başkalarını incitmek isteriz. Eleştirildiysek ve bundan incindiysek örneğin başkalarını da aynı şekilde eleştirip incitmenin yollarını ararız. Sanki onların canını yakarak kendi sızımızı hafifletecekmişiz gibi düşünürüz. Kabul edemediğin incinme senin hem kurban olmana hem de daha çok intikam alma arzuna kapılmana sebep olur. Bu yüzden incitmek istediğin anlarda dur. İncindiğini hissettiğinde içinde bir boşluk duygusu hissedeceksin. Bunu hemen o kişiyle bağlantıya geçerek sözcüklerle doldurmaya çalış. Bu kişiye ulaşamadığın anlarda yazmayı da deneyebilirsin. Yazmak da içindeki boşluk duygusunun dolduğunu hissettirecek sözcüklerin konuştuğu güçlü bir alandır.

Mutlu ol! Sana sevinç vermeyen şeylerden kurtul. Seni sınırlayan şey ne? Etrafında senin karşına engeller çıkaran kim? Neye mal olursa olsun, onların hayatından çıkmasına izin ver. İlişkinde mutlu değilsen bunu söyleyecek kadar güçlü ve onurlu olmasın. Her zaman Dilhun her zaman! Kimse senden üstün değil. İçindeki boşluk duygusunu ilahi düzenin terazisini hatırlayarak sevgi barındıracak sözcüklerle doldurduğunda tüm hayallerine ulaşacaksın.

Sana sevinç vermeyen hiçbir şey yapma! Eğer yaparsan kendini sevmiyorsun demektir.

DİLHUN: Artık doğru kararlar almak istiyorum. Yeniden bilinmez yollarda kaybolmak istemiyorum. Aklımı kullanarak bilinçli seçimler yapmak istiyorum. İlahi düzenin bir sürü kuralları var, sana mesajlar geliyor dedin. Bu mesajları alarak artık yoluma devam etmek istiyorum. Hayattan alabileceğim darbelere karşı hazırlıklı olmak, güçlenmek istiyorum.

VAVEYLA: Sen neredeysen yol oradadır! Doğru yolda olduğunu nasıl bilirsin biliyor musun? Eğer yüzünde gülücükler varsa, yaptığın şey seni mutlu ediyorsa doğru yoldasın demektir. Doğru yol senin mutlu olduğun yerdir. Eğer yol ikiye ayrılıyorsa dur. Her iki seçenek de seni mutlu etmiyorsa ve kafan karışıksa sakın bir karar verme. Yapma! İlahi düzene "Hakkımda hayırlı olan yolu nasıl bulabilirim?" diye sor. Hemen gözünün önünde ilahi düzenin terazisini canlandır ve payına düşen kefesine bol miktarda sevgi bıraktığını hisset. Orada bulunduğun yerde yüzünde bir gülümsemeyle dur ve karışıklığın geçmesini bekle. Bu yıllarını değil sadece birkaç dakikanı alır. Sonra yüzünde güller açacak güven bana.

Kafan karışıkken asla bir karar alma. Yanıtın gelmesine izin ver. İzin verdiğinde sis ortadan kalkacak ve yol netleşecektir. O yol başkaları için doğru olmayabilir ama senin için doğru olacaktır. İşte bu artık kendi aklını kullandığının en güzel göstergesidir.

Doğru yolda olduğunda düşüncelerin nettir. Tüm bedeninle ve ruhunla kendini bu dünyaya ait hissedersin. Aitlik duygusu bu dünyadaki en temel duygundur. Yargılanmadan, eleştirilmeden olduğun gibi kabul edilip değer gördüğün yer kendini ait hissettiğin yerdir. Her şey değer gördüğü yerde büyür ve gelişir. Ait olmadığını hissettiğin hiçbir yerde durma.

DİLHUN: Bazen olduğum bulunduğum yerden, insanlardan, kişilerden, ilişkilerimden, hayattan çok canım sıkılıyor. Aslında Hakan'la olan ilişkimde de çok sıkıldığım, tıkandığım anlar olmuştu. Hayatım boyunca yeni başlangıçlar yapmaktan, alışkanlıklarımı bırakmaktan çok korktum. Bazen de olmadık şeyleri kafamda kurgulayıp kendimi günlerce üzdüğümün farkındayım. O kadar ilginç ki insana bunun farkında oluyor ama çıkamıyor. Hayatın içinde çamura battıkça batıyor, çırpındıkça daha çok batıyor. Bir daha asla yapmayacağım, tamam buraya kadar, kendime çekidüzen veriyorum dedikçe daha çok batıyor. Anladım ki asla bir daha yapmayacağım diye kendine söz vermek ilk fırsatta yaparım hem de âlâsını yaparım demekmiş. Denedim bir şeyleri değiştirmeyi, çok denedim ama olmadı, yapamadım. Yoruldum çünkü her gitmeye çalıştığım yol beni çıkmaz sokağa götürdü. Her çıkmaz sokağın sonunda hayattan bir tokat daha yediğimi düşünüp günlerce kendimi toparlayamadım. Yaşadığım birçok sorun belki de buradan kaynaklanıyor, cesaretim yok. Belki de hayat beni bu yönde güçlendirmek istiyor, bu yüzden darbe üstüne darbe yiyorum. Hayattan sıkıldım, çok sıkıldım. Hayatın artık üstüme üstüme geldiğini düşünüyorum. Ama şimdi senin bana iyi geldiğini yüreğimin derinliklerinde hissediyorum. Benim için çok emek harcıyorsun, hakkını nasıl ödeyeceğim bilmiyorum. Teşekkür ederim Vaveyla! Ruhumun derinliklerinden gelen sessiz çığlıklarımı duyduğun için teşekkür ederim.

VAVEYLA: Olmadığın yerde olup mutlu olacakmışsın gibi gelir bazen... Can sıkıntısının ne olduğunu biliyor musun? Birçok kişinin canı sıkılıyor ve hayatını anlamsızca yaşayıp gidiyor. Can sıkıntısı ruhunun sana o deneyimden kazanabileceğin her şeyi kazanmış olduğunu bildirmesidir. O deneyim artık senin ilgini çekmiyor, sana meydan okumuyor ya da canlandırmıyor, çünkü sen ondan öğrenmen gereken her şeyi öğrenmişsindir. Senin başka bir deneyime geçme zamanının geldiğini daima bileceksin çünkü bulunduğun yerden yeterince şey öğrendiğinde canın sıkılacak. Bu yaratıcılık, çalışmak, ilişkiler, eş, her şey için geçerlidir... Eğer bir şeyden sıkılıyorsan değişim zamanı gelmiştir. Ama sen eski evinde oturuyorsan ve bundan sıkılmadıysan ömrünün sonuna kadar oturabilir ve orada çok mutlu olabilirsin. Anlatabildim mi? Arabanı seviyorsan yenilemek zorunda değilsin. Sevgilinle mutluysan terk etmek zorunda değilsin.

DİLHUN: Hakan'la olan ilişkimizde yaşadığınız can sıkıntısından öte bir şeydi. Anladım ki ağlayıp gözyaşı dökmek değilmiş insanı tüketen. İnsanı ruhunun sessiz köşelerine gömdüğü acılarmış asıl yiyip bitiren. Onunla birlikteyken içimden o kadar çok ağladım ki... Kelimelerin susup sessizliğin konuştuğu anlarda. Oysaki benim değerimi bilmeyen, bana hak ettiğim değeri vermeyen kişi benimle birlikte olmayı da hak etmiyormuş zaten. Bana değer vermeyi istemiyor ve beceremiyorsa benim gitmeyi bilmem gerekiyormuş. Belki de onu bırakıp gidip hiç yokmuş gibi davranıp, onun bana yaptığı gibi en büyük cezayı benim ona vermem gerekiyordu. Susmamız gereken yerde hararetle konuşmamız, konuşmamız gereken yerde sinsice susmamızdı belki de bizi bitiren. Şimdi anlıyorum ki konuşmadıklarımız bizi konuştuklarımızdan daha çok anlatıyormuş.

VAVEYLA: Birisiyle zaten yüzde yüz uyum diye bir şey yoktur. Uyumlu yanları birlikte beslemek, güçlendirmek ve uyumsuz yanlardan ders çıkararak büyümek, öğrenmek vardır. Can sıkıntınızın kökeninde yatan duygu ilişkinizi besleyememeniz. İlişkiniz dışında uzun vadede ikinizi de hayata bağlayan amacınız olmadığını düşünüyorum. Bununla birlikte Hakan'la siz aşk sürecinizi sevgiye dönüştüremediniz, bu yüzden de gelişip büyüyemediniz. Duygularınızı samimi bir şekilde konuşup dönüştüremediniz. Birbirinizden çoktan sıkılmıştınız aslında ama kabul etmek istemediniz. Bana biraz daha ilişkinizden bahseder misin? En çok hangi konularda tartışıyordunuz mesela? Hakan'ı da daha yakından tanıyarak birbirinizi niye çektiğinizi sana anlatmak istiyorum. Aslında seni tanıdıktan sonra onun nasıl birisi olduğunu çok iyi anlayabiliyorum. Görmeme tanımama gerek yok ama sana ancak bunları yaşadığın somut olaylarla daha iyi anlatabilirim. Bu şekilde kendini çok daha iyi hissedeceğinden eminim. Senin nasıl hayatında ve ilişkilerinde sorunlar yaşamanın köklerini içinde bulunduğun ailede bulduysak onu da öyle düşünmeni istiyorum. Sonuçta kim olursa olsun hiç kimseyi yetiştiği çevreden aileden ayırıp da tek başına değerlendiremeyiz. Hadi şimdi bana ilişkinizde yaşadığınız bazı sorunlardan bahset.

DİLHUN: Zaman zaman çok farklı konularda sıkıntılar yaşıyorduk. Beni en çok üzdüğü yorduğu süreçler küsüp gittiği alıngan olduğu zamanlardı. Buluttan nem kapıyor saçma sapan şeylere saatlerce kapris yapabiliyordu mesela.

VAVEYLA: Beynimiz çok ilginç işliyor Dilhun. Örneğin bebeklik döneminde annenin bebekten memeyi kestiği süreçle bağlantı kurup birlikte olduğu kişiye alınganlık yapıp küsebiliyor. Bebeklik çağına duyulan özlemle hareket edebiliyor. Hatta ömrü boyunca devam eden bu davranışları, onu beklemediği bir anda esir alıp bebek gibi davranmasına bile sebep olabilir. Alınganlıklar, küsmeler, çekip gitmeler şeklinde kendini gösterebilir. Düşünebiliyor musun 50-70 yaşına gelen bir insan dahi ihmal edildiğini veya değer görmediğini hissettiği anlarda zihninin oyunu ile 6 aylık bir bebek gibi küsebilir, ağlayabilir. Bu yüzden zihnimizin oyununa gelmemek için sürekli uyanık olmalıyız. İçimizdeki çocuğa ebeveynlik yapıp onun artık 6 aylık olmadığını büyüdüğünü hatırlatmalıyız.

Bir delikanlı gönlünü verdiği veya sadece görüştüğü bir genç kızın erkek bir arkadaş edinmesine tahammül edemez. Evli bir kadın kocasının sokakta sağa sola bakması, toplantılarda tanıdığı kadınlarla fazla meşgul olması karşısında üzülür, sinirlenir. Kocasının dışarıda gözü olduğunu düşünür. Bir erkek kendi değer yargılarına göre karısının biraz aşırılığa kaçtığını, fazla rahat hareket ettiğini düşündüğü an endişelenmeye başlar. Bir kimse kendisinden daha çalışkan, daha verimli iş gören, çevresinin yakınlığını kazanmış, sevilen, sayılan meslek arkadaşının yanında bir huzursuzluk duyar. Bütün bu davranışları yaratan, insanlarda derece farkıyla az veya çok mevcut olan kıskançlıktır.

Çocuk her şeyden önce annesinin ve babasının, yakınlarının sevgisini arar, bulmak ister. Onu en çok ürküten, korkutan şey muhtaç olduğu, her an beklediği yakınlığı bulamamaktır, kaybetmektir.

Sevilmeyen, sevilmediğini gören veya sanan çocuk kendisini tehlikede bulur. Annesinin babasının, sevdiklerinin uzak duruşlarını değersizliğinde, önemsizliğinde arar. Bütün bunlar ise ona büyük bir acı verir.

Dikkat edersen çocuğu bu yaşayış şekline, hayat sitiline zorlayan şeyin bir hayat kavgası, değer kazanma, elde etme mücadelesi olduğunu anlarsın...

Genç nişanlıların, evlilerin birbirlerini başkalarından kıskanmalarına gelince bu duygunun sadece bağlılıktan doğduğu düşünülmektedir. Bir erkeğin karısını bir kadının kocasını sevdiği için ve sevdiği oranda kıskandığı sanılmaktadır. Yapılan son araştırmalara göre bu görüş şekli doğru değildir, eksiktir. Çiftleri, eşleri karşılıklı veya tek taraflı kıskançlığa sürükleyen sebep sadece sevgi olamaz. Burada değersizleşmek, önemsenmemek korkusu da çok büyük bir rol oynar. Bir delikanlı yanındaki kızın başka bir erkeğe bakmasına öfkelenir, kıskanır çünkü diğerinin kendisine üstün görüldüğünü düşünür. Yanındaki kıza, bu kızın baktığı kimseye kızmasının, sinirlenmesinin sebebi budur.

DİLHUN: Kıskançlıkla ilgili işlenen cinayetler günümüzde giderek artıyor. O zaman insanlar kendilerini daha da değersiz, zavallı ve işe yaramaz hissediyorlar. Kaybedecek zaten hiçbir şeyleri olmadığını düşünüp ruhlarından uzaklaştıkça uzaklaşıyorlar. Tıpkı benim gibi...

VAVEYLA: Birbirlerini kıskananlar bastırdıkları duyguları birbirlerine yansıtırlar... Bir kadın işlemek istediği günahı kocasına, bir erkek içinde yer eden duygularını karısına yansıttığı için kıskanır.

Bütün bunlarla birlikte kıskançlıkta alıştığı kişiyi kaybetmek yalnız kalmak korkusunun da payı oldukça büyüktür. İnsanlar genelde birlikte olduğu kişiyi kolay kolay elinden çıkarmak istemez. Yalnızlıktan korkar. Terk edilmiş görülmekten ürker. Terk edilmenin acılarından kaçar. Terk edilen insan varlığından bazı şeylerin eksildiğini hisseder. Önemsiz olduğunu düşünür. Terk edilmesiyle değersizliği arasında bir bağ kurar. Bir anda o bebeklik yıllarına dönüverir... Bu duygular sana tanıdık geliyor mu Dilhun?

Tüm bunlarla birlikte insan kendisiyle beraber aynı çevrede bulunan ve kendisinden daha başarılı olan, daha çok beğenilen insanları da sevmiyor... İnsan bulunduğu yerin en çok sevilen ve sayılan kişisi olmak istiyor. Herkesin kendisiyle ilgilenmesini, kendisiyle ilgili güzel şeyler söylemesini, yaptığı işte rakipsiz kalmasını arzuluyor. Beklediği bu şeylerin başkalarına verildiğini görünce üzülüyor. Bu şeyleri alanları kıskanıyor. Başkalarına verilenlerin kendisine ait olduğunu düşünüyor. Bunun için başkalarına verilen şeyler oranında kendisinde bir şeyler eksildiğini sanır. Varlığından eksilenleri elde etmeye çalışır. Bu amaçla çeşitli çarelere başvurur.

DİLHUN: Aslında düşünüyorum da kötülük yapan, kıskanan kişi kötülüğe uğrayandan, kıskanılandan daha zavallı. Kötülüğü besleyen değersizlik duygusunu hissedebiliyorum. Kötülüğün ve kıskançlığın en büyük besini değersizlik duygusuymuş.

VAVEYLA: Değersiz olduğuna inananların ilk yapmak istedikleri şey başkalarını küçümsemektir. Kendisini değersiz hisseden kişi ancak kendisinden daha değersiz birisinin yanında değer göreceğini düşünür. Yetersiz olduğunu düşünen, bundan dolayı acı çeken bir insan yalnız kendisine benzeyenler veya benzettiği kişilerin yanında kendisini rahat hisseder... Başka bir deyişle kendisinden kaçan kişi başkalarını kovalar. Oysaki böyle anlarda tek yapmamız gereken akıllı davranarak, düşünerek içimizdeki incinmiş çocuğa yardım edip onun elinden tutup artık büyüdüğünü hatırlatmaktır. Bu döngüyü ancak uyanık kalarak, akıllanarak kırabiliriz. Yoksa kısırdöngüler farklı olay kahramanlarıyla hep devam eder. İçindeki çocuğa ebeveynlik yapmayı öğrendiğin anda, başına ne gelirse gelsin çözebileceğini, çözemediklerinle de baş edebileceğini unutma. Korkan, değersiz hisseden, acı çeken, üzülen, içindeki çocuk Dilhun... Sen ve Hakan kendinizi tamamen içinizdeki bilinçsiz, küçücük çocuğa bırakmışsınız. Sizin hayatınızı onlar yönetiyordu. O daha küçücük, nerede ne yapacağını nasıl bilebilir? Aklını kullan Dilhun, aklını kullan ve içindeki çocuğun sağlıklı bir ebeveyne ihtiyacı olduğunun farkına var. Ona başkalarının yol göstermelerini, annelik babalık yapmalarını bekliyorsun. Sevsinler, okşasınlar, değer versinler istiyorsun ama önce sen ona bu duyguları vermeden o asla tatmin olmayacak. Hep sevgiye aç ve değersizlik duygularıyla, bir umutla hayatı boyunca şefkat ve merhamet dilenip duracak. Çünkü senin onu görmeni istiyor, tüm çabası bunun için. İçindeki çocuğu ilişkilerinde kıvrak bir zekâyla dans ettirmelisin. Hakan'ın sana yaptıkları karşısında, küçük, zavallı ailesi tarafından terk edilmiş, ilgisiz bir küçük kız çocuğu gibi davrandığının farkında mısın? Küçükken, acı çektiğin, üzüldüğün anlarda nasıl davranıyor tepki gösteriyorsan aynı şekilde davranmaya çalışıyorsun. Sağlıklı bir yetişkin böyle davranır mı, davranmaz. Evet üzülebilir ama olayı senin kadar trajik bir hale getirmez çünkü içindeki acı çeken çocuğa ebeveynlik yapabilir. Sana yol gösteren, kararlarını veren kişi içindeki çocuk çünkü; o seni yönetiyor. Davranışlarını duygularını o belirliyor. Tüm hayatını küçük bir çocuğun ellerine teslim etmişsin ve o seni yönlendiriyor. Bunu görebiliyor musun? Büyük resme bakabiliyor musun? Bu olaydan bir an önce çıkman gerekir. Bazı anlarda içindeki çocuğun seni, bazı anlarda da senin onu yönetmen gerekiyor ama sen tüm yönetimi ona devretmişsin. Niye akıllı ol dediğimi de daha iyi anlıyor musun şimdi? Bu çocuk senin başına her şeyi getirebilir anlıyor musun, her şeyi!

Hakan'ın neden şimdi incir çekirdeğini doldurmayan şeylerden küsüp gittiğini de anlıyor musun? Peki ya senin niye aylardır süründüğünü? Tartışan, kavga eden, küsen, ilgi isteyen ikinizin de içindeki çocuklardı.

DİLHUN: Söylediklerin çok mantıklı. Şimdi neden sorumsuzca çekip gittiğini anlamaya başlıyorum. Demek içindeki çocuğun öfkesi ve değersizlik duygularıydı tüm davranışlarının sebebi.

VAVEYLA: Hakan sorumluluk almaktan kaçan, başkalarının sırtından geçinmeye çalışan bir kişiydi değil mi? Kolayca başarıya ulaşmak isteyen, emek sarf etmeden para kazanmak isteyen...

DİLHUN: Evet bunu nereden bildin? Sana onun bu özeliğinden hiç bahsetmemiştim.

VAVEYLA: İşte bu kişiler annesi ile duygusal bağını yeterince kuramamış, anne karnındaki huzura ve güvene ihtiyaç duyan, hayatın sorumluluğunu alamayan, yeterince olgunlaşamamış kişilerdir. Sürekli birilerinin gelip onlara yardım etmelerini, hayatlarını kolaylaştırmalarını beklerler. Yapmadıklarında da öfkelenip, afra tafra yaparlar. Burunlarından solurlar veya duygu sömürüsü yaparlar. Yorulmak, mücadele etmek istemezler. Hayatın hep kendilerine toleranslı davranmasını beklerler. İsteklerine kavuşsalar da hemen sıkılırlar. Yeni heyecanlar, arayışlar peşinde koşmaya başlarlar. Kolay kolay hiçbir şeyden ve hiçbir kimseden memnun olmazlar. Hep bir mızmızlanma şikâyet halindedirler. O anda hayatlarında olan tüm güzellikleri görmeyip, yolunda gitmeyen tek şeye kafayı takıp tüm hayatlarını mahvedebilirler. Onlara göre hayat isteklerini kusursuz bir şekilde her an sunmalıdır. Sunmadığı an da her şey ve herkes berbattır. Çıkarlarına uymadığında öfkelenip adeta bir çocuk gibi sabırsız davranışlar gösterebilirler.

DİLHUN: Yok böyle bir şey, sanki yıllarca onunla yaşayan senmişsin gibi nasıl da tahmin ettin. Vallahi bravo! Harikasın Vaveyla, giderek zihnimde ışıklar yanmaya başlıyor:))

VAVEYLA: Acele etme Dilhun! Sorduğun tüm soruların çok yönlü bireyden bireye değişen cevapları var. Zihninde tam olarak oturması, cevapları içselleştirmen için bütünsel düşünmeyi öğrenmelisin. Günümüz insanının en büyük sorunu da bu zaten. Acele etmesi ve bir an önce sonuca ulaşmak istemesi. Gerçekten iyileşmek istiyorsan ve hayatını değiştirmek istiyorsan sabırlı ol! Seni yavaş yavaş zafere götürüyorum.

DİLHUN: Yine haklısın galiba. Seninle kat ettiğim yolun farkındayım. İyi ki karşıma çıktın, iyi ki seni tanıdım. Teşekkür ederim her şey için Vaveyla!

VAVEYLA: Senin bilincinden yansıyan bazı imgeler onda sıkışmışlık, değersizlik ve korkuyla birlikte güvende olmadığı duygularını hissettiriyor. O anda içinde boşluk duygusu oluşuyor. Böyle durumlarda içindeki çocuğun öğrendiği tek baş etme yöntemi ortamdan kaçarak kurtulmak. Oysaki içindeki çocuk bu boşluk anlarında sözcüklerin gücüyle duygularına sevgi yükleyip anlatmayı öğrenmiş olsaydı kaçmazdı. İletişim kurarak sorunu çözmeye çalışırdı. Yani kaçan, küsen, giden aslında bu sorunla nasıl baş edeceğini bilemeyen minicik bir çocuk.

Anne babaların çocuğa karşı sabırlı olmaları ve sözcüklerin gücünü öğretmeleri gerçekten de çok önemli. Annelerin kendi çocukluk yaralarını, kendi korkularını çocuklarına yansıtmamaları için kendileri ile yüzleşmeleri gerekir. Anne baba ne kadar bilinçli olursa kendi ailesinden getirdiği negatif ve çocuğun gelişimine engel olacak inançları durdurup döngüyü kırabilecektir. Aksi takdirde bilinçsizce ve sabırsızca yapılan davranışlar çocuğun zihinsel ve sosyal gelişimine engel olacaktır. Şimdi anlıyor musun neden bu kadar derine inerek sorunu çözmeye çalıştığımı? Hakan'ın davranışlarının altında yatan nedenleri bulurken kendi nedenlerine de ulaşacaksın. Psikolojide davranışların nedenlerine uyarıcı, uyarıcılara karşılık meydana gelen davranışlara tepki denir. Böylece neden-sonuç ilişkileri uyarıcı-tepki formülüyle açıklanır. Ancak nedenleri bulmak kolay değildir. Çünkü davranışlar üzerinde dışarıdan olduğu kadar bireyin içinden gelen etmenlerin de rolü vardır. Yani bir insanın küsme davranışı tepkidir ama bu tepkiye sebep olan içsel uyarıcıyı bulmadan bu tepki ortadan kalkmaz anladın mı? Sen neden ilişkilerinde karşındakilere tehlikede olduklarını hissettirip kaçırıyorsun? Sendeki bu uyarıcıyı kaldırmadan karşına benzer tepkileri veren kişileri çekmeye devam edeceksin anladın mı? Karşındakileri suçlayarak ilişkilerini düzene sokamazsın. İlişkilerin senin temel inançların doğrultusunda şekillenir. Sendeki uyarıcı güven, huzur olursa neden karşındaki kişi hayatının tehlikede olduğunu düşünüp senden kaçsın ki? Bunları sinsice bilinçaltı yapıyor ama dikkatini çekerim. Bilinçaltın yapmasına rağmen tekrar ediyorum son kararı bilinçaltın vermez. Düşünen beyin yani beyninin ön kısmı verir. Bu yüzden akıllı ol Dilhun, akıllı ol diyorum.

DİLHUN: Bir şey için kaygılandığımda kendimi kaçınılmaz sonuca bir biçimde hazırladığıma artık inanıyorum. Anladım ki hayat bir sınav ve hiç kimse bu sınavdan kaçamaz. Kasırganın ortasında yönümüzü kaybediyoruz. Nereye gidiyoruz, ne istiyoruz, neye ihtiyacımız var, oradan nasıl çıkacağız ve kendimiz için ne yapmamız gerektiğini bilmiyoruz. Bu korkunç bir dönem, hayal kırıklığı, üzüntü ve cevabını bilemediğimiz bir sürü sorular. Bu kriz gerçekten de duygusal, zihinsel, ruhsal, maddi olarak bize zarar veriyor. Aslında her şeyi alt edecek kadar gücümüz var. Kendimize her zamankinden daha çok sahip çıkmalı ve inanmalıyız.

VAVEYLA: Gördüğün gibi yaşamının dengede olması çocukluk döneminde yaşadıklarınla yakından ilgili. Bu hepimiz için geçerli. Bu yalnızca kendi anne babamızdan ve yetiştiğimiz çevrenin değil, eski çağlardan itibaren gelen kolektif bilincin de etkisi ile oluşmaktadır. Yaşamımızın önemli dediğimiz süreçlerini ne kadar dengeli geçirdiysek o kadar dengeli ve huzurlu oluruz. Hayata daha sıkı tutunur, mücadele etmekten, çalışmaktan yorulmayız. Umudumuzu kaybetmeden alternatifleri görebilir, kendimize yeni çıkış yolları çizebiliriz. Sadece kendimiz için diğerleri ve tüm yaşamda faydalı olabilmek için elimizden gelenin en iyisini yapmaya çalışmalıyız.

DİLHUN: Başka birisiyle sağlıklı ilişki kurabilmek için kendimizi ve ailemizle olan ilişkilerimizi yakından tanımak ne kadar önemliymiş. Bunun sabır ve emek isteyen bir şey olduğunu da anladım. Yolumun daha çok uzun olduğunu görebiliyorum. Ama yol artık beni korkutmuyor. Sadece senden öğreneceğim asıl derslerimin henüz beklediğinin de bilincindeyim.

VAVEYLA: Peşinde olduğun şeyin de seni aradığını sakın unutma. Saf gerçek başta acı olabilir ama uzun süre sonra seni özgürleştirecek tek şeydir. Her şeyden ayrı olduğunu düşüyorsun oysaki ayrı değilsin.

DİLHUN: Bazen geçmiş bizi arar, geri dönmemizi ister ve bunu kulağımıza usulca fısıldar. Anlıyorum ki gönül koyduğumuz olayları dönüp yeniden şekillendirmemizi istiyor. Bazen de ses verip duymak gerekiyormuş o anıların bize fısıldamak istediklerini. Ben bu anıların sesini duymamak için hep güçlü olmaya çalıştım. Ne kadar güçlü olursam onların seslerini baskılayabileceğimi düşündüm. Anlıyorum ki bir insan ne kadar telaşsız, sessiz ve sakinse geçmişin fısıldadıklarını duyup onlara cevap verebilirmiş.

VAVEYLA: Sessiz, sakin ve her durumda haklı çıkmaya çalışmayan kişiler daha güçlü kişilerdir. Bu kişiler kendilerini güvende hissederler. Güvende hissettikleri için de saldırgan ve öfkeli değildirler. Çünkü bilinçaltları tehlike var diye onları yönetip tüm bedenlerini ele geçirmez. Onlar düşünen beyinleri ile hareket ederler ve oyuna gelmezler. Mağara dönemindeki gibi karşısında yırtıcı bir hayvan olmadığını, birçok şeyi aklı ve davranışları ile kontrol edebileceğini bilir. Güvenlik duygusu işte güç ve kuvvetten doğar. Başlarına gelen olaylarla baş etme yöntemleri geliştirmiş kişilerdir. Aslında bu güçlü olmak için onu yap ya da bunu yap gibi reçete hazırlanacak bir konu değildir. Bu tamamen bireyin içsesini, bedenin kendisine verdiği mesajları dinlemesi ile ilgili bir süreçtir. İnsanın en iyi pusulası bedenidir. Yani senin de ifade ettiğin gibi geçmişin fısıldadıklarını duyabilen ve onlara en iyi cevabı verebilenlerdir.

DİLHUN: O zaman içindeki çocuğun fısıldadıklarını duyabilen ve o çocuğu yönetebilen en güçlü kişidir. Bunu senden mutlaka öğrenmeliyim...

VAVEYLA: Bunun için yapılacak tek şey bedeni izlemektir. Beden mutlaka sinyal verir. İçindeki çocuk yönetimi ele geçirdiği zaman nefesin hızlanır, kalbin sıkışır, diğerlerini tehlike olarak algılarsın. Tıpkı çocukça öfke nöbetleri, ağlama krizleriyle gelen çaresizlik ve sabırsızlık duygularının hâkim olduğu anlarda bil ki yönetimi içindeki çocuk ele geçirmiş. Ağlayarak anne babasına isteklerini yaptırmak isteyen, küserek ilgi görmek isteyen veya şımararak sevgi görmeye çalışan bir çocuk gibi çocuklaştığını anlamak çok da zor değildir.

DİLHUN: İçimizdeki çocuk öyle anlarda bize şöyle seslenir: "Kendimi iyi hissetmiyorum, korkuyorum, beni koru! Burası hiç güvenli değil ve ne yapacağımı bilmiyorum... Neden benim sesimi duymuyorsun? Yalvarırım duy beni. Ne zaman ortaya çıksam kendini kötü hissediyorsun, benden neden kaçıyorsun? Beni sevmiyorsun biliyorum ama başım dertte ne olur yardım et!" der.

VAVEYLA: Sen de o çocuğa şunları söylesen her şey ne kadar da çabuk yola girecek oysaki: "Gerçek ve huzurlu hayata dönmenin zamanı geldi. Şimdi nerede olursan ol kendini güvende hissetmeni ve hayatının kontrolde olduğunu bilmeni istiyorum. Evet, reddedilme korkusu, gülünç ve başarısız olma korkusu hissettiğini biliyorum. Bana güvenmek zorundasın. Güven ve sesimin sıcaklığını hisset. Her şey yolunda ve güvende! Sakin ol!

DİLHUN: Hayatta her şey mükemmel bir şekilde çalışıyor. Başıma gelen her şey beni bugün olduğum yere getirdi. Gerçekten de hayatta yanlış ve hatalı olan hiçbir şey yokmuş. Geriye dönüp baktığımda her şeyin bir yapboz gibi olduğunu görüyorum ve hiçbir parça geriye kalmıyor. Her bir parçamla beni uyandırdığı için gurur duyuyorum. Her birimizin hayatında bir kırılma noktası olduğunu düşünüyorum. Umarım artık bundan sonra önüme çıkan engellere takılmadan yoluma devam edebilirim ve herkes bir gün uyanır ve gerçeklerle yüzleşir.

VAVEYLA: Zihnindeki ilişkilendirmelere karşı tam hazır olduğunu düşünmüyorum Dilhun. Bunun için henüz çok erken. Var olan tek şey senin yaşadıklarını hep geçmişinle ilişkilendirmen. Ve bu ilişkilendirme ortadan kaldırılması gereken asıl şeydir. O zaman yetersizlik, nefret, kötülük diye bir şey kalmayacak. İlişkilendirme küçük bir çocukken başına gelen şeyden ötürü bugün böyle olduğunu söylemen ve sonra bunu tüm yaşamın boyunca taşıman ve yaşamının her gününü onunla renklendirmendir... Çocukken başına gelen olaylar doğrultusunda ilişkilendirme yapıyorsun. Bu ilişkilendirmeyi zaman, yer, olay, insanlar üzerinden destek alarak yapıyorsun. İşte bu dört ilişkilendirme desteklerini ortadan kaldırdığında düğümlerin çözülür, önün açılır.

Kendini neden güvenlikten yoksun hissettin biliyor musun? Çünkü birisinin söylediği şeyler senin kendini öyle hissetmene neden oldu. Sen geçmişe, o zamana gitmeye devam ediyorsun. O anı yüzünden acı çekmeye devam ediyorsun. Güvensizliği ortadan kaldırdığında geriye sadece sevginin kaldığını göreceksin. Yaşadığın olayları insanlar, yerler, zamanlar ve olaylarla ilişkilendirmeden her birine yeni bir deneyim olarak bakmaya başladığında hayatın değişecek... Ve orada mucizeler gerçekleşemeye başlayacak. Mucizeler geçmişte veya gelecekte meydana gelemez. İçinde bulunduğumuz anda gelişir. Şimdi sana bu ilişkilendirmeden kurtulman için harika bir teknik öğreteceğim.

DİLHUN: Bir dakika, ne zaman kendimi kötü hissetsem içimdeki çaresiz çocuğun yönetimi ele geçirdiğini, bir ilişkilendirmenin söz konusu olduğunu anlayacağım. Yoksunluk duygusuna girdiğimi yani. Öfkelendiğim, kendimi değersiz ve yetersiz hissettiğim, acı çektiğim, yalnız hissettiğim anlar da. Örneğin halamın en çok sevdiğim kurabiyelerinin kokusunu aldığımda o anda halam yanımda olmasa da bir anda onun sıcaklığını hissetmem. Oysaki pastaneden gelir bu koku ve nedensiz bir gülümseme beliriverir yüzümde. Bu olumlu yönde güzel bir ilişkilendirme oluyor ve sorun yok. Ama matematik öğretmenim ben mandalina soyarken kafama vurduysa ne zaman mandalina kokusunu duysam nedensiz kendimi kötü hissetmem de olumsuz ilişkilendirme oluyor. Doğru anlamış mıyım? Bu ilişkilendirmenin çok önemli olduğunu hissettirdin bana ve çok iyi, eksiksiz anlamak istiyorum.

VAVEYLA: Evet harikasın, çok iyi kavramışsın! Pekâlâ hadi başlayalım o halde. Bu çalışma aynı zamanda kararlarını veren beyninin yüzde birlik kısmını yani akıllı yönünü güçlendirecek en etkili çalışmalardan biri. İhtiyaç duyduğun her an istediğin kadar yapabilirsin. Sana çok faydası olur.

Gözlerini kapat ve tam sessizleş. Burnundan aldığın bir gülü koklarcasına derin bir nefesi bir mumu üfler gibi ağzından yavaşça ver. Bunu 4-5 kez tekrarla. Daha sonra gözlerini kapalıyken yukarıya beynin ön lobuna doğru çevir ve kurtulmak istediğin tutumu ya da sorunu tek bir sözcük olarak ön loba yerleştir (intikam, kin, kıskançlık, üzüntü, öfke, tiksinti, küsme vb.). Onu başka hiçbir şeyle ilişkilendirmeden onun üzerine odaklan. O sözcüğü orada net olarak gördüğünde gerilip karnından gelen çok güçlü bir nefesle o sözcüğü birleştir, nefesini dışarı doğru (Şışşş diye) kuvvetle üfleyerek enerjiyi harekete geçir. Nefesle birlikte o sözcüğü dışarı it. Tekrar o sözcüğü ön lopta gör ve tekrar nefesle dışarı it. Bunu o sözcüğü ön lopta göremez hale gelene dek (en az 3-4 kere) tekrarlamalısın. Bu kadar, evet şimdi gözlerini açabilirsin.

Bu çalışmadan sonra başına gelmesini istediğin şekilde soracağın sorularla beyninin ön kısmını daha da güçlendirmiş olacaksın. Aynı zamanda bu çalışma ile dileklerinin çok çabuk gerçekleştiğini, mucizelere kucak açtığını göreceksin.

DİLHUN: Vay canına, bu gerçekten harika bir teknik! Bayıldım ben buna! Sanki karnımda birikmiş bir şey alnımın ortasından fırladı ve dışarıya çıktı. O kadar çok rahatlamış hissediyorum ki kendimi anlatamam. Soru sorma kısmını iyice pekiştirmek istiyorum ama o kısmı biraz daha açabilir misin?

VAVEYLA: Yani bu süreçten nasıl kurtulabilirim? Nasıl daha fazla para kazanabilirim, nasıl hak ettiğim ilişkiyi yaşayabilirim gibi sorular sormalısın. Neden beni terk etti, neden para kazanamıyorum, neden hep aynı şeyleri yaşıyorum şeklinde sorular sorarsan ilahi düzen sana bu soruların cevabını verecektir ve aynı şeyleri yaşayıp durursun.

DİLHUN: Bu günlük hayatımızda tekrar tekrar yaşadığımız olaylar onlardan kurtulmamız için rüyalarımıza da giriyor değil mi? Rüyalarımı yorumlayarak sorunların çözülebileceğine dair birkaç yazı okumuştum. Rüyalar çok ilgimi çekiyor, onları nasıl yorumlayabilirim Vaveyla? Sanki rüyalar da bu ilişkilendirmeyle ilgiliymiş gibi geldi bana.

VAVEYLA: Unutma, ilişkilerinin yönünün değişmesi için uyarıcılarının değişmesi gerekir ki hayatına farklı yönde insanlar girsin. Aksi takdirde yaraların iyileşmez, aksine giderek derinleşir. Gün içerisinde bastırdığın, kabul etmek istemediğin olaylar rüyalarında sembol olarak geliyorlar evet. Rüyanda gördüğün sembollere yüklediğin anlamları bularak rüyalarını yorumlayabilirsin. Örneğin rüyanda gördüğün çilek, ekmek, fındık, anne, baba sende ne çağrıştırıyor? Senin için ilk anlamını bulup yorumlayarak da bu ilişkilendirmeyi yapabilirsin. Bilinçaltına doğru daha gizemli bir yolculuğa çıkabilirsin. Unutma rüyanda gördüğün her kişi her nesne bilincinin yani sende olan bir parçanın yansımasıdır.

DİLHUN: Örneğin sık sık rüyamda fare görüyorum. Küçükken halımızın ortasında birden beliren fareden çok korkmuştum. Korkudan koltuklara çıkıp zıplamaya başlamıştım. O sırada babam öyle bir bağırmıştı ki "Kes sesini, abartma, korkulacak ne var öldürmeye çalışıyorum görmüyor musun? Sen böyle küçücük fareden bile korkarsan hayatın boyunca seni daha ne fareler kovalayacak bakalım o zaman ne yapacaksın!" diye. Yaşadıklarımla rüyalarım arasındaki bağı sandığımdan çok daha iyi kurmaya başladım. Niye bu kadar korkak olduğumu ve hep arkamdan birileri bana engel olacakmış duygusunu hissettiğimi çok iyi anlıyorum. Sanırım bu korkumu temizlemeden fareler hep rüyamda beni ziyaret etmeye devam edecekler. Rüyalarımda yaşadığım patlamalar yetmezmiş gibi uyanıkken de yaşıyorum. Neden bu kadar anlık patlamalar yaşıyorum ben? Bu da beni bazen gerçekten çok korkutuyor. Eskiden o kadar sakin bir insandım ki şimdi öfke anlarımda elimden bir kaza çıkacağından gerçekten korkuyorum. Rüyalarda bastırılan olaylar açığa çıkıyor dedin ya, belki bunları çözerek günlük hayatımdaki patlamaları da çözerim. Ne dersin?

VAVEYLA: Yadsıdığın her yanın yanlış ve kabul edilemez saydığın her düşüncen yaşamında er geç bir şekilde meydana çıkarak kendisini gösterir. Bir iş ve bir aile kurarken, sevdiklerine bakarken, duygularına aldırış edemeyecek kadar meşgulken karanlık dürtülerini ve utanç dolu niteliklerini saklamak zorunda kalırsın. Bu da seni dışarı vuran bir patlama tehlikesiyle karşı karşıya bırakır. Hiç beklemediğin bir anda birden reddedilmiş veya istenmeyen bir tarafın ortaya çıkıverip birkaç dakika içinde yaşamını mahvedebilir. Her yıkıcı hareketinin altında ifade edilmemiş bir veya birkaç duygunun zehirli birikimi vardır. Onları ne kadar baskı altında tutarsan kendini o kadar onların insafına bırakmış olursun. Adını lekeler ve bütün emeklerinin boşa gitmesine neden olursun. Sonra da içindeki sesler konuşup kavga etmeye başlarlar. Öyle değil mi?

DİLHUN: Evet ya gerçekten neden sürekli içimdeki sesler konuşup kavga edip duruyor? Bir türlü anlaşamıyorlar? Patlamama sebep olan bu sesler mi? Ama o kadar gereksiz yerlerde gereksiz patlamalar yaşıyorum ki anlatamam. İdare ediyorum ediyorum sonra olmadık bir anda patlayıp her şeyi mahvediyorum.

VAVEYLA: Tam şu anda bile içinde iki ses işitilmek için birbiriyle savaşıyor, mantığın, iyi niyetin ile korkunun, utancın ve bencilliğin sesi. Duyuyorsun değil mi:)) Bu içindeki ikilem insanlığının aydınlık ve karanlık yönleri arasındaki iç mücadelesi. Seslerden biri rahat, kuşkusuz ve kararlıdır, diğeri ise korku dolu, asabi ve hesapçıdır. Birincide iç huzuru ve her şeyin olması gerektiği gibi olduğunu Allah vergisi olarak bilme vaadi vardır. Diğeri ise bilinmeyenin parçalanmış belirsizliğini, şüphelerini yansıtır. Bir tanesi bu halinle çok iyisin derken öbürü yeteri kadar güzel değilsin, zeki değilsin veya başarılı değilsin diye ısrar eder. Bir tanesi unut Hakan'ın sana yaptıklarını yoluna devam et der diğeri unutmamalısın intikam almalısın der.

Birbirinin zıddı olan bu iki ses ruhunun bir parçası. Onları yok edemezsin. Yok etmene de gerek yok zaten. Her ikisi gayet güzel işlevlerini yerine getiriyorlar. Bu seslere izin verirsen bu iki güce sahip olduğundan dolayı şükredeceksin. Onları bastırmaya gizlemeye çalışma. Sen onları istesen de istemesen de onlar oradalar. Hem ışık hem karanlıksın. Hem kötü hem iyisin. Hem sevimli hem de sevimsiz. İçinde insanoğlunun bildiği her türlü özellik var. Sahip olduğun bütün özelliklerin bilinçli olarak farkında olmasan da içinde uyur durumda bulunuyorlar. Ve herhangi bir yerde her zaman ortaya çıkabilirler. Bu durumu anlarsan şimdi sorduğun birçok sorunun da daha derin cevaplarını burada bulabilirsin.

İçindeki sadece iyi sesleri duymaya karar verirsen kötü sesler pusuya yatıp çok meşgul veya yorgun olduğun anı kollar ve iyi seslere saldırır. Böylece hem senin hem de çevrendekilerin başına iş açar. Kendisine önem verilmesini her şeyden çok istediğinden amacına ulaşana kadar daima öfkeli ve saldırgan olur. Fakat kendisini gösterme derdinde olduğunu anladığın zaman kötü sese biraz ilgi gösterirsen gücünü ve kuvvetini takdir ettiğini, ona saygı duyduğunu belli edersen ve eğer çevrendekilerin başı derde girerse ondan yardım isteyeceğini bildirirsen mutlu olur. O mutlu olunca iyi sesler de mutlu olur. Bunu içindeki iyi ve kötü çocuğun çatışmaları olarak düşünebilirsin. Kötü çocuğun değersizlik duygusundan ve ilgi ihtiyacından kötü olmayı seçtiğini düşün. Onu sakin bir şekilde güven dolu sözcüklerinle rahatlatabileceğini unutma. Bir çocuğu görmezden gelip yok saymanın nelere mal olabileceğini artık biliyorsun.

DİLHUN: Bir kalp kırıklığı yaşadığımız zaman, dünya bizi alt ediyor. Şaşkın, korkak, en önemlisi de üzgün hissetmemize sebep oluyor. Bir hayal kırıklığı, kötü bir deneyim, bir veda rüzgârları olduğu zaman içimdeki iyi sesi hiç duymuyorum. Bir daha asla âşık olmayacağım diyorum örneğin. Unutamadığım, kalp kırıklığı yaşadığım, yaralarımın kanadığı anlarda içimdeki kötü ses o kadar güçlü bağırıyor ki bana, aptalsın, bir daha asla güvenme, beceriksizsin, sevilmiyorsun diye... Zavallı çocuk seni ne kadar yalnız ve çaresiz bıraktığımı daha yeni anlıyorum. Affet beni! İyileşmem için kendime bir şans daha vermemi sağladığın için çok teşekkür ederim. Bundan sonra daha az acı ve daha fazla sevgi için ne yapmam gerekiyorsa yapalım. Öğret bana tüm bildiklerini Vaveyla!

VAVEYLA: İçindeki duyduğun seslere böyle anlarda sağlıklı yetişkin bir ebeveyn olarak cevap verebilirsen onları çok rahat yönetebilirsin. Böyle anlarda kendini birbiriyle tartışan iki çocuğa ebeveynlik yapmak zorunda olan bir yetişkin olarak düşünmelisin. Kendine iki çocuğumu da incitmeden işlerimi en iyi şekilde nasıl halledebilirim sorusunu sorman seni en doğru cevaba götürecektir.

DİLHUN: Sanırım hayatıma da Hakan gibi kişileri bu yüzden çekiyorum. İçimdeki çocuk avazı çıktığı kadar "Burası güvenli bir yer değil, kimse bana sahip çıkmıyor, yalnızım, eksik, yetersiz ve sevilmeye değer olmadığım için kimse sesimi duymuyor!" diye bağırıyor. İçimde bu çocuğun yaydığı güvensizlik uyaranı beni bu şekilde üzecek, yaralayacak tepkileri verecek kişilerin hayatıma girmesine neden oluyor. Sesimi onlar duyabiliyor çünkü sadece onlara bu ses tanıdık geliyor. Bana anlattığın psikolojideki uyarıcı tepki formülüyle açıklamaya çalışsam durumumu bu şekilde doğru analiz etmiş olur muyum Vaveyla?

VAVEYLA: Kesinlikle doğru tespit Dilhun! Sendeki güvensizlik duygunu temizlemeden ilişkilerini ve deneyimlerini değiştiremezsin. Bununla da kalmaz güvensizlik duygusu çok temel bir duygudur. Temizleyip kendine güven duymaya başladığında tüm hayatının yönü değişir. Kendine güvenirsen duygu ve düşüncelerini de kontrol edebilir, soğukkanlılığını koruyabilirsin. Merak etme kendine güvendiğin zaman içindeki bu sesler kendiliğinden uyumlu hale geleceklerdir zaten. Birbirleriyle uyumlu notalar gibi içindeki sesler de kendi bestelerini en iyi şekilde yapacaklar. Şimdi kendini daha huzurlu ve güvende hissetmen için değersizlik duygunu temizlemeye yönelik harika bir çalışma yaptıracağım. Önce söylediğim şu sözcükleri tekrar et: "Değersizlik duygumun bedenimden çözülmesini niyet ediyorum!" Sonra gözlerini kapat ve aklında bir kara delik bulunduğunu ve tüm değersizlik duygu ve düşüncelerinin buraya aktığını, buradan da akıp yuvaya geri döndüğünü hayal et. Ağzından hızlı hızlı, durmadan, aralıksız 30 nefes al ve ver. Şimdi yüksek titreşimde olan bir dünyanın kapısını görüyorsun. Bu kapıdan geç. Işığın üzerine nasıl güçlü yağdığını hisset. Bu ışık sana şifa verecek, sana ihtiyacın olan tüm değerlilik duygunu verecek. Altın ışıkla gelen değerlilik duygunun ense bölgene aktığını ve orada toplandığını imgele... Şimdi bir elini ense bölgende bir elini iki kaşının ortasında tutup altın ışıkla birlikte değerlilik duygunu içine mühürle. Son olarak gözlerini aç ve gökyüzüne beş dakika boyunca konsantre ol. (Gökyüzüne bakarken de yine ellerin aynı şekilde kalsın.) Gökyüzüne bakarken içindeki çocuğun göklere yükselip orada Yaradan'dan gelen saf sevgiyle iyice harmanlanıp içindeki tüm korkuların sevgiye dönüştüğünü ve yüzünün gülümsediğini imgele. Bu çalışmayı önce 1 hafta boyunca her gün, sonra da ihtiyaç duyduğun her an yap. Unutma para kazanmandan, başarılı ve sağlıklı olmana kadar tüm güzelliklerin altında değerlilik duygusu yatıyor. Sen kendini tam olarak değerli hissetmediğin sürece yaşamın bollukları sana oluk oluk akmayacaktır. Bu çalışmayı düzenli yaptığında çok değişik açılımlar yaşayacaksın. Ruhunun sesini dinlemeyi öğreneceksin, zihninde baş edemediğin seslerden düşüncelerden kurtulacaksın, sırtındaki yüklerin hafiflediğini hissedeceksin. En önemlisi sohbetimizin en başında söylediğim, en saf en temiz olan güvenebileceğin hislerini duymaya başlayacaksın. Kendi kararlarını kendin verebileceksin. Denediğin zaman ne demek istediğimi çok daha iyi anlayacaksın. Bu arada gökyüzü demişken sana güzel bir bilgi daha vereyim. Sorduğun soruların cevaplarının sana daha çabuk gelmesini istiyorsan sorularını gökyüzünü izleyerek sor ve 2-3 dakika boyunca bulutları izle. Örneğin "Allahım nasıl daha zengin olabilirim lütfen bunu bana göster. Bunu görmeyi, duymayı, hissetmeyi niyet ediyorum" de. Beş dakika boyunca da beyninin ön bölgesinden hep bu niyetin gökyüzüne ulaşıp orada dağıldığını imgele. Birçok insanın dilekleri gerçekleşmiyor çünkü arzu ettikleri duygularını ilahi düzenle titreşim haline gelip gönderemiyorlar, o duyguları bedenlerinde kilitli kalıyor. Oysaki dileklerin gerçekleşmesi için onu ilahi düzene teslim etmek gerekir.

DİLHUN: Anladığım kadarıyla ilahi düzende hiçbir olay birbirinden bağımsız, tesadüf ve kopuk değildir. Her şey zincirleme birbirine bağlı. Değerlilik duygusu olmadı mı aşk da para da asla gelmiyor. Aşk ve kişinin diğer beklentileri gerçekleşmediği sürece de kişi kendisini bu dünyadan daha da ayrı ve kopuk hissediyor.

VAVEYLA: Yukarıda söylediğim çalışmayı düzenli yaptığında zihnindeki ayrılık bilincinin de çok hızlı bir şekilde ortadan kalktığını göreceksin. Gökyüzüne odaklanarak söylediğim şekilde izlemen açılmıyor dediğin en zor kapıları bile açacak. Gökyüzünü izleyerek arzu yüklü duygularını ilahi düzene teslim etmen tüm korkularının zihninden akıp gitmesine ve gerçek hislerine ulaşmanı sağlayacaktır.

Niyetlerinin gerçekleşmesi için ilahi düzenle aynı titreşimde olmalısın. Korkusuzca, tüm sınırlarını kaldırarak ve teslimiyet duygusuyla istemelisin. İşte gökyüzü senin için tüm cömertliğini gösterecek ve seni huzura kavuşturacak sınırsız bir alandır. Sen her şeyi doğru yaptığına inandığında, bu inanç duygusuyla sakin olacaksın, geceleri huzur içinde uyuyacaksın. Hiçbir şeyin eksik olmadığını, her şeyin eninde sonunda olacağını anlayacaksın. Yanında olması gereken insanlara güvenerek olmayanlara şu anda hayatında bir amaçları olmadığı için olmadıklarına inanmalısın. Bu benim tekâmülüm, büyümeye devam ediyorum, doğru olan her şey doğru zamanda gelecek diyebilmelisin. Unutma sonunda ne yaparsak yapalım, her zaman biri illa ki biri olacak!

DİLHUN: Gerçekten bu çok iyi geldi Vaveyla! Özellikle gökyüzünü izlerken sanki o sonsuz boşlukta Yaradan'ın sevgi selinde kayboldum gittim... Ne yüce bir duyguydu Allahım tarif edilemez muhteşem bir duygu... Kendi güçsüz yönlerimi çok doğal kabul ettiğimi, ayrılık bilincinden kurtulduğumu, kendime güvendiğimi hissettim... Kendime güvenmediğim için hayatım boyunca hep diğerlerini kendimden daha güçlü gördüm... Diğer insanlardan övgü dolu sözler duymak için o kadar çabaladım ki... Beni öven kişileri hep daha çok sevdim. Beni öven kişileri de ilk fırsatta övmeye çalıştım. Bu kişileri de çevreme zeki, duyarlı, anlayışlı, ileri görüşlü olarak tanıtmaya çalıştım. Sık sık bu kişilerle bir araya gelmeye çalıştım. Olumlu da olsa hiçbir eleştiriye tahammül edemedim. Hatta en nefret ettiğim şey eleştiri veya dışarıdan bir uyarı almaktı. Çevremde kötü insan olarak tanınmak en büyük kâbuslarımdandı. Sürekli diğerlerinin yakınlıklarını, ilgisini ve hoşgörüsünü bekledim... Beni sevmediklerini veya önem vermediklerini düşündüğüm kişiler için kendimden çok taviz verdim. Yapmak istemediğim şeyleri yaptım. Gitmek istemediğim yerlere gittim. Yemek istemediğim şeyleri yedim. Gücü hep benden daha üstün gördüğüm kişilerde aradım. Onları güçlü ve kurtarıcı olarak gördüm. Ben onlara anlam yükleyip kendi değerimi düşürdükçe insanlar daha çok üstüme gelmeye başladı.

Enerjimi sürekli diğerlerini elde etmek için harcadım. Bulunduğum ortamda diğer kişilerden daha üst konumda olanlara yaklaşmaya, onların arkasına sığınmaya çalıştım. Başıma bir şey gelirse beni kurtaracaklarına inandım... Çünkü zihnimdeki doğrular bu yöndeydi. Bu insanlarla aramı iyi tutmak, onları kaybetmemek için de elimden geleni yaptım... Bu insanların kıyafetlerini, mesleklerini, ilişkilerini, yiyip içtiklerini, yaptıkları her şeyi övüp durdum. Verdiğim birçok ziyafetin, davetin çoğunu insanları kendime bağlamak için yaptım... Ziyafet bittiğinde kendimi mutsuz ve boşlukta hissettim. Çünkü bu denli gösteriş için harcanan ve giden sadece param değildi. Maddiyat yanında içten içe kendi varlığımdan, ruhumdan da bir şeylerin eksildiğinin farkındaydım. Ama bununla yüzleşecek cesaretim olmadığı için boşluğu dolduracak yeni ziyafetler ve hazlarla oyunu sürdürmeye devam ettim. Ta ki duvara toslayıp iyi bir hayat dersinin bana merhaba demesine ve seninle tanışana denk. Gerek Hakan'la olan ilişkimde olsun gerek diğerleriyle olan ilişkilerimde olsun hep değersizlik duygusu başrollerdeydi.

Şimdi o kadar iyi anlıyorum ki anlatmak istediklerini, parçaları o kadar güzel birleştiriyorum ki. Hakan'da da benzer duygular olduğunu düşünüyorum. O da kendine güvensiz ve yetersizlik duygusuyla boğulan birisiydi tıpkı benim gibi.

Onun içindeki değersizlik duygusu kendisini daha farklı gösteriyordu. Olduğundan daha baskın, daha güçlü, tuttuğunu koparan bir karakter. Oysaki benden besbeterdi ama her şeyi tüm çıplaklığıyla yeni yeni tam olarak görüyorum. Ben kendimdeki değersizlik duygusuyla yüzleşebilmem için onu hayatıma çekmiştim. Senden öğrendiğim bir bilginin parçasını da şimdi birleştiriyorum. Ruh eşin senin diğer yansımandır, sen hangi bilinçteysen o da aynı bilinçtedir demiştin ya çok haklısın. O kadar çok örtüşüyor ki benim diğer yarıma. Bu sözcükler nasıl çıkıyor ağzımdan hâlâ şaşkınlık içerisindeyim ama bir gerçek var ki: Hakan'ı hayatıma çeken benim düşük bilinç seviyemmiş. Bu konuda sorumluluk almayı öğrendim. Ben ne kadar güçsüzsem o da o kadar güçsüzdü. Çalıştığı yerde ve her zaman diğer insanlar üzerinde güç uygulamaya bayılırdı. Tabii ki bana da! Otorite olup emir vermeye bayılıyordu. Emirlerini yerine getirmeyenlere karşı ise elinden geleni ardına koymuyordu. Diğerlerinin olumsuz yönlerini duyduğunda içten içe acayip seviniyordu. Başkaları hakkında söylenen iyi ve güzel şeyleri kolay kolay kabul etmezdi. Ama kötü şeyleri hemen onaylayıp desteklerdi. Hatta ne derece doğru olduğunu bilmeden görmeden hemen tanıdıklarına yaymaya çalışırdı... Üstüne üstlük kendinden de bir şeyler katarak.

Zayıf kişiliğinden dolayı da çok kıskançtı. Özellikle kendisinden daha iyi olan kişilere karşı çok tahammülsüzdü. Onları çok kıskanırdı. Onları rencide etmek için ayrıca mücadele edip planlar bile kurardı. Zarara sokmaya çalışır, heveslerini kırıp yaptıkları işi kötüler, yanlış seçimlere bilerek yönlendirmeye bile çalışırdı. Negatif enerji vererek onların da enerjilerini düşürüp hedeflerinden vazgeçirmeye, aşağıya çekmeye çalışırdı.

İçimizdeki değersizlik duygusunun farklı versiyonlarda bir yansımasıydı bunlar. Tabii ki ikimiz de kendimize güvenmediğimiz için aynı şekilde, aynı zamanda tıpatıp davranışları sergilemiyorduk. İkimizde de farklı şekillerde karşımıza çıkıyordu. İkimiz de aslında çok mutsuz ve huzursuzduk. Bu içerimizdeki huzursuzluk ve mutsuzluk da gittiğimiz her yere her ortama farklı şekillerde yansıyordu. Adeta başkaları huzursuz oldukları için mutlu oluyordu. Bu yüzden mutluluğu başkalarını huzursuz ederek yakalamaya çalışıyordu. Ben de diğerlerinin konforunu artırmak için elimden geleni yapıyordum. Diğerlerine kendilerini değerli hissettirerek kendi değersizlik duygumu gidermeye çalışıp prim yapmaya çalışıyordum. Onun yöneteceği benim de yönetileceğim birilerine ihtiyacımız vardı. Saatlerce konuşurdu şu kişi şu işi kapmış bu bunu almış, ben daha güçlüsünü daha iyisini nasıl yapabilirim, onu nasıl geçebilirim gibi. Yalnız kalmamak adına hiç inanmadığım şeylere inanır gibi yapıyordum, sevmediğim yemekleri ben de çok severim deyip yiyordum, hiç sevmediğim yerlere ben de çok seviyorum deyip gidiyordum... Şimdi düşünüyorum da ikimiz de kendimize güvensek niye bunlarla uğraşalım ki? Bir kitapta okumuştum, iyileşmenin, kendimizi tanımanın ve gelişmenin en güçlü yolu duygusal ilişkilerdir diyordu. Ne kadar önemli bir bilgiymiş. İnsan bazı şeyleri yaşamadan öğrenemiyor! Şimdi bazı şeyler dank ediyor kafama. Seninle sohbetimiz bitince başa dönmekten korkuyorum! İnşallah dönmem ve bana öğrettiğin tüm öğretileri tek tek hayatıma geçirebilirim.

VAVEYLA: İlahi düzen yani yaşamın ritmi kendini arındırıyor. O üretmeyen, direnç gösteren, kin, hırs, öfke barındıran şeylerden kurtulmaya çalışıyor. Yaşamın değerine katkıda bulunmayan şeylerden kurtuluyor. Tekâmül kalıplarına karşı savaşan şeylerden arınıyor.

Yaşamın ritmine uymayan kişileri kendi gelişimine engel olarak görüyor. Bu kişilere hastalıklar, iflaslar, aldatmalar, sıkıntılar göndererek direnci kaldırıp sistemle ahenk içerisinde rahatça akabilmesi için mesaj gönderiyor. Bunun sebebi doğanın tekâmül kalıplarına katkıda bulunmayanlardan kurtulmak istemesi, sistemin de kendisini temizleme arzusudur.

Yerküre de tıpkı bizim gibi, hareket etmek zorunda. Bu onun için doğal bir şey. İşte bu yüzden her zaman yer sarsıntıları ve volkanik hareketler olacaktır.

İlahi düzenin kurallarına uymazsan seni de içinde barındırmak istemeyecektir.

DİLHUN: Anladım ki hayatta her şey mükemmel bir şekilde oluyor ve anahtar kelime güven. İlahi düzene güvenle kendisini teslim eden ayakta kalıyor ve kazanıyor! Her şey birbirine bağlı ve biz istisna değiliz. İnsan ölümle yüz yüze olmalı sonra, ne kadar karanlık ve kasvetli günler içinde olursa olsun en iyi arkadaşı olan kendisinin kendisini sarmaladığını unutmamalı.

VAVEYLA: Karanlık kötü değildir. Karanlık ışıktan gizlenmiş bir şeylerin olduğu anlamına gelir. Onların neden karanlıkta olduğunu biliyor musun? Onları bulup sahiplenmen için. Onları bir kez sahiplendin mi artık korkmayacaksın. Böylece acına tutunmayacak, huzura erişeceksin. Senin acına tutunmanı sağlayan şey hikâyeni, yaşanmışlıklarını, anılarını bırakmaktan korkuyor olman!

Unutma hayatın ve ruhun eksik parçalarını tamamlayarak değişir. Eksik parçalar da Yaradan'dan olaylar ve kişiler aracılığıyla gelir. Yaradan kurban rolünden çıkman için sana yardım ediyor. Yaşadığın olaylar kısaca tutunduğun hikâyen sana Yaradan'dan gelen büyük bir armağan! Ben de varım demeden, tek başına bir şeyler yapacağına inanmadan, bu hayatta istediğin başarıyı ve mutluluğu yakalayamayacaksın ve sistem seni bu yüzden içinde barındırmak istemeyecek. Senin iyi niyetini kullanmak isteyen kişilere karşı güçlenip kendini korumadıkça kapılar asla açılmayacak. Yaşam dersin ister aşk, ister para, ister sağlık, ister kariyer olsun olaylara ve kişilere takılıp kalma. Çözemediğin sorunla baş etmeyi öğrendiğinde ancak hayallerine kavuşur, istediğin hayatı yaşayabilirsin. Çözemediğin yerde kabul et. İlahi düzenle didişme, ona direnme. Direndiğin, didiştiğin, isyan ettiğin anlarda bil ki içindeki çocuk yönetimi yine ele geçirmiş. Hemen yönetimi devralıp onu sağlıklı bir ebeveyn olarak rahatlatman gerektiğini hatırla. Didiştiğin yere enerjini yüklediğini ve tam da istemediğin noktayı büyüteceğini unutma. Hemen odağını büyütmek istediğin yöne doğru değiştir. İşlerin yolunda gitmediğinde, sıkıştığında, istediklerini elde edemediğinde küçük bir çocuk gibi davrandığını lütfen görmeye çalış. İlahi düzenin kurallarının olana isyan etmeden birlikte akabilmek olduğunu her zaman hatırla. Bu süreçte dışarıdan kurtarıcı bekleme. Sen gücünü Yaradan'dan aldın mı kendi gücüne zaten inanacaksın. Sen bir başkasından yardım bekleyerek aynı yerde kalırsın, ilerleyemezsin. Yorulduğunda biraz dur dinlen, toparlan, büyük resme bak! Biraz beklediğini ve dinlendiğini düşün. Ancak sen yoluna çıkan engellere takılmazsan, yürürsen, yoluna devam edersen benliğini bütün ve bir arada tutabilirsin. Ancak o zaman kendine ve sisteme güvenebilirsin. Bu yüzden hedeflerine ulaşabilmek, Yaradan'dan hak ettiğin bolluk ve bereketi alabilmek için mutlaka kendi gücünü ve bütünlüğünü korumalısın. Olaylara takılıp kalarak, onay bekleyerek, geçmişte veya gelecekte yaşayarak, sorumluluğunu almayarak, kurban rolüne girerek gücünü inkâr etmiş olusun. Bunlar aynı zamanda incinmiş çocuğun davranışlarıdır. Bununla birlikte zorbalık, açgözlülük, aşırı sakin ve iyi niyetli olmak, baştan çıkarıcı olmak, kurtarıcı, şakacı, cici kız olmak, akıl kutusu, aşırı iyimser olmanın altında da kurban rolü, gücünü inkâr etme yine içindeki çocuğun öğrendiği ama artık işe yaramayan baş etme yöntemleridir. İşte sen ancak kişiliğindeki incinmiş çocukla sağlıklı ebeveyn arasındaki bu bölünmeyi iyileştirebilirsen gerçekten sistem seni içinde barındırmak isteyecektir. Yaradan sana istediğin kapıları açacaktır. Bu bölünmelere sebep olan kendinde kabul etmek istemediğin, bastırdığın, maske taktığın yönlerindir. Bu kişiliğinde kabul etmek istemediklerine gölge yanların diyeceğiz. Bu gölgeler tıpkı vücudundaki elektrik kaçakları gibidir ve bunları kabul edip benim demeden, sahiplenmeden, içine almadan ne yaparsan yap asla istediğin hedefe ulaşamazsın. İstediğin kadar enerji sarf et, çalış çabala, uğraş didin asla olmaz. Mutlaka bir yerde tökezlersin. İşte bu elektrik kaçaklarını kapatma cesareti göstermen, ilahi düzene sana hizmet ediyorum, seni destekliyorum, gelişimine yardım ediyorum mesajını göndermen demektir. Bu hayatta ben de varım demendir. Yaradan'dan gelen sadece O'ndan gelen güce inanmalısın. Başarılı insanları izle, onların bu hayatta kimseden bir şey beklemeden kendi akıllarına güvenerek, kararlarını kendilerinin aldığını, kendi doğrularının peşinden gittiğini göreceksin. Allah, hiçbir kulunun senden üstün olmadığını, gücünü kabul etmen gerektiğini göstermeye çalışıyor, gücüne sahip çık!

Elektrik kaçağını ne kadar önleyebilirsen içindeki yaralı çocuğun o kadar sağlıklı çocuğa dönüştüğünü hatırla... Yaradan senin hedeflerine ulaşman için tüm ihtiyacın olan gücü sen daha doğarken sana armağan etti. Sen ise bu güçten korktun ve bu gücün üstünü kapatmak için farklı bölünmeler yaşayarak değişik maskeler taktın. Bunların hepsinin özüne baktığında ışığından, gücünden bir kaçış olarak kalkan gibi kullandığını göreceksin. İyileşmek istiyorsan kurnazlık, açgözlülük, aptallık, fakirlik hangi sıfat olursa olsun bunlardan hepimizde az ya da çok olduğunu kabul etmelisin. Biz bu evrenin yani bütünün bir parçasıyız ve burada her şey mevcut. İyilik de kötülük de, güzellik de çirkinlik de, fakirlik de zenginlik de. İstediğin zenginliğe maddesel ve psikolojik güce ulaşamamanın da tek sebebi gücünü inkâr etmendir. Para gelirse sahip çıkamamaktan, mutluluğunu kaybetmekten, sevenlerini, iyiliğini, insanlığını kaybetmekten korktun... İnkâr ediyorsun çünkü sen en çok kendi gücünden korkutuldun. Parçanın bütünün tüm özelliğine sahip olduğuna dair fiziksel kuralları düşündüğümüzde gerçekçiliğini daha iyi anlayabiliriz. Tıpkı bir kaşık çorbanın tüm tencerede bulunan karışımın tüm özelliklerini içermesi gibi. İyileşmenin sırrı işte tam da burada.

DİLHUN: Hayatta her ne olursa olsun, iyi ya da kötü, her şey yoluna girecek diyemedim ben. Hep kontrol etmeye çalıştım, güvenip kendimi bırakamadım. Hep fırtınalara tutundum. Hep yaşadıklarımı siyah ve beyaz olarak ayırdım. Renkleri göremedim. Yargılamak, inatçılık ve sertlik beni daha da zorluklara sürükledi.

VAVEYLA: Gücünden korkuyorsun çünkü Dilhun! Kendi gücüne inanırsan, başkalarının verdiği değerin hiçbir önemi olmadığını anlayabilirsin. Bunu Hz. Mevlana'nın sözlerini içselleştirerek yapmalısın. "Sevgi ve merhamet insanın içinde bir nehirdir. Ne kadar güçlü akarsa, içinde kötülük tutunamaz." Hadi o zaman bu elektrik kaçağını kapatmak için maskelerini çıkarmaya hazır mısın? Birazdan sana söyleyeceğim kişilik özellikleri ne kadar ağır olursa olsun ister bunları kabul edersin ve yaşamak istediğin hayatı yaşarsın ya da yaşamak istediğin hayatı başkaları yaşar ve sen seyirci olarak kalıp izlemeye devam edersin! Ama unutma Yaradan'ın senin kapılarını açmamasının sebebi senin bu maskelerini çıkarma gücüne ulaşman içindi. Sen bu güce ulaşmadan kapıların hep yarım kalacak. Asla istediğin gibi tam açılmayacak! Çünkü bu kötü diye nitelendirdiğin özelliklerini kabul etmemen hâlâ gücü dışarıda aramandır. Gücünü inkâr etmendir. Çünkü güçlü olan kişi içinde her özelliğin olduğunu kabul eder. Eksiklerinden hatalarından korkmaz.

DİLHUN: Bob Marley'in şu sözleri geldi aklıma: "Güçlü olmaktan başka, bir seçeneğin kalmayana kadar, ne kadar güçlü olduğunu bilemezsin." Sanırım evet benim de başka bir seçeneğim kalmadı.

VAVEYLA: Sandığından daha güçlüsün! Yine Hz. Mevlana'nın da dediği gibi: "Sıkıntıdan kurtuluşa giden gizli yol, yine o sıkıntının içindedir." Gücünü görmeye hazır mısın? Bu zengin, güçlü, başarılı, sağlıklı, zeki, tutkulu, çekici kişilerin tek özelliği bu özelliklerini ayırt etmeden kabul edebilmeleri, onlara sahip çıkmalarıdır. Tekâmül sürecinde düşünme sistemlerimiz de değişerek çok hızlı akıyor. Bu süreçten sonra çözüm yavaşlamak veya durmak değil. Çözümü ancak zamanın hızına nasıl ulaşacağını bulursan çözebilirsin. Bunun da tek yolu akıllı düşünüp, çözüme odaklanıp, gerçekten değiştirebileceğin ve olmasını istediğin şeylere enerjini harcamaktır. Yapılması gerekeni ilahi düzen bize mesajlarla sunuyor zaten. Gücünü eline almalı, kendini kimseden üstün görmeden, bütünün hayrına takılmadan yola devam etmelisin! Her bir elektrik kaçağını kabul edip içine alman bu kaçağı durdurman demektir. Yaradan her durdurduğun kaçak için sana mucizeler gönderecek. Çünkü bütünün hayrına çalışmış olacaksın. Sadece senden çıktığını düşündüğün elektrik kaçağı yakınındakilerden başlayarak tüm sistemi etkiliyor. Bir an önce bu elektrik kaçaklarını kapatmalı, ben de varım demelisin anlıyor musun? Ben de varım demelisin!

DİLHUN: İstediğin her şeyi yapmaya hazırım Vaveyla! Anlıyorum ki dram içimde. Yaşamda gereksiz çatışmalar yaratıyorum, her şeyi olumsuz görüyorum, sorun bende başka kimsede değil. Hayatımdaki birçok kişiyi yanlış ve hatalı görüyorsam sorun bende demektir. Zehirli olan tüm düşünceler benden çıkıyor ve etrafıma yayılıyor. Buna sahip çıkmadan, sorumluluk almadan anlıyorum ki bu oyun hep devam edecek. Kaçmak kaçtığımı büyütmekten başka hiçbir işe yaramıyor.

VAVEYLA: Her şey hazır olduğunda olur harikasın. Pekâlâ gözlerini kapat ve ağzından hızlı hızlı, döngüsel olarak (bağlantılı ara vermeden) 30 nefes alıp ver. İçindeki küçük çocuğu davet etmeni istiyorum şimdi. Tüm bu korkuların ona ait olduğunu ve tüm bunları ancak onun iyileştirebileceğini sakın unutma. Şimdi hep birlikte bir asansöre biniyoruz. Sen, ben ve küçük Dilhun. Asansörün düğmesine basıyorum ve tam 21 kat aşağıya iniyoruz. Asansörden iniyoruz ve burası kapkaranlık bir oda. Şimdi aynı şekilde

30 nefes daha alıp vermeni istiyorum. Harikasın işte aynen böyle. Burada şimdiye kadar küçük Dilhun'un görmekten, yüzleşmekten, kabul etmekten korktuğu hayata ve kendine dair kötü olan her şey var. Burası onun hayatı boyunca görüp görebileceği en kötü yer. Bu arada küçük Dilhun'a korkmaması gerektiğini, yanında olduğumuzu hatırlatmayı unutma. Onun hiç beğenmediği, kaçtığı tüm yönleri burada... Dış dünyada kötü diye nitelendirdiği her şey bu odada yine var. Tacizler, savaşlar, hırsızlıklar, depresyonlar, hastalıklar, fakirlik vb. Şimdi zihninde olmayan bir şeyi dış dünyada göremeyeceğini, dış dünyanın zihninin bir yansıması olduğunu hatırla. Aldığın derin bir nefesle "Dışarıda gördüğüm tüm karanlık ve kötülüklerin benim de içimde olduğunu kabul ediyorum, içimde olmasaydı zaten göremezdim" cümlesini tekrar etmeni istiyorum. Unutma yaşam derslerin küçük Dilhun'un kabul etmek istemediği, bastırdığı bu karanlık odada bulunan şeyler arasından beni gör, ben de varım diye çıkıp ona geliyor. Sen içindeki kötülüğü, öfkeyi, fakirliği, zavallılığı kabul edip onayladın mı o kendisini gösterme çabasına girmeyecek. Ne kadar çok korkar bastırırsan o bastırdığın şey bu karanlık odada o kadar büyüyüp beslenir ve bir anda hayatında karşına çıkar. Kazalar, hastalıklar, iflaslar, aldatmalar işte hep bu bastırılan karanlık odada pusuda bekleyen, kapısını açıp bakmaya korktuğun şeylerden başına geliyor.

DİLHUN: Bu korkunç bir oda. Bu odada savaşlar, ölümler, kan, nefret, kıskançlık her şey var. Bu beni çok korkutuyor ve devam etmek istemiyorum. Sonra burada ben yalancı, zavallı, güçsüz, çirkin, pısırık, açgözlü ve çok çirkinim. Çıkalım buradan lütfen.

VAVEYLA: Yanındayım devam et, sakın çalışmayı bırakma Dilhun. Bu çalışmadan sonra sana söz veriyorum ki hayatın değişecek, hadi devam et. Şimdi söylediğim çalışma için küçük Dilhun'u cesaretlendirmeni istiyorum.

1) Küçük Dilhun'un gördüğü hiçbir şeyden kaçmasına izin verme. Hepsini hemen kabul edip onayla. Örneğin "Kindar olduğumu kabul ediyorum ve onaylıyorum" şeklinde ifade edebilir.

2) Derin bir nefes al, minik avuç içlerini karşıya uzat hadi Dilhuncuğum... Enerji kaçağının hepsini hüp diye avuç içlerinden içine çektiğini imgele. Bu süreçte de şu cümleyi tekrar et: "Bu enerji kaçağımı tekrar bedenime, ruhuma, zihnime geri alıyorum!"

3) Son olarak o sevimli minik elerini birbirine sürterek bu enerjiyi içine mühürlediğini imgele.

Evet harikasın devam et. Bu çalışmadan sonra korktuğun, kabul etmek istemediğin şeyler ben de varım ben de varım diye kendini sana gösterme derdine girmeyecek. Karşılaştığın olayları yargıladığını, hemen kabule geçip akışta kaldığını göreceksin. Çünkü içindeki yaralı çocuk iyileşiyor Dilhun!

DİLHUN: Bu çok ilginç bir çalışmaydı. Resmen tüm bedenimi sarstı. Kabul etmekte ne kadar zorlansam da ben çirkinim, yetersizim, sevilmiyorum, sevilmeye layık değilim, aptalım sözcüklerini kabul etmek bana sanırım iyi geldi. Ellerimi karşıya tuttuğumda sanki tamamlanmam için ihtiyacım olan tüm güç içime doldu. İçimdeki küçük yaralı çocuğun bana gülümsediğini hissettim...

Dalai Lama'nın şu sözlerindeki derin anlamı şimdi çok daha iyi anlayabiliyorum: "İçindeki endişeleri çıkaranlarla değil, içindeki mutluluğu çıkaran insanlarla birlikte ol."

Benim birlikte olduğum kişiler hep benim içimdeki kaybetme korkusu, yalnız kalma korkusu gibi duygularımı ortaya çıkarıyorlar. Benim bu gölge yanlarımı, korkularımı bastırmadan, saklamadan karanlıktan çıkarıp ışığa kavuşturmam gerekiyordu. Böylece bu yönlerimi göstermek için karşıma kimse çıkmak zorunda kalmayacaktı. Zaten ben bu korkuların bende var olduğunu kabul edip onayladıktan sonra böyle bir deneyime neden tekrar ihtiyacım olsun ki?

VAVEYLA: Bu korkularını yansıtan kişiler hayatına girse bile seni etkisi altına alamayacak. Nötr kalacaksın, çünkü bilinçaltından yayılan imgelerin titreşimi çok düşük olacak. Seni etkisi altına alamayacak. Pekâlâ devam edelim Dilhun. Şimdi tekrar üçümüz asansöre biniyoruz ve 21. katın düğmesine basıyorum, yukarıya çıkmaya başlıyoruz. 21. kata geldiğimizde asansör duruyor ve biz iniyoruz. Karşımızda kocaman bir kapı duruyor ve bu kapıdan içeriye giriyoruz. Burası şimdiye kadar görüp görebileceğin en güzel yer. Sana ve yaşama dair güzel olan her şey burada var. Burada kendinin ve yaşamın en güzel yönleriyle karşılaşıyorsun. Kabul etmediğin, yadsıdığın, kendinde değil de hep başkalarında görüp övgüler yağdırdığın yanların.

1) Küçük Dilhun'un gördüğü hiçbir şeyden kaçmasına izin verme. Hemen hepsini kabul edip onaylaması için onu cesaretlendir. "Örneğin çekici, zengin, güzel, akıllı, neşeli, tutkulu olduğumu kabul ediyorum ve onaylıyorum" şeklinde ifade etmelisin. Ne görüyorsan. Sonra yaşamda güzel olarak nitelendirdiğin, iyilik, fedakârlık, güzellik, barış, her şey burada da var.

2) Derin bir nefes al, minik avuç içlerini karşıya uzat. Enerji kaçağının hepsini hüp diye yine avuç içlerinden içine

çektiğini imgele. Bu süreçte de şu cümleyi tekrar et: "Bu enerji kaçağımı tekrar bedenime, ruhuma, zihnime geri alıyorum! Tüm güzellikler tek tek bedenime giriyor."

3) Son olarak yine minik ellerini birbirine sürterek bu enerjiyi içine mühürlediğini imgele.

Evet harikasın devam et. Bu çalışmadan sonra küçük Dilhun kendinde görmekten kaçtığı ve diğerlerine yansıttığı iyiliği, güzelliği, gücü, neşeyi, zenginliği, cesareti kendinde görmeye başlayacak. Sen bu özelliklerini kabul ettiğinde kendi gücünü diğerlerine yüklemeyeceksin. Kendi gücüne sahip çıkacaksın. Bunun sana Yaradan'dan gelen bir güç olduğunu sakın unutma. İçindeki küçük çocuğun şimdiye kadar kabul etmekten korkup diğerlerine yansıttığı kendi gücüne ve ışığına sahip çıktığını hisset...

Şimdi tekrar asansöre biniyoruz ve buraya olduğumuz yere geri dönüyoruz.

Nasıl hissediyorsun kendini şimdi?

DİLHUN: Fiziksel bedenimin ve ruhumun ilahi düzenle müthiş bir uyum içerisinde olduğunu hissediyorum. İçimdeki çocuğun gözlerindeki yaşama sevinci beni şaşırtıyor. Bana öğrettiğin her şeyi eksiksiz olarak hayatıma geçirmek istiyorum. Yeni gerçekten artık yepyeni bir hayata başlamalıyım. Yaptırdığın her çalışmanın gücünü hissediyorum içimde. Yepyeni bir sayfa açmak istiyorum. Hakan'la yaşadıklarımdan kalan kırıntıların hayatımı yönetmesini istemiyorum. Onu affedip etmediğimi tam olarak nasıl anlayabilirim Vaveyla? Anladım ki affetmek insan hayatındaki en zor süreçlerden biri. Bence sadece ben değil birçok insanın bu konuyla başa çıkmak gibi bir sorunu var. Sanki bir tabu gibi. İçten içe iltihaplı duygular, yaralar ve anılar sürekli acıtıyor.

İnsana sahte bir güç hissi veriyor. Sence tüm bu duygular artık iyileş midir Vaveyla? İyileşmek, artık gerçekten iyileşmek ve hayata dönmek istiyorum.

VAVEYLA: Geçmişinde seni üzen ve küstüğün insanların hayatında blokaj oluşturduğunu biliyorsun öyle değil mi? Kendi kendine çektiğin acı sana olağanüstü ruhsal bir armağandı. Karanlık yanım dediklerin, ruhunun zayıf noktası, hepsi kendini baltalama hareketlerinin kaynağıydı. İçindeki iyi niyetlerini yanlış yönlendiriyorsun. Kendi hayatını ellerinle mahvedip akıl almaz hareketler yapıyorsun. Farkında değilsin ama kendini sürekli sabote ediyorsun. Ne yaşarsan yaşa geçmişteki herkesi kalben affetmen gerekmekte. Kabul bu çok zor olabilir ama bunu başardığında çok kısa süre içinde hayatındaki mucizelere hayret edeceksin. Israrla yapmaya çalıştığın değişikliğe karşı bilincin direnç gösteriyor. Yani affetmeye çalıştıkça kendini daha da bu kişiden nefret ederken bulabilirsin. Kızdığın, küstüğün, affedemediğin her kişi için kendinin bir parçasıyla küsersin bunu sakın unutma. Çünkü hayatındaki herkes senin bir parçanı yansıtmaktadır. Yolunun açılması için bu yüzden tüm parçalarını kabul etmelisin. Affetmen gereken kişinin yolunun açılması ve ilerlemen için en büyük armağan olduğunu sakın unutma. Sistem kendi içindeki her şeyi nasıl kucaklıyorsa sen de kucaklamalısın. Doğayı iyi izle, denizleri, gölleri, ırmakları kendisinden daha küçük diye aşağılamaz. Dağlar eteğindeki kır çiçekleriyle, taşları ve çakıllarıyla hepsini bir arada tutar ve kucaklar. Affetmek bütünsel düşünebilmekle ilgilidir. Seni inciten, canını yakan kişiyi hayatında hiçbir etkisi olmayan nötr olarak görmeye başladığında ancak onu affetmiş olursun. Onu veya onunla ilgili bir şey gördüğünde içinde cız etmemeli artık. Seni etkisi altına almamalı. Bu kişinin senin için tıpkı çarpma işlemindeki bir sayısı gibi etkisiz olup, sonucu değiştirmediğini hissettiğinde affetmiş olduğunu anlarsın... Bunun için beyninin ön kısmını iyice güçlendirmeye devam etmeliyiz.

DİLHUN: Bazen kendime çok kızıyorum. Ona söyleyemediklerimin, aptallıklarımın, sustuklarımın yine hayatımı yönlendirmesinden çok korkuyorum. Ben niye böyleyim Vaveyla?

VAVEYLA: Çok güzel yol kat ediyorsun Dilhun. Geldiğin noktayı küçümseme. Onu öldürmek istiyordun şimdi ise gerçekten affedip affedemediğini sorguluyorsun, bu muhteşem bir gelişme. Kaygını çok iyi anlıyorum. Merak etme zamanla hepsini aşacağız. Yola devam Dilhun, güzel, çok güzel şeyler başarıyorsun. Kutla kendini!

Başka insanların tutkularını kontrol edemedikleri için aşk cinayetleri ve açgözlülük suçları işlediğini, aptallık ettiğini görünce gözlerine inanamadın ve çok şaşırdın değil mi? Sonra da asla böyle bir şey yapamam diye çok çığlıklar attın değil mi Dilhun? Çoğu iyi niyetli insan zamanla asla yapabileceğine inanmadığı şeyleri yapmaya başlıyor. Yolunu şaşırıp rotasından çıkıyor. Çoğu iyi niyetli insan yine yaşadıkça aklından bile geçirmediği davranışlar ve karakterler sergileyebiliyor. Tahmin edemeyeceğin kadar başarılı ve iyi insanlar tahmin edemeyeceğin kadar büyük suçlar işleyebiliyor.

Kişiliğinin senden bağımsız bir şekilde hareket eden sahip çıkamadığın birçok yanları var. Bunları yaralı çocuk yüreğinde saklıyor. Görmezlikten geldiğin zaman bağımsız olarak hareket edip seni yapmayacağın davranışlara sürükleyebilirler. Ansızın ortaya çıkıp senin elde etmek için çok çalışmış olduğun şeyleri berbat edebilirler. Her şeyi bir anda yerle bir edip tüm hayatını mahvedebilir, değiştirebilirler. İlişkilerini, parasal işlerini ve geleceğini sabote edebildiklerini bildiğin halde çoğu zaman onları görmezden geldin. İçindeki yaralı çocuğun bu yanlarını yani gölgelerini yok saymak için çok uğraştın. Sadece sen değil, birçok insan bu yönünü görmemek için farklı çarelere başvuruyor. Aşırı yiyecek, alkol, seks bağımlılığı, dedikodu gibi şeyleri kendisine yakışmaz farz ettiği yanlarını görmemek için bile bile dikkatini dağıtmak için kullanıyor. Utancının üzerinde durmadın, onun varlığını kabul etmek istemedin. İçindeki yaralı çocuk utancını görmezlikten gelerek onu bastırmaya devam etti, çünkü; o bununla nasıl baş edebileceğini bilmiyordu. Sen onun elinden tutup ona yol gösterseydin seni üzen birçok şeyi yaşamayacaktın. Çocukluğunda kendin olmaya yönelik eğitilmediğin için böyle davrandın. Küçük bir çocukken gerçek kişiliğini, bütün yanlarını (hem aydınlık hem karanlık, hem iyi hem kötü) göstererek ortaya çıkacak olursan sana yaklaşılmayacağına, reddedileceğine, damga yiyeceğine inandırıldın. Böylece daha çok küçükken sevilmek, kabul edilmek, ait olmak uğruna bütün varlığının tamamından kopmanın, bölünmenin acılı ve üzücü sürecini başlattın. Bende bir acayiplik var, diğerlerinden eksiğim, kusurluyum, ben iyi bir insan değilim gibi içsesler geliştirdin. İçindeki çocuk gücünden çok korktu çünkü göstermeye çalıştığında, ayıp, otur, sus, terbiyesiz gibi sözcüklerle eleştirildi. Sevilmeye muhtaç olan ve bu duygularla baş etmeyi bilmeyen çocuk bu özelliklerinin üstünü kapattı.

Bu dünyaya geldiğin andan itibaren kişiliğinin bazı kısımlarının iyi olmadığına inandırıldın. Onları reddedip gizlemeye çalıştın. İçindeki çocuk, kendinin birer parçası olan bu yönlerinden birinin üstüne kapıyı kapattığında, karanlık tarafına savaş ilan etmiş oldu. İçindeki çocuk da gerek duygularını bastırarak, gerek üzücü anı ve isteklerini bilinçaltına atarak, gerekse reddederek kendini korumak için bunları yadsımayı seçti. Sana hep öfkeli olma, bencil olma, açgözlü olma denmiştir.

Sadece dış dünyaya bakarak içindeki olanları görebilen zeki bir insansın. İçindeki çocuk dış çevrende içindeki utancı dışa vuracak şartları yarattı çünkü o artık tüm bunları saklamaya çalışmaktan çok yorulmuştu. Sana bunun için defalarca seslendi ama sen ısrarla duymadın.

Bilincinin özünde eşi benzeri olmayan bir yetenek vardır: Beynin doğru kabul ettiğini mutlaka dener. Utanç duygun her şekilde kendini sabote etmenin ve kendini cezalandırmanın kaynağı oldu çünkü sen hatalı, eksik ve utanılacak birisi olduğuna inanıyordun.

DİLHUN: Sonra da kötü şeyler yapar ve kendi kendinin en büyük düşmanı olursun çünkü kötü olduğuna inanırsın çünkü başarılı olmaya, yıldız olmaya, şöhret olmaya, sevilmeye layık olmadığını düşünürsün.

VAVEYLA: Geçmişinle barışmak istiyorsan utancın ne olursa olsun onu iyileştirmelisin. Doğuştan var olan özsaygını yeniden kazanmalısın. Özsaygını kazanmaz ve utançlarını kabul etmezsen belli derecede başarı sevgi para elde eder, çevrende hayranlık ve ilgi uyandırsan da eninde sonunda kendini cezalandıracak bir durum yaratırsın. Sinsice pusuda bekleyen utanç duygun ilk fırsatta yine kendini gösterecek ve seni sabote edecektir. Utancınla yüzleşip onu kabul etmenin ilahi düzenle yapacağın en büyük sözleşme olduğunu sakın unutma.

DİLHUN: Gerçek kişiliğimle ortaya çıkacak olursam herkesi kaçıracağımı, reddedileceğimi ve terk edileceğimi düşündüm... Şimdi Hakan'ın beni neden hayatına çektiğini ve bunları yaşattığını daha iyi anlayabiliyorum. O içindeki değersizlik duygusundan dolayı içindeki iyiliği bastırarak, kötülüğü ön plana çıkartarak bu duyguyla baş etmeyi seçmişti. Ben ise tam tersini yapmayı seçtim! İçimdeki kötülüğü bastırıp sadece iyiliği beslemeye çalıştım! Hakan'ı hayatıma çektim çünkü o bana içimdeki kötülüğü göstermeye çalışıyordu. Ben içimdeki kötülüğü ne kadar bastırırsam dış dünyamda da bu duygum daha da maddeleşerek, yoğunlaşarak kendisini gösteriyordu. Hakan da beni hayatına çekti çünkü hep sert durup ancak içindeki zayıflığı, kötülüğü besleyerek kapatacağına inanıyordu, içindeki iyiliği hiç göstermiyordu! Ben de ona içimdeki iyiliği gösterip sahip çıkması için aynalık yaptım. Parçaları çok daha iyi birleştirebiliyorum.

VAVEYLA: Çılgınca onay arayan senin içindeki yaralı çocuktu. Hakan'ın içindeki yaralı çocuksa onu olduğundan başka birisi olmaya itti. Daha büyük, daha güçlü, daha sert ve daha kaygısız olmak için mücadele etti. Herkesin sahip olduğundan daha çoğuna sahip, herkesten daha iyi ve daha değişik olduğunu gösterebilmek için elinden geleni yaptı. Yaralı ve arayış içinde olan içindeki çocuk gerçek özünden ayrılmanın içinde yarattığı boşluğu doldurmak için hiçbir şeyden geri durmadı.

DİLHUN: Benim yaralı çocuğum ise ihtiyaç duyduğum sevgiyi, onaylanmayı ve kabul edilmeyi sağlayacağına inandığı kişiliğe bürünmek için çok iyi niyetli, idare eden kılıklarına girerek uğraştı durdu. Yaralı egomun besini sevgi, kabul görme, onaylanma, saygı gösterilme, ona hoş karşılandığını bildiren her şeydi.

VAVEYLA: Bu dünyada hepimiz aslında tek şeyin peşindeyiz. Aynı şeyi arıyoruz. Göremediğimiz için farkında değiliz ama hepimiz Yaradan'ın sevgisini arıyoruz. Oysaki Yaradan hepimizi koşulsuz seviyor ve sen bunu hissedemeden asla istediğin hayatı yaşayıp bolluk berekete ulaşamazsın. İşte kötü diye nitelendirdiğin tüm olaylar Yaradan'ın sevgisini hissetmen, ona daha da yaklaşman içindi. Unutma Yaradan her zaman seninle! Onun sevgisini arama. O seni her koşulda seviyor ve olduğun gibi kabul ediyor. Ama sen bunu ancak kendini olduğun gibi kabul ettiğinde tam olarak hissedebileceksin. Yaralı çocuğun savaşı da ancak o zaman son bulacak.

Hakan'ı affedebilmen, bu içindeki aşk acısının ve nefretin tam olarak dinmesi için sana bir çalışma yaptıracağım. Her şey yoluna girmeye başladığında tekrar bu duygunun ortaya çıkıp seni engellememesi için derinlerde hiçbir kin ve öfke kalmaması gerekir Dilhun!

Affetmen onu sevmen demek değildir... Onun yaptıklarını unutman değildir... Bütün sınırlarını koruyabilirsin... İlişkilerini istediğin gibi ayarlayabilirsin... Adalet her zaman istediğin gibi olmaz... İlahi düzenin adaleti de senin istediğin gibi olmaz... Ama affetmek adaletin de ötesindendir... Çünkü tek bir sonucu vardır... Senin iyileşmen. Bazen insanlar seni incitirler, bazen sana acı verirler, neden biliyor musun, çünkü onlar da büyüyorlardır, öğreniyorlardır, onların yetersizliklerini affet... Şimdi Hakan'ı affet, Allah yarattığı için affet... Affetmeyi reddetmek kendine acı vermeye devam etmektir... Kendini kurban etmeye devam etmektir. Affetmedikçe kafese kapanmış bir kurbansın ve bir kurban olarak kalacaksın. Affetmeye nasıl karşı koyduğunu düşün... İçindeki kini nasıl korumaya çalıştığını düşün... Bu kini içinde tutmak için nasıl enerji harcadığını düşün... Bu kızgınlıklarını korumak için harcadığın enerjiyi mutluluğun için kullan.

DİLHUN: Sayende artık uyandım ve yaşamaya başladım. Sağlığım yerinde, giyecek kıyafetlerim var, içecek suyum var, yiyecek yemeğim var, içimde coşku ve neşe var. Hayatım boyunca yoluma çıkacak tüm engelleri aşacak kadar güçlenmek istiyorum. Her gün Yaradan'a şükredip en iyi versiyonum olabilmem için kendime fırsat vermek istiyorum. Bunun için söylediğin her şeye açığım.

VAVEYLA: Önce rahatça oturmanı, gözlerini kapatmanı ve ağzından hızlı ve aralıksız 30 nefes alıp vermeni istiyorum. Şimdi içindeki yaralı çocuğunun karşında oturduğunu ve bu aşk acısını asıl çekenin o olduğunu hatırla. Acı çektiğin ruhsal bedenini onun minik fiziksel bedeninin içine sığdırmaya çalış. Onun minicik bedeniyle bu acıyla baş etmek için ne kadar çok zorlandığını gör. Ona sağlıklı bir ebeveyn olarak şimdiki aklınla ihtiyacı olan tüm duygusal açıklamaları kendi dilinle yaparak onu sakinleştir. Onu ancak sen sakinleştirebilirsin bunu asla unutma! Onun ebeveynleri ile Hakan arasındaki ilişkilendirmenin farkına varmasını sağla. İçindeki çocuk senden şefkat, ilgi ve yardım bekliyor, hadi elinden ne geliyorsa yap onun için. Evet yine harikasın, işte aynen böyle devam. Şimdi derin bir nefes al, aldığın nefesi tut ve tutarken de parmak uçlarını şakaklarına koy, nabzını hissettiğin yere hafifçe dokun. Başının hafiflediğini hissedeceksin. Sen parmaklarını şakaklarında tuttuğun sürece tüm kinin ve öfken, acın, tek tek yerini sevgiye bırakıyor. Bu çalışma beynin sağ ve sol loplarını dengelediği için tahmininden çok daha güçlü bir çalışma. Bu uygulamayı ihtiyaç duyduğun her an yapabilirsin. Uygularken şu niyette bulun: "İçimdeki güç varlığını ve sevgiyi harekete geçirmeyi niyet ediyorum. İçimdeki duyguları kabul ediyorum ve akıp geçmesine izin veriyorum." Bunu 3-4 dakika kadar ihtiyacın olduğu anda yaparsan istediğin her şey dengelenecektir. Bu çalışmayı aynı zamanda zihninden geçen istemediğin, seni rahatsız eden düşünceleri temizlemek için de kullanabilirsin. Kısa bir süre sonra güven ve huzur dolu düşüncelere kavuşacağını, içindeki çocuğun rahatladığını göreceksin. Düzenli uyguladığında yeni enerji alanlarına kapı açacaksın, yeni boyutlar için biliyorsun bu çok önemli. Bu çalışma içindeki yaşam enerjisini de artıracaktır.

DİLHUN: Bundan sonra başımı dik tutacağım. Kendi gücümü hiç hafife almayacağım. Gözlerimi yıldızların üzerinde tutarak kendi ayaklarımın üzerinde duracağıma inanıyorum. Kendimi iyi, çok iyi hissediyorum.

VAVEYLA: Evet bu çalışma ile bilinç seviyesinde de affederek büyük bir adım atmış oldun! Bu büyük bir başarıydı. Yaşam senin için daha yeni başlıyor! Asıl başarı ve mutluluk yeni geliyor! Bunun için kucak aç ama önce kendine kucak aç Dilhun hadi!

DİLHUN: Senin kendini olduğun gibi kabul etmen gerekiyor demiştin Vaveyla. Bir şey itiraf etmek istiyorum sana. Bunu sana söylemeye gerçekten çok utanıyorum ama bir şey itiraf etmem gerekiyor çünkü artık gerçekten tam olarak iyileşmek istiyorum! Bazı zamanlarda çok farklı bir insan oluyorum. Sanki içimde baştan çıkarıcı bir kadın var.

Bazen onunla çok zor baş ediyorum biliyor musun? Kimse bu yönümü tabii ki bilmiyor, söylesem de inanmazlar. Çünkü onu saklamak için inanılmaz bir enerji harcıyorum. Bu sorunu gerçekten çözmek istiyorum çünkü beni acı çekeceğim, üzüleceğim deneyimlere sürüklüyor. Hayal kırıklığı ve dahası...

VAVEYLA: Hissettiğin hiçbir duygundan utanma, kaçma. Yeter ki yüzleş, onayla, kabul et ve dönüştürmek için harekete geç. Her deneyim seni kendine yaklaştırıyor. Şu anda olduğun yer seni kendine yaklaştırmak için tam olarak olman gereken yer. Her zaman elinden gelenin en iyisini yap. İçindeki baştan çıkartıcı kadın harekete geçtiği zaman o sadece tek bir şeyin peşindedir: "Kim olduğu konusunda kendisini iyi hissetmek." Yeteri kadar iyi olmadığı yeteri kadar sevilmediği ve birisinin ilgisini çekmeden ait olamayacağı korkusu yüzünden hiç yorulmadan ördüğü ağına uygun bulduğu bir av düşürene kadar arayışını sürdürür. Başlıca hedefi duygusal yaralarının acısını hafifletmek için başka birisinin özsaygısıyla beslenmektir... Nazik, çok seven, ilgi gösteren ve seksi davranışlarıyla kurbanı kendisine çekmeye başlar. O an için ruhunda birikmiş olan çok şiddetli acıyı ve kendine karşı duyduğu nefretini unutturduğunu sanıyorsun. Amacın içindeki boşluğun karanlık deliğini başkalarının ışığıyla doldurmak. Aşk pelerinine bürünerek bunu yapıyorsun. Her yöne sinyal vererek bazen yüksek sesle bazen yumuşak bir fısıltıyla "Gücünü ver bana, aşkımı sunayım sana" der.

Baştan çıkarıcı kadın rolünü devre dışı bırakman için yapman gereken başkalarının dikkatini çekmek, hayranlığını ve sevgini kazanmak için duyduğun şiddetli özlemin aslında içdünyandan gelen mutsuz bir çığlık olduğunu görmendir. Albeninle, cilvelerinle tahrik edeceğin, oyalayacağın, ayartacağın bir kurban olmayınca duyacağın boşluk hissini ifade edip duygularını kendine ifade edebilmelisin. Bu duygulardan kaçmadan onaylamalısın.

DİLHUN: Bu anlattığın duyguları yıllarca içimde taşıdım. Bu elimde olmadan bir anda oluveriyor, çoğu zaman her şey olup bittikten sonra farkına varıyorum. Sonra pişman oluyorum. Ne kadar pişman olsam da bunun önüne geçmiyorum. Bazen sadece zihinsel boyutta olsa da beni yine de rahatsız ediyor. Bunu ahlaklı, edepli, iyi insan kisvesi altında defalarca hissettim. Hakan'ın beni ilk bıraktığı zamanlarda da o inatla, hırçınlıkla yine harekete geçmeye çalıştı! Denedim açıkçası dürüst olmak gerekirse ama hiçbir işe yaramadı. Aynı dediğin gibi zamanla içimdeki boşluk duygusu giderek arttı. Ne kadar karmaşık bir insanım değil mi? Dışarıdan bakınca bu kadar iyi bir kişiyim ama duygusal dünyamda yaşadığım fırtınaları kimse tahmin edemez. Bu bazen olmayacak kişilere karşı olmayacak zamanlarda oluyor.

VAVEYLA: İyi insanların birçoğu beklenmeyen anlarda beklenmeyen kötülükler yaparlar Vaveyla. Bunu sana biraz önce de anlatmaya çalıştım. Sen içindeki kötülüğü, iyiliği, güzelliği, çirkinliği bütün olarak kabul edip hiçbirini yargılamamalısın. Bu duygularını neden bastırdığını, ailenle yaptığın ilişkilendirmeleri artık biliyorsun ama bu konuya biraz sonra daha geniş değineceğiz. Çünkü önemli, çok önemli bir konu. Bastırma içinden gelen hiçbir duyguyu lütfen! Derin bir nefes alıp ellerini şakaklarında 2-3 dakika tutup "İçimden gelen bu duyguyu kabul ediyorum, onaylıyorum ve sevgiye dönüştürüyorum" demen bile senin için yeterli. Yeter ki üstünü örtme, kaçma ve korkma.

DİLHUN: Evet her yaptığın açıklamadan sonra yaşadıklarımı tek tek çözebiliyorum. Annem ayakta kalmak, hayatla mücadele edebilmek için eril enerjisini yükseltmiş, erkek gibi olmuştu. Annemi kendime rol model olarak alamadım. Babam da annemin bu erkeksi davranışları karşısında dişil enerjisini yükseltmişti. Babamı daha az görsem de biraz olsun sevgi ihtiyacımı o karşılıyordu. Ama babamdan almam gereken gücü ve desteği de alamayınca tüm dengem iyice bozulmuştu. Aslında tüm çarpıklık buradan kaynaklanıyordu.

Baştan çıkarıcı kadın da zor anlarda baş edemediğimde birden ortaya çıkıp kendini gösteriyordu. Sağlıklı bir kadının iletişim dilini bilmiyordu çünkü...

Babamdan almam gereken güven ve gücü de alamadığım için hayatıma çektiğim erkekleri de farkında olmadan baba faktörümü bilincimde dolduracak kişileri çekiyordum. İhtiyacım olduğu anlarda babam hiçbir zaman beni korumuyordu. Kendimi güvende hissetmemi sağlayamıyordu. Resmen arafta kalmıştım. Aradığım gücü Hakan'da bulacağıma inanıyordum. Kendi gücüme inanmıyordum çünkü. Hakan da aynı şekilde küçükken babasız büyüdüğü için onun da zihninde baba faktörü boştu. Böyle bir imge yoktu. Annesiyle de sağlıklı ilişkiler kuramayınca küsmeler, çekip gitmeler, sorumluluk almamalar, güvensizlik şeklinde kendini gösteriyordu. Vaveyla biliyor musun Hakan bazen beni çok şaşırtıyordu. Gülümsemesiyle o da beni baştan çıkartıyor, birçok kişinin bilmediği sevdiğim şeyleri keşfedip bana zaman zaman sürprizler yapıyordu. İşte bunlar da beni benden alıyordu. Kapılıp gidiyordum... İşte bu anları bazen o kadar özlüyorum ki. Tüm dünya, her şey biz oluyorduk adeta...

VAVEYLA: Çok çekici gözüküp en güçlü savunmayı bile bir gülümsemeyle yok edebilen karizmatik sevgililer ihtiyacı olan değerlilik duygusunu diğerinden almaya çalışan kişilerdir... Bunlar adam kullanma ustasıdır, gözüne girmek için daima zayıf taraflarından yararlanırlar. Sinsiliği en aldatıcı niteliklerinden biridir. Aynen senin de dediğin gibi nereden alışveriş yaptığını, ne yediğini, en çok hangi filmleri sevdiğini gizlice öğrenen, aklına bile getirmezsin ama bu bilgileri daha sonra kullanmak, zamanı gelince ne kadar özel ve önemli olduğunu sana hissettirmek için toplar. Bunları yapmasının sebebi; aşağı derecede değersiz, güçsüz, görülmeyen, bayağı, istenmeyen olmasıdır.

İstediğini kestirmeden elde etmesini sağlayan karizmaya sahip olduğu halde başkalarını avladığı sürece kendini iyi hissetmeyeceğini, kendinden hoşnut olmayacağını görememesidir. Hakan'ı bütünlüğe götürecek olan yol kendi hakkında ne kadar kötü şeyler düşündüğünü, kendisini ne kadar kötü hissettiğini kabul etmesi ve aklını kullanıp içindeki çocuğun sesini duymasıdır. Aksi takdirde istediği hayatı hiçbir zaman yaşayamayacaktır. Bir de aklıma gelmişken bu kişiler içlerindeki değersizlik duygusunu kapatmak için sürekli kadın avına çıkarlar. Elde ettiği her kadın karşısında hanelerine artı bir puan yazarlar. Hele bu kadın elde etmesi zor bir kadınsa avcı daha da heyecanlanır. Kadın hayır dedikçe ve işi yokuşa sürdükçe içindeki değersizlik duygusu daha da artar. Bu sefer bu değersizlik duygusunu kapatmak için daha da bir mücadele eder.

Yalnızca annesinin etkisinde kalan bir erkek çocuğu büyüyemez, gelişemez ve hep ergenlik düzeyinde kalır. Bir erkek ya da koca değil, ancak bir kadın avcısı olur. Babasının yörüngesinden çıkamayan kız çocuğu ise bir kadın, bir eş değil, ancak gelip geçici flört edilecek birisi olur. Sen ne kadar annenin etkisi altında kaldığını düşünsen de babanın yörüngesinden çıkamadın çünkü bir kız çocuğu için en önemli şeylerden biri babanın onayını alma ihtiyacıdır. Baban ölse bile birçok elde etmek istediğin başarının sebebi ondan hâlâ onay alma arzundur. Merak etme yapacağımız tüm çalışmalar sonucunda bunların hepsinden temizlenmiş olacaksın.

Şimdi yaşadığın ilişiklerdeki döngüyü daha rahat görebilmen için şöyle düşünmeni istiyorum: Sen annesinin kızı olamadın, babasının kızı oldun. Böyle olunca karşına babasının oğlu olamayıp, annesinin oğlu olanları hep çektin. Sen kendine bir baba faktörü ararken, hayatına giren erkekler de anne faktörü arıyordu. Sağlıklı ilişkiler için hemen aklını kullanıp içindeki bu döngüye sebep olan inançlarını dönüştürmelisin. Sen annesinin kızı olduğunda ancak karşına babasının oğlu olanlar çıkacak. Sendeki bu inanç değişmeden hiçbir ilişkini değiştiremezsin. Bunun için hemen zihninde kendinin olabileceğin en iyi versiyonun olarak kadın modelini imgele... Nasıl bir kadın olmak istersen onun gibi hareket etmeye başla ama bu kendi benliğinden çıkmalı. Bir başkası model alınarak değil. Gerçekçi olabilmesi ve bilincinin bunu onaylaması için kendinin en iyi versiyonu olarak imgele. Unutma insan en çok merak ettiği kişiye dönüşür. Kendinin olabileceğin en iyi versiyonunu merak et Dilhun!

DİLHUN: Evet kendimi daha önceden hiç hayal etmediğim şekilde zihnimde olabileceğim en iyi versiyonum olarak imgeleyebiliyorum. Şimdi anlattıklarından anlıyorum ki hayatıma çektiğim kişilerin içindeki yaralı çocuk da dışlanmaktan çok korkuyordu. Onların da karşılarında sağlıklı ebeveynler yoktu. Onlar da onay alma kabul edilme derdinde olan insanlardı. Ben başka birisini memnun etmekten vazgeçince ve onay alma ihtiyacımı kaldırınca ve içimdeki dişilik yönüme sahip çıkınca sanırım ilişkilerim de yoluna girecek. Tüm enerjimi memnun etmeye yetkim olan tek insanda yani kendimde toplamalıyım.

VAVEYLA: Senin ilişkilerde sorun yaşamanın önemli sebeplerinden biri de ilişkilerinin sevgi yerine ihtiyaca dayanmasıdır. Sevgi dışında her his, sevgi barındırmayan histir. Sen ne kadar kendinle barışık ve sevecen olursan ilişkilerin de o kadar başarılı olur. Sevgi ve onay ihtiyacını bırakırsan tüm ikilemleri tersine çevirebilirsin. Ayrıca sadece sevgi almaya çalışmadan karşılıklı vermeyi öğrenmelisin.

Bir ilişkinin tatsızlaşmaya başladığı nokta bir şeyin belli bir şekilde söylendiği ya da yapıldığı zaman bunu içsel olarak kabul etmenin reddedildiği zamandır. Siz işte bu süreci aşamadınız. Siz bu süreçte direnmeye başladınız. Siz birbirinize karşı, içsel olarak değiştirmek istediğiniz yönlerinize karşı listeler oluşturdunuz. Sonra yaptığınız her şeyi o listeyle karşılaştırmaya başladınız. Eğer davranışlar ya da söylemler listenizde maddelerle uyuşuyorsa yanına içsel bir işaret koydunuz ve daha çok direnmeye başladınız. Siz böyle bir listeyi zihninizde başlattınız ve sürekli ona yeni maddeler eklemeye başladınız. Sonra bu liste de kontrolden çıktı ve süreç bu boyuta geldi.

DİLHUN: Bunu sanırım fazlasıyla yaptık. İkimizin de listesi giderek uzamıştı...

VAVEYLA: Bundan sonraki ilişkilerinde bu kalıbı kırmalısın. Bu çok basit. Bu kalıpları kırarak balayı yaşantını sonuna kadar basit bir yolla uzatabilirsin. Öncelikle birlikte olduğun kişiyle belli bir süre zihnin otomatik olarak liste oluşturmaya başlayabileceğine karşı uyanık olmalısın. Bu listeye izin vermen demek ilişkini berbat etmen için yine bela arıyorsun demektir:)) Eşinin veya sevgilinin nasıl değişmesi ya da düzelmesi gerektiğini belirlemekten vazgeçmelisin. Onda seveceğin ve takdir edeceğin şeyleri arayıp bulmayı alışkanlık haline getirmelisin. İlişkinin dinamiği böylece çok kolay ve hızlı bir şekilde değişecektir.

Bak bunu sana kendi ilişkimden örnek vererek açıklayayım. Eskiden ben de eşim yaptığım bir yemeği tuzlu veya yağlı bulup eleştirdiğinde hemen bozuluyordum. Zihnimdeki her şey bir anda yok olup tüm dünyamı onun eleştirileri oluşturuyordu. Eleştirici sözcüklerini zihnimin defalarca tekrar etmesine izin veriyordum. İçten içe çok sinirleniyor ben de onun bir açığını arıyordum. Döngüden kurtulamıyordum. Sık sık bu konuyu gündeme getirip, unutulmasına izin vermeyip konuşup duruyordum. Ben üstüne gittikçe bu sefer yumurtam niye çok haşlanmış, niye bu tuzlu zeytini aldın diye şikâyetler artıyordu. Benim de onun değişmesi gerektiğine dair listem uzuyordu. Eleştirmemeli, yaptığım yemeği beğenmeli, aldıklarıma karışmamalı gibi. Tahmin ettiğin gibi liste iyice uzadığı dönemde Logos'la tanışmam ilişkimin tüm dinamiğinin değişmesine sebep oldu. Eşimin hoşuma giden birkaç özelliğini belirledim. Örneğin giydiklerime çok karışmıyordu. İhtiyacımız olmadığı sürece maaşımı ne yaptığıma nasıl harcadığıma hiç karışmazdı. Logos bana, odaklandığın şeyi büyütürsün demişti. Bu tekniği ilişkilerime uyguladım. Eşimin sürekli bana kendimi iyi hissettiren davranışlarını düşünüp zihnimde defalarca canlandırmaya başladım. Bu inanılmaz işe yaramaya başlamıştı. Tuzlu yaptığım yemeklere bile, olsun, emek sarf etmişsin, bugün de böyle olsun demeye başladı. Bu tabii ki birdenbire olmadı ama çok kısa sürede olduğundan emin olabilirsin.

DİLHUN: Vay canına bu çok iyi!

VAVEYLA: Unutma hem anne babanın birbiriyle olan ilişkileri hem de seninle olan ilişkileri ilişkilerini yakından etkiler. Onlar senin ilk modelindir çünkü. Bu ilişkiyle ilgili direndiğin ya da değiştirmek istediğin bir şey var mı ya da kendine model olarak aldığın herhangi bir şey var mı?

DİLHUN: Annemin daha sevgi dolu babamınsa daha çok evde olmasını ve bize sahip çıkmasını isterdim.

VAVEYLA: Peki bu değiştirme arzusunu şimdi bırakabilir misin? Direnci kaldırmak için kendine izin verebilir misin? Bu değiştirme isteğinin altında onay, kontrol etme ya da güvence hislerinden hangisi olursa olsun kendine izin veriyor musun?

DİLHUN: Evet bunun için kendime izin veriyorum Vaveyla. Bu direnci ve değiştirme arzumu bırakmayı seçiyorum Vaveyla!

VAVEYLA: Güzel! Peki, çocukluğunda, ilk arkadaşlarınla kurmuş olduğun ilişkilerde hoşlanmadığın ya da değiştirmek istediğin bir şey var mı? Yaşıtlarınla olan ilişkilerin şimdiki ilişkilerinin dinamiğinde çok etkili. Bunu iyi düşünmeni istiyorum.

DİLHUN: Evet çok pısırıktım, hata yapmaktan çok korkardım, kendimi hiç ifade edemezdim. Bunun gerçekten değişmesini çok isterdim. Arkadaşlarım hangi oyunu oynayacaklarına kendi aralarında karar verirlerdi, en sonunda da

Dilhun sen şöyle geç, şu grupta ol gibi emirlerle beni yönetirlerdi. Ben de yalnız ve arkadaşsız kalmaktan çok korkardım ve hiç itiraz etmeden emirlere uyardım. Yatağa girip yorganın altında saatlerce ağlayıp sızıp kaldığım gecelerin sayısı o kadar çok ki...

VAVEYLA: Peki, çocuklukta yaşıtlarınla kurduğun ilişkilerde şimdi direndiğin benzerlik var mı?

DİLHUN: Sanırım şimdi de benzer şeyleri yaşıyorum. Yine sessiz, ezilen ve yönetilen!

VAVEYLA: Peki bu direnci ve onayı şimdi kaldırmak için kendine izin veriyor musun?

DİLHUN: Evet, ilişkilerimdeki tüm direnci ve onay alma istediğini kaldırmayı seçiyorum.

VAVEYLA: Claire diyor ki: "Birçok insan, sanki farklı yüzlere sahip olan aynı adamla bir dizi ilişkiye sahiptir." Bu benim için de babamı yansıtma yoluydu. Babam yaşadığım ilişkilerimde sürekli karşıma çıkıyordu. Sana aktarmaya çalıştığım bu bilgiler ve tekniklerle bunu zamanla aştım. Sonuç olarak babamın hayaletine tepkiler vermek yerine, eşimle gerçekten birlikte olmayı başardım. Onay arama, kontrol etme ve güven istemeyi, özellikle de olanı değiştirme çabasını bıraktım. Bunu başardığımda ileriye doğru muazzam bir adım atmış oldum. ilişkimizde yaşadığım tüm sıkıcı süreç yerini tutkulu birlikteliklere bıraktı. Sadece eşimle değil, çocuklarımla olan ilişkimin dinamiği de değişti. Çocuklarımla olan ilişkimde de annemin ve babamın hayaletlerine tepkiler veriyordum. Onların direnç koyduğum yansımalarını ilişkilerimden çıkarmayı başardım. Örneğin çocuklarım bana bir şey anlatmaya çalıştığında eskiden onları doğru düzgün dinlemezdim. Annem gibi ilgisiz kalır, onları hemen yargılamaya başlar, suçlardım. Sonra onlara annemin bana davrandığı gibi değil davranmasını istediğim gibi davranmaya çalıştım. Ebeveynlerinin ilişkilerinde çöküntü yaratmasına sebep olan tüm yüzlerini ve yansımalarını çıkarttığında geriye bir boşluk kalacak. Bu boşluğu sağlıklı bir yetişkin olarak doldurmalısın. Net, anlaşılır, yapıcı ve sevgi dolu cümlelerle boşlukları doldurduğunda tüm ilişkilerini yeniden yapılandırmış olacaksın. İşte bilinçaltının sinsice oynadığı bu oyunlardan çıkabilmenin tek yolu aklını kullanmak.

DİLHUN: Bu anlattıkların karşısında tüm tüylerim diken diken oldu. Benim ilişkilerimde sanki benim yerimi annem ya da babam almış gibi. Sürekli onlar konuşuyorlar, onlar hareket ediyorlar ve her yerde onların yansımaları.

VAVEYLA: Anneni ve babanı kaybetsen bile onlarla kurduğun ilişki devam edecek. Zihninde hâlâ seslerini duyacaksın. Akıllı olup onların seslerinin gerçekliği ve doğruluğunu ölçüp, ona göre yeniden sözlerini ve davranışlarını oluşturmalısın. Zihnin çok kurnazdır. Onlar gibi olmayacağım kararı aldığın nokta da gider tam onların davrandıklarının tersine davranır, söylediklerinin tersini söylersin. Sonra da belli bir yaştan giderek onlara benzemeye çalışırsın.

DİLHUN: Evet babam annemin söylediklerini yapmadığında avazı çıktığı kadar bağırır çağırırdı. Ben annem gibi olmayacağım kararını aldım ve kızdığım üzüldüğüm yerlerde sustum. Sustum ama yerine duygularımı anlatacak kelimeleri koyamadım çünkü bunu nasıl yapacağımı bilemedim. Bu sadece şu anda sana anlattığım en basit olay. Bunun gibi şu anda ilişkilerimde benim devreden çıktığım, annemin ve babamın yansımalarını gördüğüm o kadar çok şey var ki davranışlarımda. Ben konuşmuyorum onlar konuşuyorlar, ben davranmıyorum onlar davranıyorlar hatta ben hissetmiyorum da onlar hissediyorlar benim yerime...

VAVEYLA: Kendimi ve insanları affedip ilişkilerimdeki ebeveynlerimin sağlıksız yansımalarını çıkartıp yerine kendi seçtiğim bedensel davranışları ve sözcükleri koyduğumda hem kendimi daha çok sevmeye başladım hem de artık kendime ve çevreme yıkıcı olmamaya. Bu bilgileri öğrendikten sonra kaç kez çocuklarımla iletişim kurarken aynı babam gibi doğrulup, parmaklarımla oynayıp kaşımı kaldırdığımı fark ettim. Eşimle yemek yerken aynı annem gibi mızmızlanıp tuhaf yakınmalarda bulunduğumu fark ettim. Alışverişte tıpkı annem gibi çocuklarıma kızıp bağırdığımı ve daha neler neler. Şimdi ise eşimle harika bir aşk yaşıyorum ve bunu hiç hayal bile edemezdim. Çocuklarımla ise o kadar güzel ve sağlıklı bir ilişki yaşıyorum ki artık onları çok seviyorum. İnsanların sevgisini algılayamıyordum çünkü. Geçmişte onlara ne kadar kötü ve sevgisiz davranmış olursam olayım hissederek sevgimin gücünü onların ruhuna geçirdiğimde orada mühürleneceğine inanıyorum. Sevgi çok güçlüdür Dilhun! Sözcükler de çok güçlüdür. Unutma sözcükler ruha mühürlenir ve tüm hayatımızı yönetir. Birlikte olduğun herkesin ruhuna sevgi dolu sözcükler yükleyeceğine dair kendine söz vermelisin. Unutma sen öldüğünde de senin sesin çocuklarının, sevdiklerinin zihninde hâlâ konuşmaya devam edecek. Hatta tüm söylediklerin ilahi düzene mühürlenecek. Onların bu sesleri nasıl hatırlamalarını istiyorsan lütfen öyle konuş. Bu senden çıkan sözcüklerin ilahi düzene nasıl kaydedilmesini istiyorsun? Unutma gün olup o kaydedilen tüm sözcükler tek tek sana geri dönecek.

DİLHUN: Söz Vaveyla! Şimdi sana birlikte olduğum herkesin ruhuna hissederek sevgi sözcükleri yükleyeceğime dair söz veriyorum! Söz Vaveyla söz!

VAVEYLA: Harikasın Dilhun, ruhun gelişiyor, kin ve nefret giderek yerini sevgiye bırakıyor. Her şey çok daha güzel olacak inan bana. Bu şekilde ilerlediğin sürece hayatında yepyeni başlangıçlar yapabilecek, kendi gücünü geri kazanabileceksin.

DİLHUN: Kendime, diğerlerine, yaşama ve Yaradan'a giderek yakınlaştığımı hissedebiliyorum.

VAVEYLA: İlişkilerinde bazen kendini gereksiz adadın bazen de adamaktan korktun. Sen gerçek sevgiyi ruhunda hissetmeden sadece kaybetme korkusuyla vermeye çalıştın. Sevgiyi almayı bilemediğin için de sana verilen sevgiyi göremedin, hissedemedin, alamadın. İçten içe incinmekten çok korktun. Merak etme tüm bu korkuyu birazdan ortadan kaldıracağız. Korku seni yapmak istediğin ya da yapman gereken şeyden alıkoyuyor çünkü gerçekleştireceğin eylemlere kaygılar, kuşkular, beklentiler yüklüyorsun.

Şimdi sana bilinçaltının ilginç bir oyunundan bahsedeceğim. Bunu duyduğunda çok şaşıracaksın. Korktuğun şeyleri neden bırakamıyorsun biliyor musun? Korkuyu bırakmanın arkasındaki sır nedir? Biz bir düzeyde korktuğumuz her şeyin gerçekleşmesini bilinçsizce isteriz ve sessizce bekleriz. Bunu bilinçsiz olarak yaparız. İşte bunu bir kez kabul ettiğinde korkunu serbest bırakabilirsin.

DİLHUN: Şimdi benim korkularım aldatılmak, terk edilmek, hastalanmak, iflas etmek olsa ben niye bunların gerçekleşmesini isteyeyim ki? Bağlantıyı tam kuramadım.

VAVEYLA: Şimdi iyi düşün. Dışındaki dünyada hoşlanmadığın bir şey gördüğünde ne yapıyorsun?

DİLHUN: İnşallah bu benim başıma gelmez diyorum çoğu zaman. Ya da umarım bir daha olmaz falan diyorum...

VAVEYLA: Zihninin duyduğu ve imgelediği sanki olmuş gibi görünen korkudur. Sanki sen buna olmasını istiyorum düşüncesiyle farkında olmadan korku besliyorsun. Böylelikle de enerjin o yöne akıyor. Unutma zihnin sadece imgelerle yaratır. "Asla", "ve", "ya da", "yapmamak", "etmemek" gibi olumsuzluk içeren sözcükleri imgeye dönüştüremediği için bunları yok sayar. Bunun için yapman gereken çok kolay. Ne istediğini dile getir, ne istemediğini değil. Çözüme odaklan. Hedeflerine her zaman zihninin imgeleyebileceği bir şey koy. Örneğin şu anda çilek düşünmemeye çalış desem ne oldu?

DİLHUN: Aklıma hemen çilek geldi. Hatta sayıları giderek artıyor:))

VAVEYLA: Yani bundan sonra ilişkilerimde susmayacağım şeklinde bir karar alırsan bu daha çok bağıracağın anlamına gelir. Gördüğün duyduğun herhangi bir şeyden hoşlanmadığında tersine işleyen bir niyetleri harekete geçirebilirsin. Farkına varmadan korktuğun, merak ettiğin şeyi aklında tutarsın çünkü.

DİLHUN: Kafam karıştı, nasıl yani?

VAVEYLA: Peki bunun nasıl işlediğini başka bir yolla açıklayayım sana. Bir şey için kaygılandığında kendini kaçınılmaz sonuca bir biçimde hazırladığına inanıyorsun. Eğer istenmeyen şey olacaksa buna hem içsel olarak hem de yaşamında hazır olmak istiyorsun. İstemediğin şeylere ne olacağını bilmemenin getirdiği belirsizliğe hazırlanmak amacıyla geliştirdiğin sahte güvence duygusunu tercih ediyorsun.

Zihin olumsuzluk içeren kelimeleri yorumlayamaz. Susmayacağım kelimesi olumsuz olduğu için bunu anlamaz ve atlar çünkü imgeleyemez. İmgeleyemeyince çözmek için tüm enerjini oraya yönlendirip direnç yüklemiş olursun. Bunun yerine "İlişkilerimde kendimi, duygularımı ifade eden biri olmayı nasıl başarabilirim?" diyebilirsin. Bunu önündeki tüm hedeflerin için uygulayabilirsin. Sürecin nasıl işlediğine hayret edeceksin. Birçok kişinin, para kazanamamasının, aşk yaşayamamasının, başarının keyfini tadamamasının sebeplerinden biri de budur. Sen de tüm hayatına bu mantığı yerleştirirsen önündeki engelleri çok rahat kaldırabilirsin.

DİLHUN: Anladım evet çok iyi anladım teşekkür ederim.

VAVEYLA: Kaygılandığında kaygılandığın şeyi aklında tutuyorsun ve onu kendine çekiyorsun. Aklında tuttuğun her şeye enerjini koyuyorsun unutma!

Korkularından kolayca özgürleşebileceğin bir teknik geliyor o halde yakala Dilhun!

DİLHUN: Ooo bu süpermiş, kaçırır mıyım hiç? Yine hazırım!

VAVEYLA: Olumsuz bir şeyin farkında olmadan meydana gelmesini istersin. Bu korkularını bırakmak ise gerçekten kolaydır. Şimdi kendine şunu sormanı istiyorum: "Bunun olmasını istemeyi bırakabilir miydim?" Örneğin bunu sen şöyle düşünebilirsin: "Hakan'ın beni terk etmesini istemeyi bırakabilir miydim?" ya da "İlişkilerimde acı çekme isteğimi bırakabilir miydim?" gibi.

DİLHUN: Bu soru beni güldürdü. Hadi canım sen de:)) Ben bunların olmasını istemiyorum ki zaten:))

VAVEYLA: Gerçekleşmesinden korktuğun şey ne?

DİLHUN: Hakan'la olan ilişkimde terk edilmek, yalnız kalmaktı.

VAVEYLA: Gerçekleşmesini istemediğin şey ne?

DİLHUN: Terk edilmek...

VAVEYLA: Tamam şimdi korktuğun şeye iyi bak, iyice odaklan ve neden korkup enerji yükleyerek direnç koyduğunu iyi gör.

DİLHUN: Aaaa evet şimdi anladım.

VAVEYLA: Terk edilme korkunun gerçekleşmesini istemeyi bırakabilir misin?

DİLHUN: Evet isterim tabii ki.

VAVEYLA: O zaman başlayalım. Şimdi gözlerini kapat, derin bir nefes al ve aldığın nefesi tut. Bu süreçte korkuna iyice odaklanmanı istiyorum. Şimdi sana soruyorum: "İlişkilerinde terk edilmeyi istemeyi bırakabilir misin?" Nefesini verirken de sert ve güçlü bir şekilde "Evet!" diye haykırmanı ve bunu ilahi düzene mühürlemeni istiyorum.

Odaklan evet harika, odaklan. Bu tekniği bu arada topluluk önünde konuşamamaya kadar her kaygında korkunda uygulayabilirsin. Bu işlem bilinçaltında pusuda bekleyen gölgelerinin karanlık yanlarının temizlenmesine de yardımcı olacak.

DİLHUN: Bunu hissettim, bunu gerçekten hissettim. Bilinçaltımda gerçekleşmesini istemediğim şeyi saldıktan sonra, hayatımda açılımlar yaşayacağımı hissettim. Üzerimden bir yük kalktığını, hafiflediğimi hissettim. Bu çok basit ve etkili bir yöntemmiş. Korktuğum şeyi bilinçaltımın gerçekleştirmek üzere harekete geçebileceğine dair uyanık olacağım ve bu yöntemle aklımı kullanıp bilinçli zihnimle oyuna gelmeyeceğim. Korkum ne olursa olsun kuracağım cümle hep aynı şekilde olacak değil mi: "Onun gerçekleşmesini bırakabilir miyim?" Yani korktuğum şeyin.

VAVEYLA: Aynen, aynen öyle... İstemediğin bir sonucu düşündüğünde akıllı olup kendine bu soru cümlesini sorup derin bir nefesle evet deyip evrene mühürlemen yeterli. Bundan sonraki süreçte de olmasını istediğin ilişki için evrene soru sorabilirsin. Merak etme evren en iyi şekilde cevapları sana getirecektir. Örneğin şöyle bir soru sorabilirsin: "Bu kişiyle ilgili bir iyilik hissine, bir güven hissine sahip olmamı nasıl sağlayabilirim?" Bu soruyu sorman ilişkinde güven yaratmak için tüm kapıları sana açacaktır.

Çevrene baktığın zaman mutsuz kişilerin çoğunun almayı reddettiğini göreceksin. Sen de almayı reddettin. Almayı reddetmen anne ve baban hatta her ikisiyle olan ilişkinle başlar. Daha sonra bu reddedişi, diğer ilişkilerine ve kendine sunulan bütün iyi şeylere karşı genellemeye başladın. Sonuç olarak da kendini hep boşlukta hissettin. Yaptığımız tüm çalışmalar sonucu almaya istekli olacak, verileni sevgiyle kabul edebileceksin. Böylece, sürekli bir enerji akışı ve mutluluk duygusu yaratacaksın. Dolu dolu bir hayat ve ilişkiler yaşamaya başlayacaksın.

DİLHUN: Ben çok acı çektim, çok canım yandı, çok isyan ettim, sanırım meyvelerini toplamayı hak ettim.

VAVEYLA: Bir ilişki taraflardan birinin yaptığı acı veren eylem sonucunda tıpkı sizinki gibi sona eriyorsa, suçlu kişi özgürce ortada dolaşır. Genellikle suçlu taraf, mağdurun acısını etkisizleştirmek için ayrılma öncesinde acılar çeker. Bunu genelde hayatını içinde bulunduğu durumdan

kurtarmak için yapar. Derinlerde vicdanı ona suçlu oldu-
ğunu, suçu üstlenip özür dilemesi gerektiğini fısıldar ama
vicdanın sesini duymamak, görmemek, hissetmemek için
bilinçsizce farklı yöntemlere başvurur. Karşısındaki kişi-
ye zarar vermeden yapamayacağını bildiği için acı çeker.
Oysaki bu süreçte karşılıklı duygular konuşulup birbirle-
rine aktarılsa, ilişkinin bitirilmek istendiği konuşulsa her
iki taraf acı çekse de ilişki dengede kalarak sonlandırılmış
olur. Bu süreç her iki taraf için de yeni kapıların açılması
demektir. İlahi düzenin adalet terazisi bunu dengeleyecek
Dilhun sen merak etme. Vicdanını rahat tut ve direnç koy-
madan olanı kabul et ve yoluna devam et.

Burada taşların yerine oturduğunu görebiliyorsun değil
mi? Sen kurban olarak acı çekmeye devam etseydin yeni
bir hayata başlayamayacaktın. Sen bu süreçte içten içe hep
Hakan'a ulaşmaya çalıştın, çünkü sana bağımlı kalmasını
istiyordun. Bilinçsizce onun sana bağımlı kalmasını sağ-
layarak, yeni bir hayata başlamasına engel olmaya çalışı-
yordun. Taraflardan biri yeni bir başlangıç yaptı mı zor da
olsa diğer kişi de bir nefes alma olanağı bulur çünkü artık
umudu kalmamıştır. Sen yeni başlangıçlar yapamamıştın
çünkü onun yeni bir başlangıç yapıp yapmadığı hakkında
hiçbir fikrin yoktu. Bu da hep içinde bir umut beslemene
sebep oldu.

Unutma Dilhun bir ilişkideki önkoşullar; aidiyet, denge
ve düzendir.

DİLHUN: Bizde hiçbiri yoktu:))

VAVEYLA: İlişki sürecin boyunca olmasa bile ilişki-
nin iyiye gitmediği süreçlerde, aidiyet ve denge gereksini-
mini dengeli bir biçimde karşılamak için, onun sana ver-

diği zarardan daha azını ona verebilseydin, denge duygun biraz bozulsa da aidiyet ve sevgi gereksinimini geri kazanabilirdin. Tam tersine eğer ondan aldığın kadar zararı aynı oranda geri verseydin, denge duygunu elde ederdin ama aidiyet duygun eksik kalırdı.

DİLHUN: Peki hem aitlik, hem sevgi, hem de denge üçlüsünü bir arada tutabilme gibi şansımız var mı ilişkide? Yoksa hep bir taraf eksik mi kalacak?

VAVEYLA: Hem dengenin, hem sevginin, hem de aitlik duygunun bir arada olmasını istiyorsan, aldığından biraz fazlasını vermen gerekir. Aldığının karşılığında biraz fazlasını verdiğinde hem alışveriş dengeli olur hem de sevgi ve aidiyet duygusuyla ilişkiniz kuvvetlenmiş olur.

DİLHUN: Elimde değil çok duygulandım, yine gözyaşlarımın akmasına engel olamıyorum, nefesim hızlanıyor, ayaklarım titriyor... Ben küçükken yaramazlık yaptığımda annem beni tek başıma odada bırakarak ceza veriyordu. Belli bir zaman sonra çok sinirlemeye başlıyordum. Annemin beni sevmediğini, sevseydi bu kadar süre tek başıma kalıp üzülmeme izin vermezdi diye düşünürdüm. Bu o kadar kötü bir duygu ki... Sonra da annem beni terk eder, daha çok kızar ve sevmez diye susar peşinden hiç ayrılmamaya çalışırdım. Şimdi bile anlatmaya kelimelerim yetmiyor. Küçük bir ruh ve beden sevilmediği duygusuyla nasıl baş edebilirdi ki? Bundan daha büyük bir ceza olabilir miydi onun için?

VAVEYLA: Burada annen düzeni korumak için sevgiden feragat etmişti. Eğer annen cezayı çok kısa tutsaydı bir süre sonra senin odadan çıkmana izin verseydi düzen gereksinimine ihanet etmiş ama seninle arasındaki sevgi ve aidiyet duygusunu güçlendirmiş olurdu. Senin göz hizana gelip de yapmanı istediklerine odaklanarak sana sevgiyle anlatabilseydi hem düzen, hem sevgi, hem de aidiyet dengesini korumuş olurdu. Hayatta bazı şeylerin yola girmesini veya yoldan çıkmasını sağlayan asıl şey ses tonu ve zamanlamadır.

Şimdi aynı annenle olan aynı örüntüyü Hakan'la olan ilişkinde görebiliyor musun?

DİLHUN: Ben büyürken içinde yetiştiğim ailede önemli görülmediğimi o kadar çok hissettim ki...

VAVEYLA: Sadece bununla da yetinmedin Dilhun. Anne babanın yani içinde yetiştiğin ailede nelerin geçerli olduğunu ya da eksik kaldığını görüp anladın ve bunları uyguladın. Ailedeki rolleriniz tamamen değişmişti. Zamanla kimin ebeveyn kimin çocuk olduğu bile değişmişti. Sen de bilinçaltında sorumluluk hissedip dengeyi korumaya çalışıyordun.

DİLHUN: Kardeşimin doğumuna yakın çok hastalanıp hastaneye yatırıldığımı hatırlıyorum. Bu kıskançlıktan değildi. Aman Allahım ne korkunç şeyler hatırlıyorum. Annem doğum yaklaştığında bir akşam yemeğinde suratını asmıştı. Bunlar hep şimdi sen anlattıkça aklıma geliyor. Masanın çevresinde hepimiz oturup yemek yerken babam birden "Doğuma çok az kaldı ama evde hiç yerimiz yok" demişti. Ben aslında anne babama yardım etmek, onları stresten kurtarmak için bilinçaltı düzeyde kendimi hastalandırıp kardeşime evde yer açmaya çalışmıştım.

VAVEYLA: Evet sen evdeki eksiği anlamış ve bunu gidermek istemiştin, harikasın Dilhun. Anne ya da babadan biri, çocuk yetişirken diğer taraftan daha baskın çıkmaya çalışırsa çocuk gizlice baskı uygulayan tarafın yanında olur ve ona benzemeye çalışır.

DİLHUN: Giderek anneme benzemenin nedenini şimdi çok daha iyi anlıyorum...

VAVEYLA: Pekâlâ şimdi gözlerini kapatıp burnundan yavaşça alacağın nefesi ağzından yavaşça vermeni istiyorum. Bu nefes çalışmasını 20 kez tekrar etmeni istiyorum. Şimdi annenin ve babanın önünde saygıyla eğildiğini hayal et. Nefes çalışmanı tamamlayınca şu söylediklerimi sesli olarak tekrar et: "Sizin varlığınızı kabul ediyor ve onurlandırıyorum. Kalbimde bir yeriniz var. Lütfen hayatta kalmama ve istediğim şekilde yaşamama izin verin." Şimdi seninle anneannene ve dedene doğru bir yolculuğa çıkıyoruz. Hadi bu keyifli ziyaretimiz başlasın o halde.

Onların en çok sevdiği çiçekleri kırlardan topladık. Merdivenlerden çıktık, kapıya geldik, zili çaldık. Anneannen bir anda karşısında seni görünce sevinçten ağlamaya başlıyor. Dedense seni hemen kucaklayıp içeriye götürüyor. Sen de dayanamayıp anneannene ve dedene sarılıp ağlamaya başlıyorsun. Onları ne kadar sevdiğini ve özlediğini söylüyorsun. Anneannen gözyaşlarını sildikten sonra sevinçten senin için ne yapacağını bilemiyor. Hemen mutfağa gidip en çok sevdiğin yemekleri hazırlıyor. Tüm evi en çok sevdiğin yemek kokuları sarıyor. Siz de dedenle bu süreçte onlar için topladığın çiçekleri vazoya yerleştirirken bir yandan da sohbet ediyorsunuz... Anneannen bunların hayatı boyunca aldığı en güzel çiçekler olduğunu söyleyip evinin en sevdiği köşesine yerleştiriyor. Anneannen en çok sevdiği yemekleri pişirip masayı senin için hazırlıyor. Deden bahçeden senin için en çok sevdiğin meyvelerden toplayıp masaya koyuyor. Yemek boyunca annen ve deden sadece seni izliyor, sadece seni dinliyor, tüm dikkatlerini sana veriyorlar. Hazırlanan yemeklerden istediğin kadar yiyebileceğini söylüyorlar. Benim canım anneannem ve dedem iyi ki varsınız, yanınızda kendimi çok iyi hissediyorum deyip onlara sarılıyorsun. Onlar da seni ne kadar sevdiklerini söylüyorlar. Deden bahçeden en çok sevdiğin meyveleri senin için topladığını, bunların adeta birer sihirsiz sihir olduğunu söylüyor. Bak Dilhun bu evde sana kendini iyi hissettiren hangi duygular varsa bu meyvelerin içerisinde de onlardan bol miktarda var. Bu meyveleri yediğin anda hemen sana iyi gelen ihtiyacın olan duyguları tüm bedeninde hissedeceksin. Şimdi bu meyvelerden bol bol yemeni istiyorum. Hepsi senin, istediğin kadar yiyebilirsin. Kalanları da eve götürebilirsin. Bu meyveler asla bozulmazlar ve bitmezler, ihtiyacın olduğu her anda cebinden çıkartıp yiyebilirsin. Tamam mı? Kendini hiç hissetmediğin kadar iyi ve mutlu hissediyorsun. Onlara sarılıp tüm her şey için teşekkür ediyorsun. Sonra deden onların karşılarında eğilmeni ve şu söylediklerini tekrar etmeni istiyor: "Her ne günah işlediyseniz bunu size bırakıyorum. Ben sadece bir çocuğum." Dedenin bu söylediklerini tekrar ettikten sonra onlara sarılıp bunun için teşekkür ediyorsun.

Zaman çok hızlı geçti. Artık akşam oluyor. Şimdi ayrılma zamanı. Onlara bayramda tekrar gelme sözü vererek sıkı sıkı sarılıp sonra da el sallayarak vedalaşıyorsun. Onlar da sana el sallayarak veda ediyorlar.

Şimdi ağzından alıp vereceğin 10 hızlı nefesle buraya geri gelmeni ve gözlerini açmanı istiyorum.

DİLHUN: Vicdanım nasıl rahatladı Vaveyla, çok güzel, gerçekten harika bir yolculuktu bu. Bana bu kadar güzel şeyler armağan ettiğin için sana teşekkür ederim Vaveyla.

VAVEYLA: Çocukken büyüklerinin iyiliğinden sorumluluk hissedip onların işlediği suçları da üstlendin. İlerleyen yaşlarda da suçu suçlusuna teslim etmediğin sürece onları hayatında yaşamaya çalışırsın. Bu yaptığımız çalışmada üstlendiğin sorumlulukları ve suçları ait oldukları yere teslim etmiş oldun. Bu çalışmanın kariyer ve maddesel alanlarda da hayatında büyük açılımlar yapacağını göreceksin. Büyüklerinin borçlarının olduğu veya para kazanamadıkları anlarda yine bilinçaltın sinsice onlar rahat etsinler, üzülmesinler ve ailemize bir şey olmasın diye tüm sorumluluğu üstlenmişti. Şimdi de hepsini açığa çıkarmak için sinsice uğraşıyordu. Sana öğrettiğim birçok teknikle de bu sorumluluğun güçlü olduğunu düşünüyorsan temizleyebilirsin. Örneğin alnının ortasında ailenden aldığını düşündüğün sorumluluğu veya suçu kelimelerle imgeleyip derin bir nefesle yukarıda yaptığımız gibi üfleyip bu durumu ortadan kaldırabilirsin. Yine günlük hayatında aklını kullanarak bilinçaltının oyunlarına girmemeye dikkat etmen gerektiğini unutma.

DİLHUN: Zihnimdeki birçok bulanıklık giderek netleşiyor. Anlıyorum her şeyi şimdi çok daha iyi anlıyorum.

VAVEYLA: Peki çok acı çektiğin anlarda bilincin sinsice neler yaptı, gel biraz da ona bakalım. Dayanılmaz derecede acı çektiğin bir olayın travmasıyla başa çıkabilmek için gereken donanıma sahip olmadığından otomatik olarak yadsıma moduna girdin. Bu süreci durdurman ve yok etmen elinde değildi. Bazı anlarda bu ıstırap o kadar dayanılmaz hale geldi ki sen onu ancak yadsıyarak, görmezden gelerek dindirebildin. Yadsıman bir kalkan gibi seni henüz daha uğraşmaya hazır olmadığın utanç ve yıkımdan korudu. Tüm bunları içindeki çocuğun kendisini korumak için yaptığını hep hatırla. Çünkü o tüm bunlarla baş edemeyecek kadar küçüktü.

Yadsıman yani yaşadığın olayları yok sayman acı çekmeni önledi. Yadsıma mekanizman bir imdat çağrısıydı. Bu Yaradan'ın sana gönderdiği, burada işler sarpa sardı yardım gerekiyor mesajıydı.

Ama artık büyüdün ve bunlarla baş edebilirsin. Gerçek yaradılışını ne kadar yadsırsan o kadar ihanete uğrarsın, aldatılırsın, sömürülürsün ya da sana o kadar kötülük ve haksızlık ederler. Kötü davranışlarının durmadan tekrarlanarak sürüp gitmesine izin vermemelisin artık.

Doğru yolda yürümenin tek çaresi içindeki aklını kullanıp bu çocukluğundan gelen yansımaların sürekli farkında olmandır. Bu durumu önemsemez, yok saysaydın; öfken, aldatılman, kandırılman, adam yerine koyulmaman ömrün boyunca devam ederdi.

Sen bağışlamayı seçtin ve birçok armağan almaya başlayacaksın. Her şeyden önce kendin olacaksın.

İlerleyebilmen, olman gereken kişiye geri dönebilmen için yaşamını daha büyük bir güce, Allah'a teslim etmelisin! Allah'ı zihninde arama. Allah her zaman yüreğinde ve seninle. Tek yapman gereken O'nun yargısız, koşulsuz sevgisini ve gücünü kabul edip kendini O'na teslim etmen. Her zaman onun sevgisini yüreğinde hissetmen.

Olur olmaz yerlerde içinde o yaralı çocuğun sesi çıkagelip kötü, iğrenç ve kusurlu olduğunu söyleyince seçim yapma hakkın var. Böyle anlarda mizahın inanılmaz iyileştirici yönü vardır. Böyle anlarda mizahın gücüyle harekete geçip süreci değiştirebilirsin. Kendine gülebilen kişi otomatik olarak iyileşme yoluna girmiş olur. Hayatın senin için cehennem olduğunu düşündüğün anlarda mizahın en güçlü ilaç olduğunu sakın unutma. Durup derin bir nefes alıp zihnindeki düşüncelerle dalga geçmeyi seçebilirsin. "Hadi yürü anca gidersin! Kandıramazsın beni! La La La Laaa!" gibi sözcüklerle zihninden geçen düşüncelere cevap verdiğinde olayın hemen dışına çıktığını göreceksin. Hatta bunlara bir de melodi ekledin mi al sana kaymaklı ekmek kadayıfı:))

DİLHUN: Şimdi düşünüyorum da ben kendimle ve düşüncelerimle hiçbir zaman dalga geçmedim. Onları çok ciddiye aldım. Çünkü içimdeki yaralı çocuk o kadar güçsüz ve zavallıydı ki zaten tüm enerjisini bunları kapatmaya harcarken kendisiyle nasıl dalga geçebilirdi ki? Yüreğinde yoğun utanç duygusu varken kendisiyle dalga geçmesi hiç mümkün olabilir miydi? Acıma neden bu kadar çok tutundum Vaveyla? Hayatı ben neden bu kadar ciddiye aldım?

VAVEYLA: Hepimizin hayatları yaşam deneyimlerinden yani hikâyelerden oluşur. Sadece sen değil Dilhun birçok kişi kendi hikâyesine, acı dolu dramına, gerçekliğine inanılmaz derin bir sadakatle sıkı sıkı bağlanır. Hayatı gereğinden fazla ciddiye alır. İnsanlar hikâyelerine yani yaşadıkları olaylara sadık kalmak uğruna sevgiyi ve daha birçok şeyi bir kenara iterler. Diğer insanlara da hikâyelerine adeta bir destan havası vererek çevrelerini kendi dramlarına ikna etmeye çalışırlar. Kimileri de acılarının derinliğini bir ayrıcalık olarak görürler. Yaşadığımız tüm olaylar yani hikâyeler aslında sadece hikâyelerdi. Gölge inançlarımız yani kabul etmek istemediğimiz, kötü diye adlandırıp zihnimizin en derin köşelerine gömdüğümüz yanlarımız adeta tüm hayatımızı yönetirler. Onlar yaşadıklarımıza dayanma gücü vererek etrafa yansıttığımız kimliğimizin tam zıddı bir kişiliğe dönüşmemizi sağlarlar. Sevilmeye layık, önemli ve değerli bir insan olduğumuzu kanıtlamamızı sağlarlar. Ancak bu inançlar kontrol altına alınmazlarsa bize cephe alırlar. En çok istediğimiz şeye sahip olmamızı bile sabote edebilirler.

Evrende bulunan iyilik, kötülük güzellik, çirkinlik, fesatlık, bencillik, zenginlik, nankörlük gibi aklına gelebilecek her türlü duygu ve düşüncelerin senin de içinde olduğunu artık biliyorsun. Şimdi sana ilahi düzenle bütünleşmeni sağlayıp, zihnindeki ayrılık bilincini ortadan kaldırmanı sağlayacak harika bir çalışma yaptıracağım. Şimdiye kadar hiç tadına bakmadığın ama bundan sonra en favori pastan olacak bir pasta pişireceğiz seninle. Hem çok eğlenecek hem de rahatlayıp güçleneceksin. Bunu şimdiye kadar seninle yaptığımız tüm çalışmaların bir toplamı, en üst versiyonu olarak düşünebilirsin. Bu pastanın tadına bakarken dikkat et parmaklarını yeme ama olur mu:))

DİLHUN: Ay bu şimdi beni gerçekten çok heyecanlandırdı. Hazırım hadi başlayalım o zaman!

VAVEYLA: Hadi gel o zaman! Şimdi önünde kocaman bir tencere bulunduğunu hayal et. Sonra içinde olanı iyi kötü diye ayırt etmeden tüm duygularını, yaşanmışlıklarını bu büyük tencereye koymanı ve iyice karıştırmanı istiyorum. Öfke, kin, sevgi, nefret, merhamet, hoşgörü, aldatılma, sevgi, başarı ne varsa hepsini doldur, doldur. Hiçbirini dışarıda bırakmadan. Şimdi de hayalini kurduğun, yaşamında olmasını istediğin her şeyi pastanın içerisine tüm ayrıntılarıyla eklemeni istiyorum. İş, eş, sevgili, para, sağlık, çocuk gibi yaşamın her alanıyla ilgili sahip olmak istediğin her şeyi. Tencere çok büyük, hepsini alır merak etme. Şimdi bir tutam ben de varım ve gücüme inanıyorum düşüncelerini de ekle. Hepsini büyük bir kepçeyle şöyle güzelce bir karıştır. Oh ellerine sağlık nefis kokuyor. Mis gibi oldu. Şimdi bu hamuru büyük bir tepsiye döktüğünü hayal et. Gördün mü bak harika bir kıvam oldu. Şimdiye kadar defalarca denediğin ama asla elde edemediğin harika bir kıvam. Hadi şimdi parmağını hamura batır ve tadına bak bakalım beğenecek misin? Yaşamın boyunca çektiğin tüm sıkıntıların büyük çoğunluğu buradan kaynaklanıyor Dilhun. Şimdiye kadar hep tarifindeki sevmediğin malzemeleri çıkarttın, daha iyi hissedeceğine daha lezzetli olacağına inandın. Beğenmediğin, kabul etmediğin duygularının pastanın lezzetini bozacağını düşündün. Sahip olamayacağını düşündüğün parayı, başarıyı hamurundan hep uzak tutmaya çalıştın. Gerekli olan sadece her şeyi usulüne göre karıştırmak ve akıllıca kullanmak.

DİLHUN: Bu acayip lezzetli bir pasta oldu:)) Bayıldım bu tada:))

VAVEYLA: Hep olmak istediğin sen olabilmen için hamurundaki her malzemeye ihtiyacın var. Hamurunun içinden beğenmeyip ayıklamaya çalıştığın malzemeleri (sakarlığın, şişmanlığın, suçluluk duyguların, kıskançlığın) sen çıkardıkça hamurunun kıvamı giderek bozulmaya ve tutmamaya başladı. Ancak tüm malzemeleri kabul edip karıştırdığında hayalindeki en iyi "sen"e ulaşabileceksin. Yıllarını başka biri olmaya adadın. İçindeki yaralı çocuğu o tarafa bu tarafa çekiştirip durdun. Şimdi yapman gereken tek şey bu çabayı durdurmak. Atladığın ayrıntı ise bazen en zıt bir malzemenin tarifin içinde yer alması gerektiğiydi. Mükemmel bir pastada az miktarda tuz kullanılması gerektiğini unutma. Şekerini abartırsan hamurunu sulandırabilirsin:)) Acılarını, sevinçlerini, şimdiye kadar yaşadığın tüm deneyimlerini ve hissettiğin tüm duygularını malzeme olarak kullanmalısın. Dış dünyada görmek, deneyimlemek istediğin her şeyi önce içinde hissetmeli, onun var olduğunu kabul etmelisin. Bu yüzden maddesel anlamda dış dünyadaki her şeyi önce içinde düşünmelisin. Yakalamaya çalıştığın şey senden kaçar. Ancak sen onu içinde hissedersen, zaten ona sahip olduğunu kabul edersen rahat olursun ve direnci kaldırırsın. Bu yüzden evden, planladığın seyahatlere, ruh eşine, düğün törenine kadar her şeyin zaten içinde hamurunun malzemelerinde bulunduğunu unutma. Eğer sen onlara dış dünyada sahip olamayacak olsaydın hayal edemezdin bile. İyi bir evliliği, aşkı, başarıyı veya kariyeri hayal ediyorsan unutma bu senin de zaten hamurunda olduğu içindir. Hamurunda olmayan bir şeyi asla hayal edemezsin. Ben mesela Dilhun hiçbir zaman iyi bir balerin olmayı hayal etmedim ama iyi bir girişimci olmayı her zaman hayal ettim. Çünkü balerin olmak için gerekli malzemeler hamurumda yoktu ki nasıl hayal edebileyim? Hayallerinin gerçekleşmemesinin tek sebebi onların zaten içinde olduğunu unutman. Onları aramaya, yakalamaya çalıştın. Mücadele ettikçe uzaklaştın çünkü kendinden uzaklaşıp dışarılarda aramaya çalıştın. Malzemelerinin gerektiği şekilde hamurunun içinde yer almasına izin verirsen fırından çıkacak sonuç senin hep hayalini kurduğun hayatı sana sunacaktır. Unutma acının derinliği alman gereken dersin büyüklüğüyle orantılıdır. Tüm yaşadığın olaylar kendinin bir üst versiyonuna ulaşman için gereklidir. Tarifinin herhangi bir kısmından nefret edersen onu sürekli yaşamına çekersin ve acı yaşarsın. Başına gelenlerin yanlış olduklarına inandığın sürece bu tür acıları yaşarsın ve acılarla beraber sürekli kendine işkence çektirirsin.

DİLHUN: Bir an düşündüm de önümdeki 40 yıl boyunca hamurumdan bazı malzemeleri ayıklamakla uğraşabilirim veya tüm acılarımı, zaferlerimi, kalp kırıklıklarımı ve sevinçlerimi içine katıp ben adlı büyülü karışımı elde edebilirim. Şimdi geçmişime dönüp tarifimden atmak için çabaladığım parçalarıma bakmak istiyorum. Genelde malzememde kullanmak istemediklerim ben yeterince iyi değilim, bende bir hata var, önemsenmiyorum, zavallı ben, kimse beni sevmiyor, yeterince iyi değilim, buraya ait değilim, çok aptalım, beceriksizim, değersizim, hak etmiyorum, istenmiyorum gibi malzemeler olduğunu görüyorum. Hamuruma koymak istemediğim malzemelerimin ne kadar gerçek ve doğru olduğunu kanıtlayacak hikâyelerimi tekrar edip durduğumu görüyorum.

VAVEYLA: Hikâyelerine takılı kaldığında düşüncelerin çok farklı şekillerde yer alır. Gölgelerine takıldığın her an, hikâyene de takılıyorsun demektir. Hikâyelerine takılı kaldığın sürece de Logos'un sesini duyamıyorsun.

DİLHUN: Logos'la tanışmamım zamanı gelmedi mi henüz Vaveyla?

VAVEYLA: Sabırlı ol az kaldı. Bazı şeylere çok direnç koyuyorsun farkındasın değil mi? Biraz bununla ilgili açılıma ihtiyacın olduğunu düşünüyorum. İstenmeyen dramlar, şartlar, inançlar, olaylar yaşam dramının parçalarıdır. Birçok kişi gibi sen de bunlara o denli güçlü direnç gösterdin ki içlerindeki bilgeliği ve verecekleri dersleri göremedin. Direnç gösterdiğin her olaya duygusal acılarla kilitlendin. En çok değiştirmek istediğin şeye kilitlenirsin unutma çünkü tüm enerjini farkında olmadan oraya kilitliyorsun. Direnç koymaya çalıştığında farkında olamadan neden olmuyor gibi sorularla sürecin olumsuz yönlerine odaklanıyorsun. Yani olması için yapman gerekenlere değil olmama sebeplerine kilitleniyorsun. Zaten yeterince iyi değilim, bunun için param yok, çevrem yok, gücüm yok gibi sen de olmadığını düşündüklerine odaklanıyorsun. Bunu bilinçaltındaki gölgelerin yapıyor. İster hikâyelerin küçük bir kısmına ister büyük bir kısmına karşı çık, oluşacak direnç içsel dengesizlik yaratır. En çok vazgeçmek istediğin duyguları veya inançları sana daha çok mühürler. Geri adım atmak gibi gözükse de iyileşmenin ilk adımı direnç gösterdiğin her şeyi kabul etmektir. Dirence daha fazla bağlanırsın. Direnç ve iyileşme bir arada olamaz. Bu aile, ilişkiler, para, sağlık her durum için geçerlidir. Hayatında direnç göstermeye devam edeceğin herhangi bir şey kesinlikle seni bırakmayacaktır. Bunu garanti ederim. Direncin hamurunun içindeki topakları artıracağını hatırla ve hemen onu kabul edip hamura ekle. Böyle anlarda içindeki çocuğun debelenip durduğunu düşün ve onu sakinleştir. Onu bataklıktan çıkaracak sağlıklı bir ebeveyne yani sana ihtiyacı olduğunu sakın unutma. Onunla sık sık iletişime geç. Gerektiği yerlerde şefkat gösterirken gerekli yerlerde de otoriteye, komutlara ihtiyacı olduğunu unutma. Onunla net, samimi ve kendinden emin konuşmalısın. Onunla çoğu zaman senin yerine hâlâ cezalandırıcı, suçlayıcı, eleştirel ebeveynlerinin konuştuğunu unutma!

DİLHUN: Anlattıklarından anladığım kadarıyla direnç iç huzuruma kavuşmamı ve hayal ettiğim mutlu sona ulaşmamı gerçekten engelliyor. Hep aynı insan olarak kalmamın, değişemememin en büyük nedenlerinden biri de sanırım bu. Olayları irdelememe, verileriyle gitmeme karşı olan direncimin tekrarlanan davranışlarımı doğurduğunun şimdi sen söyleyince farkına vardım.

VAVEYLA: "Neden"e olan direncin yaşam enerjini emer ve doğal gelişimini engeller. Kendinde, başkalarında veya yaşamda bir hata bulur bulmaz direncin tetiklenir. İçsesin hemen şunları söylemeye başlar: "Böyle olmamalıydı! Neden böyle oldu?" İşte o andan itibaren tüm durumunu değiştirmek için tüm enerjini değiştirirsin.

DİLHUN: Artık Hakan'a da hiç ama hiç gücenmiyorum biliyor musun? Sanırım bunu başardım.

VAVEYLA: Yapman gereken de buydu, harika! İnsanlara gücenme duygunu içinde yaşattığın sürece onlara bağımlı kalırsın. Çünkü biliyorsun iyi veya kötü hiç fark etmez, enerji koyduğun her şeyi büyütürsün. Bu tuzaktan kurtulmanın tek yolu sorumluluk almandı. Sorumluluk alarak sana zararı dokunan kişilerden kendini kurtarmış olacağını hissettin ve aldın.

Şimdi sana zarar veren insanların sana nasıl bir armağan bıraktığını sağlayacak çok önemli bir konudan bahsetmek istiyorum. Tüm yaşadıklarını birleştirip seni zirveye taşıyacak bir noktaya hazır mısın? Yaşadığın hiçbir acıyı boşuna çekmedin Dilhun!

DİLHUN: Bunun daha ne kadar zirvesi olabilir ki? İçimde inanılmaz bir rahatlama duygusu var. Bunun zirvesini düşünemiyorum bile. Beni sürekli şaşırtıyorsun Vaveyla! Merak ettim yola devam o halde. Hadi zirveye çıkmaya hazırım Vaveyla! Çıkar beni zirveye! İçimdeki çocuk sevinç çığlıkları atıyor duyuyor musun?

VAVEYLA: Ah evet evet duyuyorum, duymaz mıyım hiç:)) Ben bankacıyım ve artık çok daha iyi bir bankacıyım. Mesleğimde giderek yükseliyorum, yeni projelere imza atıyorum. Hayal bile edemeyeceğim deneyimler yaşıyorum, her geçen gün daha çok kazanıyorum. Bugünlerde de en büyük hayalimi gerçekleştirmek üzereyim. Başarıma en fazla katkıda bulunan kişinin veya deneyimin ne olduğunu biliyor musun? Babam! Bunu ben de yeni keşfettim, çok uzun süre olmadı keşfedeli. Babam sık sık alkol alırdı. Sorumsuz bir babaydı. Annemle ilişkileri hiç iyi değildi. Benim de annemle de babamla da aram iyi değildi çünkü ben istenmeyen bir çocuktum. Zor, çok zor günler atlatarak bugünlere geldim. Neyse bu konuda daha fazla ayrıntıya girmek istemiyorum. Şimdilik bu kadarını bilmen yeterli. Babamın bana finansal konularda ne öğrettiğini merak ediyorsun değil mi? Alkolik ve sorumsuz bir baba istemeden dünyaya gelen kız çocuğuna finansı nasıl öğretebilir ki diye içinden geçirdiğini biliyorum. Haksız da sayılmazsın, çok haklısın. Okul yıllarımda babamın sık sık eve gelmemesinden dolayı annem de çok sorumsuz davranmaya başlamıştı. Annem para konusunda çok savruk davranıyor, ailenin bütçesini bir türlü ayarlayamıyorlardı. Çok küçük yaşlarda bana büyük sorumluluk vermişlerdi. Aslında onlar beni sevmiyorlardı. Bana yaşımı aşan sorumluluklar vererek beni cezalandırıyorlardı. Boyumu aşan alışverişlerden tut da elimdeki parayla evin faturalarını ödeyip üstüne kalan parayla kardeşlerimin ihtiyaçlarını gidermeye kadar.

Hayatımın hiçbir noktasında para idaresi ile ilgili hiçbir şey yapmak istememiştim.

Hayatımın belli bir evresinde çalışma zorunluluğum doğunca neler yapabileceğime baktım. Başkalarının değer vereceği bir yeteneğimi bulmaya çalıştım. İşte o zaman para idaresi konusunda uzman olduğumun farkına vardım. Çocukluğumun yoksul geçmesi beni bu konuda yetiştirmişti. Okula geri dönmeye ve finans diploması almaya karar verim. Bunları yaparken hayatıma ve aileme karşı öfkeliydim. Beni korkak yetiştirdiler. Önüme birçok fırsat geçti, cesaret edemediğim için değişimden hep korktum. Hem de çok kısa zaman öncesine kadar ama artık böyle düşünmüyorum. Kimseyi suçlamıyorum. Tüm umudumu kaybedip dibe vurduğumda kendimle yüzleşme cesareti gösterip Logos'un sayesinde hayatımdaki tüm şifreleri tek tek çözdüm. Ailemin aslında bana çok şey öğrettiğini fark ettim. Bu farkındalıkla yaşadığım zaman içimdeki taşlar oynadı ve yerine oturdu. Aileme karşı duyduğum tüm kızgınlık geçti. Artık onları ne para ne de diğer konularda sorumsuz oldukları için suçluyorum. Eğer onlardan almam gereken armağanı almasaydım ben şimdi bankacı da olamayacaktım. En önemlisi şimdi ki ben hiç olamayacaktım.

Bunu çok iyi anlamanı istiyorum. Zihninde iyice oturması için sana bir arkadaşımın hikâyesinden de bahsetmek istiyorum. Geçen gün yan komşum Meral kahve içmeye bana gelmişti. Sohbet ederken hıçkırıklar içinde kendisini değersiz, sevgiden yoksun, kırgın ve terk edilmiş hissettiren çocukluk anılarını birer birer hatırlayıp hüngür hüngür ağladı. Ailesinin onu yeterince sevmediğini, ihmal ettiğini düşünüp onların dikkatini çekmeye çalıştığını anlatıyordu.

Bir seferinde doğum gününü yalnız geçirmişti. Bir keresinde onu okul korosunda dinlemeye kimse gelmemişti. Bir keresinde tiyatrosunu kimse izlemeye gelmemişti ve Pamuk Prenses kostümünün içinde kendini yapayalnız hissetmişti. Meral'e "Onların hareketine ne anlam yükledin?" diye sordum. Gözyaşları şiddetlenerek "Beni önemsemiyorlar. Onlar için hiçbir anlamım yok. Ben hiçbir şeyim. Önemsizim" diye yanıtladı. Meral'e önemsenmeme hissinin kendisine kazandırdığı özelliğin ne olduğunu sorduğumda benim deli olduğumu düşündüğünü açıkça ifade eden bir bakış fırlattı. "Önemsenmemenin hiçbir olumlu yanı yok" diye yanıtladı. Ona "Önemsenmeme duygun seni ne yapmaya veya ne olmaya itti?" diye sorduğumda Meral, birdenbire, tüm hikâyesinin ve yaşamındaki tüm başarılarının bu temel gölge inancı sayesinde gerçekleştirdiğini fark etti. Önemsenmeme inancı ona eşsiz profesyonellik alanını kazandırmıştı. Çevresindekilere önemsendiklerini göstermeyi ve dünyada olağanüstü şeyler yaratmasını sağlamıştı. Meral daima okurlarının önemseyeceği kitaplar yazmak için çabalamıştı. İnsanları bir araya getirmeyi ve onlara kendilerini önemli hissettirmeyi biliyordu. Yaşam deneyimi ona önemsenmenin nasıl bir şey olduğunu çok iyi öğrettiği için insanları nasıl önemli hissettireceğini çok iyi biliyordu. Sonra Meral'e hikâyesinin çok değerli bir hazineyi sakladığını ve bunun ne olduğunu bulmayı önerdim. Ona gözlerini kapattırdım ve sordum: "Hikâyenin sakladığı sır nedir?" Birkaç dakika sessiz kaldık ve sonra yüzünde beliren kocaman bir gülümsemenin ardından şunları söyledi: "Dünyada çok büyük bir fark yaratıyorum. Ben önemliyim. Ben insanların kendilerini önemli hissetmelerini sağlıyorum."

DİLHUN: Aslında bu dünyada ne çok insan acı çekiyor değil mi? İnsan acı çekerken kendi acısından başka hiçbir şeyi hiçbir kimseyi göremiyor. Acı insanın ruhuna öylesine güçlü oturuyor ki tüm dünyasına hâkim olup onu tek başına yönetebiliyor... Bu acıdan kurtulup büyük resme bakabilmek öğreticiliğinden faydalanabilmek de ne yazık ki çok büyük bir emek ve belli bir zaman gerektiriyor. Herkes benim kadar şanslı değil maalesef. Gücendiğim insanlar bana gerçekten de hak etmediğim şeyleri yapanlardı. Sen karşıma çıkmasan kim bilir daha kaç kişi kalbimi kıracaktı ve ben bataklıklara batacak, sürünmeye devam edecektim.

VAVEYLA: Gerçek sorumluluğu almak bir süreçtir ve kurban olmaktan kurtulmanın da tek çaresidir. İstediğin hayatı yaşayamıyorsan, bir şeylerin hep tamamlanmadığını yarım kaldığını düşünüyorsan bu içindeki gücenme duygusuyla ilgilidir. Başarılı olmak istiyorsan içinde hiç kimseye karşı "Bak bana ne yaptın!" duygusu kalmamalıdır. Gücenme duygusu çok derindedir. Onu kabullenmediğin sürece bir gelişim gösteremezsin. Sadece biraz ilerler gibi hissedip kısa süre sonra aynı yere geri dönersin. Döndüğünde de daha çok direnç oluşturursun ve neden olmadığına odaklanır, olmama sebeplerini büyütürsün... Sürekli olarak tıkanmışlık hissedersin. Ailene karşı gücenmişlik duygunu sürdürdüğün için mutsuz olarak bilinçsizce onları suçlamaya devam ediyordun. Suçlama ve gücenme seni neden olmuyor duygusuna hapseden zehirli bir duyguydu. Bende de senin gibi aileme karşı yoğun bir gücenme duygum vardı. Gücenme duygumu kabul edip onayladıktan sonra merdivenleri çok hızlı çıkmaya başladım. İşte tüm bu düşünce sistemine ulaşmamı sağlayan Logos oldu. Her şeyi Logos sayesinde başardım.

Şimdi de Logos'un sayesinde hayallerime tek tek kavuşuyor mucizelere kucak açıyorum.

DİLHUN: Benim hayallerimin önüne hep bir engel çıktığını hissediyorum. Nasıl anlatsam hep bir güç benim önümü kesiyor sanki. Tam evet bu defa oldu dediğim anda hiç aklıma gelmeyen olmayacak şeyler oluyor ve tamamlanmıyor...

VAVEYLA: Hayallerini yaşamanı engelleyen kişileri saptayarak işe başlamak çok önemlidir. Suçladığın kişi ailen, öğretmenin, arkadaşın, akraban kim olursa olsun suçladığın insanlar kendi kendini baltalamak için mükemmel birer mazeret yaratırlar. Olabildiğince mutlu veya başarılı olmayarak bilinçsizce onları cezalandırıyor olabilirsin. Sözel veya sözel olmayan bir şekilde onlara şu mesajı veriyor olabilirsin: "Bak ben ne kadar başarısız oldum. Hepsi senin yüzünden. Hayatımı mahvettin." Bazen de suçladığımız kişileri başarılarımızla övünmesinler diye suçlamak için kendi kendimizi maniple ederiz.

Eğer hayatında gerçekleştirmek istediklerine kavuşamıyorsan büyük olasılıkla birisine veya bir şeye gücenme vardır. Kim bu gücendiğin kişi sence?

DİLHUN: Hem anneme hem de babama güceniyorum aslında ve şimdi başarılı olup onlara bu zevki tattırmak istemediğimi fark ettim.

VAVEYLA: Pekâlâ şimdi eğer "Bunların hepsini gelişmem ve büyümem için ben yarattım" diyebilirsen, sorumluluğunu alabilirsen bu yaşadıklarına son verebilir ve süreci durdurabilirsin. Unutma bunların hepsi Yardan'ın sana güçlenmen için en büyük armağanlarıydı.

DİLHUN: Hazırım. Peki bu noktadan sonra tüm sorumluluğumu nasıl almaktan kaçabilirim? "Bunların hepsini gelişmem ve büyümem için ben yarattım." Kabul ediyorum, tüm sorumluluğumu kabul ediyorum Vaveyla!

VAVEYLA: Ruhunun derinliklerinde kendinde bir hata olduğunu hissettin, tüm sorumluluğunu aldın ve değişimi başlattın.

Bu deneyim sonucunda kazandığın, öğrendiğin ve sonuçlandırdığın her şeyi listele. Sana biraz önce bu konudan bahsediyordum, az kalsın en önemli yeri unutuyorduk. Hani kendimden bir örnek vererek anlatmıştım. Bankacı olmamda ailemin bana verdiği armağanı anlatmıştım sana. Şimdi de senin hikâyendeki armağanı bulmanı istiyorum. Yapacağımız çalışma onunla ilgili.

Örneğin yaşamın boyunca içindeki çocuk ailen tarafından küçük görülüp aptal olarak nitelendirilmişse bunun sonucunda okulda çalışkan ve başarılı olmaya ve hayatında bir yere gelmeye karar vermiş olabilir. Bu deneyiminin içindeki çocuğa kazandırdıklarını bulmak için onun sana yaşattığı olumlu sonucu ve verdiği her dersi incelemelisin. Şunu sorabilirsin: "Bu olay olmasaydı sende eksik kalacak ve dolayısıyla dünyaya da gösteremeyeceğim bilgeliğin nedir?" Bu çalışmayı yaparken çocukluk fotoğrafının gözlerine odaklanarak ve 3 kez "Sen ve ben biriz" cümlesini tekrar ederek güçlendirebilirsin. "Çocukluğunda aptal olarak nitelendirilmen insanlara karşı daha akıllı olmanı sağlamış olabilir. Hayatındaki olumsuz olaylardaki olumlu yanları ortaya çıkarmadıkça bu deneyimler seni yönetmeye devam eder, işte bu yüzden çok önemli.

DİLHUN: İçimdeki yaralı çocukla konuşmak gerçekten çok etkileyici. Nefesim kesiliyor, sanki gerçekten karşımdaymış gibi hissediyorum. Bazen ona çok acıyorum, bazen üzülüyorum, bazen de gözyaşlarını silmek için bilinçsizce ellerimi yanaklarına götürüyorum. Öyle mutlu oluyor ki tüm bedeni heyecandan sıcacık oluyor. Peki hikâyelerimizin içinde hiç kimsede olmayan eşsiz bir özelliğimiz olduğunu söylüyorsun. Bu özelliğin tüm yaşadıklarımıza karşılık paha biçilemez bir ödül olduğunu. Bütüne tekrar kavuşmamız için çok iyi bir armağan olduğunu doğru anlamış mıyım Vaveyla!

VAVEYLA: Evet çok doğru anladın Vaveyla, tam da bunu ifade etmeye çalışıyorum. Yaşamını tüm ayrıntılarıyla incelediğinde ve kendine şu soruları sorduğunda sadece sende var olan yeteneğini ortaya çıkartırsın.

"Şimdi niye bu inanca veya bu deneyime ihtiyacım vardı? Bu olay benim dünyaya olabilecek eşsiz katkım konusunda nasıl yardımcı olabilir? Tüm yaşadıklarımdan sonra dünyaya şimdi ne sunabilirim? Bu olayı yaşamış olmak bana hangi bilgileri ve içgüdüleri kazandırdı? Eğer hayatım şimdiye kadar beni bir amaç için eğitmiş ise bu amaç nedir?" Çoğu kişi hikâyelerinin içindeki özel amacı göremez. Sana hikâyenin içindeki özel armağanı görebilmen için ihtiyacın olan tüm bilgileri verdim. Şimdi bu armağanı bulmanı istiyorum. Lütfen Dilhun bu çok önemli bir nokta. Kendi içinde bir değişiklik yapar yapmaz dünya hemen buna cevap verecek. Evrene ve içindeki bilgiye güvenmen halinde istediğiniz her şeyin kolaylıkla sana iletildiğini fark edecesin.

Bu profesyonel olduğun alanı bulmak için tüm önemli deneyimlerini ortaya koyman ve onları sindirmen gereklidir. Bu işlemi tamamlamak için birkaç şey yapman gerekiyor.

Kendine sor. "Bir okulda geçmişindeki olaylara dayanarak öğretmenlik yapman gerekseydi verebileceğin dersin adı ne olurdu? Yani yaşam derslerin sana hangi alanda öğretmenlik yapmayı öğretti?" Yaşamındaki deneyimlerin sana ne konuda öğretmenlik yapma şansı verdiğine bak.

DİLHUN: Şaşkınlık içerisindeyim Vaveyla! Ben içmimarım ama yaptığım işi hiç sevmiyorum. Öğretmen olup o bana emanet edilen çocuklara ihtiyaçları olan bilgileri verebilmek, onları sevebilmek istiyorum. Bunun şimdi farkına vardım ve sevinçten yerimde duramıyorum. Bu saatten sonra neyi ne kadar değiştirebilirim bilmiyorum ama çok heyecanlıyım. İlkokul evet ilkokul öğretmeni olmak isterdim. Anneleri babaları onlara kızdığında, okula üzgün geldiklerinde sarılabilmek, yaralarını hafifletebilmek. Gösterilerini izlemeye anne babaları gelmediğinde onları tüm dikkatimle ben izlerdim. Ağlarken burunlarını silmek, sevildiklerini hissettirmek isterdim. Of yine ağlıyorum, içim titriyor, tüm çocukluk anılarım, sevgisizliğim, itilmişliğim geldi yine aklıma. Bana kimse çocukken gelip de ne oldu yavrum, niye üzülüyorsun demedi. Evet Vaveyla ben bir ilkokulda gerçekten iyi bir öğretmen olmak ve onlara sevginin gücünü deneyimleterek öğretmek isterdim. Bu okulda ne hukuk, ne sağlık, ne doğa, ne de başka şeylerin dersini vermek isterdim. Sadece ve sadece sevginin gücünün insan hayatındaki etkisini tek tek hissettirerek büyütürdüm onları. Dersimin adını da sevginin gücü koyardım. Çünkü "Tüm yaşadıklarımdan sonra dünyaya şimdi ne sunabilirim? Bu olayı yaşamış olmak bana hangi bilgileri ve içgüdüleri kazandırdı? Eğer hayatım şimdiye kadar beni bir amaç için eğitmiş ise bu amaç nedir?" sorularını sorduğumda;

yaşamımdaki deneyimlerin bana sevginin önemi konusunda çok iyi bir öğretmen olabileceğimi söylüyor. Bunu nasıl başarabilirim Vaveyla!

VAVEYLA: Bunu hemen mimarlığı bırakıp öğretmen olmaya çalışarak gidermeye çalışma. Bu seni strese sokar. Bunlar çünkü hemen olacak şeyler değil. Belli birtakım sürçlerden geçmen gerekecek. Ben sana keşfettiğin armağanını şöyle değerlendirmeni söyleyeceğim. Öncelikle yaptığın tüm işe bu sevginin gücünden bol miktarda koyarak işe başlamalısın. Bunu hemen tamam hayatımı değiştireceğim, şöyle yapacağım böyle yapacağım modlarıyla gaza gelerek düşünme. Gerçekçi düşün ve var olan hayatının ve elindekilerin imkânıyla değişimi başlat. Gerisi zaten gelecek merak etme. Sonra sevginin gücü dersini sokakta, evde, çarşıda her yerde işlemeye başla. Zaten sen hikâyenin sana verdiği bu armağanı kullanıyorsun. Yeterince sevecen ve vericisin. Tek yapman gereken sınırlarını koruyarak, gerektiğinde hayır diyerek, hak edene hak ettiği kadar bu öğretmenliği yapabilmen. Yoksa farkındasın değil mi hikâyen sana zaten bu şansı vermiş. Sen sınırlarını çizemediğin için sürekli bu sevgiyi verme derdindeydin. Hatırla hayat alma ve verme dengesi üzerine kuruludur. Şimdi sana çok daha önemli bir şey söyleyeceğim. Bu sürekli dışarıya dağıtmaya çalıştığın sevginden önce kendine bol miktarda vererek işe başlamalısın. Senin sevgi depoların bomboş. Sevgiye olan ihtiyacını görmezlikten geliyorsun ve sürekli diğerlerine vererek bu ihtiyacını gidermeye çalışıyorsun. İhtiyacın olan sevgiyi kendine vermeden diğerlerine verirsen bunda korku var demektir. İlahi düzende hayırlı olan tüm işler saf sevgiyle yürür. Korkunun, nefretin, kinin en ufak bir kırıntısını bile hiçbir mucizenin içinde bulamazsın. Bu yüzden kendi gücüne inanarak Yaradan'dan aldığın sevgiyi iliklerine kadar doldurarak yaşamın her alanında öğretmenlik yapmalısın anladın mı? Senin problemin dediğim gibi yaptığın işleri aşkla, sevgiyle yapmıyorsun. İçindeki çocuk öfkeli, kızgın ama bunu göstermemek, saklamak için çok iyiymiş, sevgi pıtırcığıymış gibi davranıyorsun. Herkesi kandırabilirsin ama ilahi düzeni asla. İlahi düzen içindeki yaralı çocuğun iyileşip sevgi dolu, neşeli, tutkulu ve sağlıklı bir çocuğa dönüşmesini bekliyor. Yaşamı, sonucuna odaklanmadan oyunun sürecine odaklanarak, bir çocuk edasıyla oynamaya başlayınca bolluk bereket sana akacaktır... Odaklandığımız şeyi büyütürüz ilkesini hemen hatırlamanı istiyorum. Sonuca odaklanırsan hedefin gittikçe büyür. O kadar büyür ki ona giden yolların önünü kapatır ve göremezsin, kesersin. O kadar büyütürsün ki onu evrenle bir bütün haline getirirsin. Sen büyüttükçe o ait olduğu yere daha da sıkı sıkı yapışır. Çünkü büyüyor ve alanı giderek genişliyor. Alanı genişledikçe senden uzaklaşıyor. Onu gözünde büyüterek öyle bir evrene yapıştırırsın ki kopup sana gelemez. Onu giderek kendinden uzaklaştırırsın. Sonucu isteyip hayal edip sonra bir çocuğun oyun oynadığı süreçteki gibi unutup sürecine odaklanırsan o istediğin şey tutunmadan salına salına sana gelir ve hayallerin gerçek olur. Hamurunda olmasaydı o hayali zaten kuramayacağını unutma. Hayalini cebinde düşün ve yola onunla birlikte devam et. Çocuk legolarıyla ev yaparken sonunda o kulenin olup olmayacağına odaklanmaz. Amacı kule yapmaktır evet. Kule yapmak için yola çıkar. Kuleyi yaparken odaklandığı o andaki elindeki parçaları birbirine geçirdiği süreçtir. Kulenin son hali değildir. Eğer kulenin son haline odaklanarak parçaları birbirine takmaya çalışırsa takamaz. İzlemesi gereken süreçleri takip edemez çünkü. İçindeki çocuk ne kadar serbest ve kayıtsız olursa sonuca değil sürece odaklanırsa hayallerin de o kadar gerçek olur. Sen yaptığın işleri sevgi koymadan korku duygusu ile yapıyorsun. Sonra süreci unutup hep sonuca odaklanıyorsun. Sonuca odaklandığında direnç koyuyorsun unutma. Yaradan'dan gelen koşulsuz sevgi sınırsızdır, bitmez, bol miktarda rahat rahat kullan. Önce kendine vermeyi sonra da yaptığın her işin içine bir tutam sevgi bırakmayı sakın unutma. Rahat ol oyununu oynarken rahat ve sakin ol! Niyetlerinin gerçekleşmesi için içindeki çocuğun sevgi dolu olup yaşama güvenmesi gerektiğini unutma. Bir çocuğun eleştiriden, yargıdan ne kadar uzak olursa, oyuna kendini bırakırsa o kadar yaratıcı olduğunu hep hatırla. İçindeki çocuk incinmiş ve yaralı olarak oyun oynayacak olursa asla istediği kuleye keyifle ulaşamayacaktır. Hayallerinin gerçekleşmesi, bolluk ve berekete kavuşman için bir an önce içindeki yaralı çocuğu iyileştirmeli, onun mutlu olmasını sağlamalısın.

DİLHUN: Hikâyemim dışına çıkmak, ondan kopmak için seni çok uğraştırdım ama değdi Vaveyla! Bana o kadar büyük armağanlar verdin ki sana sarılıp teşekkür etmek istiyorum. İyi ki hayatıma girdin Vaveyla. Seninle karşılaşmış olsaydım belki de şu anda yaşamıyor olacaktım.

VAVEYLA: Birbirimizin hayatına girdik, demek ki ikimizin de birbirimize ihtiyacımız varmış. Ben de senden çok şey öğreniyorum, sayende bilinç seviyemi yükseltiyorum. Sana asıl hediyemi henüz vermedim unutma. Seni daha Logos'la tanıştırmadım. Logos Yaradan'ın sana en büyük armağanı ama az kaldı merak etme. Onunla da tanışacaksın.

Hikâyenin dışına çıkmak zordur ama çıktın mı içini büyük bir sevgi ve güç doldurur. Kendinin en yüksek versiyonunu ifade eden duygularla yüklü olursun. İçinde dolaşan içsel bilgi şöyle der: "Gitmem gereken yere beni götüren Evren'e güveniyorum. Yaşamı seviyorum. Her şey olması gereken zamanda karşıma çıkıyor. Yeterli olana sahibim. Ben yeterliyim. Ben yapabilirim! Hikâyenin dışına çıkmayı öğrendin ve artık birçok şeyin tadını çıkartacaksın... Heyecan, neşe, bolluk, şefkatlik, güven, minnettarlık, hepsi seninle olacak.

Dünyanın sana ihtiyacı var. Sana ihtiyaç duyulduğunun farkında mısın? Yardımına gerçekten ihtiyacımız olduğunu görebiliyor musun? Dünyada fark yaratma ihtiyacında olan senin parçana söylüyorum. Sırrını açman, tarifini karıştırıp pastanı pişirmen ve sunman için doğru zaman şimdidir. Partiye katıl. Bu senin partin Dilhun!

DİLHUN: Hayatımın ilk gerçek partisine katılmaya hazırım Vaveyla! Ben de, ben de varım!

VAVEYLA: Güzel, harikasın, bak hamurunun kıvamı gittikçe güzelleşiyor görüyor musun? Ama henüz tam istediğimiz kıvamda değil, biraz daha istediğimiz kıvama gelmesi için yoğurmalıyız. Büyük topakları erittik ama hâlâ hamurunda gözüme batan, elime gelen minik de olsa topaklar var:))

DİLHUN: Hımmm... Neymiş o topaklar Vaveyla? Merak ettim. Bende de ne çok topak varmış. Karıştır karıştır bir türlü bitmiyor. Eee malzemeler kötü olunca hamur da kötü oluyor tabii:))

VAVEYLA: Unutma Dilhun tekrar hatırlatıyorum, hamurundaki hiçbir malzemeyi iyi veya kötü diye ayırma. Ayırdığını, büyüteceğini unutma tamam mı?

DİLHUN: Evet ya Vaveyla, ben hep böyleyim, hiçbir şeyi tam olarak sonuçlandıramıyorum. Bu sefer tamam bitti kavradım diyorum, unutup yine başa dönüyorum. Oysaki bana bunu kaç kez anlattın ben hâlâ iyi kötü diye sınıflandırıyorum.

VAVEYLA: Sana söylemiştim, sohbetimizi senin ihtiyaçların üzerinden yürütüyoruz diye. İhtiyacın olan kendisini sürekli gösteriyor. Suçluluk duygularından biraz daha arınman gerektiğini düşünüyorum. Niye dersen hani olayları yarım bırakıyorum tamamlayamıyorum demiştin hatırladın mı? Tüm sonuçlandıramadığın meselelerinde kendine karşı duyduğun suçluluk duygusunun payının sende biraz daha büyük olduğunu görüyorum. Suçluluk duygusu kendini dinlememekten, temel inançlarına aykırı seçimler yapmaktan, sevdiklerini hayal kırıklığına uğratmaktan ve bencil olduğuna inandığın davranışları sergilemekten kaynaklanıyor. İçindeki yaralı çocuk yanlış veya kötü bir şey yaptığına inanarak suçluluk kaynağı yaratır. Gerçekten hak ettiğin cezanın başına gelmesini bekler ve bundan korkarsın. İçindeki çocuk geçmişindeki yarım kalan işlerini tamamlamadığı sürece onları düzeylerine göre bilinçsizce kendini sevgiden, başarıdan ve bolluktan yoksun bırakarak cezalandıracaktır... Suçluluk duyduğun anlarda genelde cezalandırıcı ebeveyninin seninle iletişime geçtiğini unutma.

DİLHUN: Bu duygunun çok derinlerden geldiğini hissediyorum evet haklısın.

VAVEYLA: Evet bu çok derinlerden gelen bir duygu, bu aynı zamanda karmanla ilgili derin bir duygu. Bunu çok iyi çözümlemeliyiz. Şimdi sana karmanı çözümlemen için bir çalışma yaptıracağım. Bu sadece suçluluk duygunu değil bilincinin derinlerinden gelen birçok farkına varmadığın içindeki çocuğun önüne set çeken davranışlarının önünü açacak güzel bir çalışma. Karmik çözümleme bilinç düzeyinde bütünlüğüne tekrar kavuşma işlemidir. Yanlışlarını doğrulara dönüştürdüğünde onu başarırsın. Karmik çözümleme hikâyeni aşmanın yolunu sana gösterir ve hak ettiğin öz sevgiye seni kavuşturur. Karmik çözümleme kendinle, başkalarıyla ve dünyayla olan ilişkilerini iyileştirme işlemidir. İki elini de üst üste gelecek şekilde göbek deliğinin üstüne koymanı istiyorum. Nefes çalışması sürecinde bedenindeki tüm karmik dengeni bozan deneyimlerin burada toplandığını imgele. Şimdi gözlerini kapatmanı, ağzını bir ceviz büyüklüğünde açıp ağzından arka arkaya durmaksızın 50 nefes alıp vermeni istiyorum. Bu arada geçmişten getirdiğin tüm negatif deneyimlerin göbek çevrende toplandığını imgele. Ah evet işte aynen böyle devam, devam, biraz daha hızlı, başın dönecek biraz ama hiç önemli değil. Bu çalışmayı doğru yaptığının bir göstergesi. Evet 50 oldu tamam harikasın. Ellerinle şimdi simsiyah olarak göbek çevrende biriken, sana engel olan karmik deneyimlerini alıp fırlatıp yuvaya geri göndermeni istiyorum. Harikasın işte aynen böyle! Süper! Gözlerini açmanı ve şimdi kendine şu soruları sormanı istiyorum:

"Karmik dengeme kavuşmak için ne yapabilirim?" Ve içinden doğacak yanıtları duymaya da gönüllü olmalısın. Karmik terazin dengede olduğu zaman doğallıkla daha yüksek özgüven ve değerlilik düzeylerine çıkacaksın. Ancak bu noktadan sonra en derin isteklerini gerçekleştirir ve evrenin cömertliğinden yararlanabilirsin. İçindeki bilgelik bozduğun şeyi tekrar dengelemeni sağlar. İçindeki karmik teraziyi dengelediğin ve bütünlüğüne tekrar kavuştuğun andan itibaren eski olaylardan kaynaklanan duyguların ve düşüncelerin içine çekilmezsin. Unutma aldatmaların, iflasların, başarısızlıkların, hırsızlıkların, suçluluk duygularının çoğunluğu karmadan gelir. Bu yüzden karmanı temizlemen çok önemli. Bilinçaltından gelen davranışlarını hayatını değiştirmek için yüzde birlik karar hakkı olan ama tüm kararları veren düşünen beyni güçlendirmek en hızlı dönüşüm sürecidir. Bilinçaltını değiştirmeye çalışmak sadece zaman kaybıdır, pek de işe yaramaz. Soru sormak bilinçli zihni güçlendirmek için güçlü tekniklerden sadece biridir. Şimdi gelelim bağışlama işlemine. Bağışlama işlemi kendinle olan ilişkilerin iyileştirmek için yeni davranışlar benimsemeni gerektirir. Bunun için şu soruyu sorabilirsin. "Kendi bütünlüğüme ve bu kişiyle olan karmik dengeme kavuşmak için ne yapabilirim?" Bunu gün içerisinde sorun yaşadığın herkes için sorabilirsin. Örneğin Hakan için sormak istersen şöyle yapabilirsin: "Kendi bütünlüğüme ve Hakan'la olan ilişkimde karmik dengeme kavuşmak için ne yapabilirim?" Merak etme bu soru kalıbı sorun yaşadığın kişiyle kökten bir düzenleme yapıp karmanı çözümleyecektir. Unutma ilahi düzen her sorduğun sorudan sonra senin için yeniden dizayn edilir. Senin sorularını cevaplamak için harekete geçer ve asla yanıtsız bırakmaz. Lütfen her zaman başına gelmesini istediğin akıllı soruları sor Dilhun! İlahi düzen iyi-kötü, yanlış-doğru, güzel-çirkin gibi ayrım yapmadan her sorunu eşit tutar ve cevaplarını sana sunar. Sistem kendisini arındırıyor ve her şey sadeleşiyor dikkat et. Sistem artık doğal ve sade olanı destekliyor. Teknikler ne kadar basitse ilahi düzende o kadar hızlı işler! Zor ve karmaşık olan her şeyden uzak dur Dilhun! Bu da zamanla tüm kapıların açılmasını sağlayacaktır.

DİLHUN: Benim kendimle bütünleşmem bütünsel hayatıma nasıl yansıyacak çok merak ediyorum biliyor musun? Uzun süredir geçekten bu heyecanı içimde hissetmemiştim... Hani dedin ya parada, kariyerde, ilişkilerde olsun insanın kendisiyle bütünleşmesi çok önemlidir diye. Bu nasıl olur, nasıl yansır Vaveyla?

VAVEYLA: İnsana şu hayatta en zor gelen şeylerden biri de kendisini olduğu gibi kabul edebilmesidir. Kendini tüm gerçekliğiyle tanıyan ve olduğu gibi kabul eden insanın, duruşu ve bakışı güven verir... Sen kendini olduğun gibi kabul ettikten sonra bilincinin derinlerinden gelen korku enerjisi sevgi enerjisine dönecek. İçinde korku barındırmayan niyetlerin ve eylemlerin Yaradan'a daha kolay ulaşacak. O'nunla olan bağın güçlenecek. Yaşadığın tüm deneyimlerinin amacı Yaradan'a daha çok yaklaşabilmek, O'nun koşulsuz sevgisini hissedip aradaki korku duvarlarını yok etmekti. İşte bu yüzden tüm hayatın değişmeye başlayacak. En çok da hislerin değişecek ve içindeki boşluk duygusu en güzel sözcüklerle dolacak Dilhun!

Bundan sonra hayatına giren sevdiğini veya sevmediğini düşündüğün kişiye beslediğin duyguların bilinçsizce, sinsice bilinçaltından gelen imgelerin ürünü olabileceğini hatırla. Bunu ayırt etmek için lütfen kendini bu kişiden ve olaydan uzaklaştır, dışına çık. Sonra da sen bu kişiden sıyrılınca bu kişide neler kalıyor buna bak! Yani bu kadın beni deli ediyor, gereksiz gereksiz konuşuyor, saçma sapan davranıyor demeden, önyargılı olmadan önce o kişiden seni iyice sıyır bakalım ortaya neler çıkıyor? İşte bu kendini diğerlerinde görebilmen için harika bir teknik. Diğerlerine ve hayata karşı olan tüm eleştirilerin, yargıların, dirençlerin sana bilinçaltının oyunları. Akıllı oldun mu oyunu sen kazanırsın!

Sonra da başına ne gelirse gelsin yargılamadan huzurla kucaklarsın. Bundan sonraki süreçte sadece kendini ait hissettiğin yerde kalacağın için yaşamındaki birçok şey değişebilir, değişime hazır ol!

DİLHUN: Endişe sadece geleceğin kötü olduğunu düşünmek değilmiş, onu kontrol etmeye çalışmakmış. Korku insanı ele geçirdi mi sadece zihnini değil adeta insanın tüm kaslarını ele geçiriyor. Bu, öyle güçlü bir duygu ki her an durmaksızın insanın zihnine akıyor. Tüm bunlardan kurtulmak çok güzel...

VAVEYLA: Senin hayatını şekillendiren asıl şey değerlilik duygusudur. Tüm içindeki bu duyguları yaratan değersizlik duygundu. Bu duyguya göre hayatın şekilleniyor. Bu duygunun etkisi ile çalışkan, tembel, ukala, kıskanç, cesur veya sevgi dolu oluyorsun.

İnsan doğası gereği bu değerlilik duygusundan dolayı, her zaman her yerde üstün görünmek ister. Çevremizdeki kişiler tarafından fark edilmek, beğenilmek, sevilmek istedik. Bunu gerçekleştirip bu duyguyu tatmak için de bütün yollara başvurduk. Çalıştık, hastalandık, tembellik yaptık. Tembellik bile bir araç oldu bizim için:)) Bak şimdi sana bilinçaltının çok daha ilginç oyunlarından bahsedeceğim.

Senin aşırı derecede kibarlaşman da üstünlük duygusunu tadabilmek içindi biliyor musun?

Yetersizlik duygundan kurtulmak veya başarısızlıklarınla karşılaşmamak, üstünlük duygusuna ulaşmak için çok kibarlaştın:)) Sen doğarken tembel olarak doğmadın. İstenileni yapmıyorum, yapmak istemiyorum, ben de karşı koyabiliyorum, ben de bir bireyim ve ben de varım diyebilmek için tembellik yaptın. Ya da senin için işkence haline gelen çevrenden kurtulmak için yaptın.

Aynı şekilde, mükemmellik duygunun altında bilinçaltından gelen çok farklı sebepler var. Üstünlük duygusunu tadabilmek için kibarlaşmak ne ilginç değil mi Dilhun? Yalnız değilsin merak etme, bunu zamanında ben de çok yaptım:)) Gerçekten de insanın göze çarpan dış dünyaya yansıyan kısmının yanında ve arkasında görünmeyen bilinmeyen onu yöneten karanlık bir yönü olan bilinçaltı çok güçlü ve sinsidir.

DİLHUN: Kendimizi bile tanıyamıyoruz, anlattıklarına bakılırsa bilinçaltı resmen tüm dünyamızı ele geçirmiş ve sinsice bizi yönetiyor. Ben kibarlaşmamın, hastalanmamın bile bilinçaltının oyunu olduğunu yeni yeni öğrenirken kendimi tanıyamazken diğerlerini nasıl tanıyacağım Vaveyla!

VAVEYLA: İnsanları tanımak istiyorsan önce sana gerçekten hissettirdiklerine bak sonra da bu hislerinin gerçekliğini çok hızlı bir şekilde sorgula Dilhun.

Tanıdığın kişi hakkında düşüncelerini soranlara çoğu zaman bir cevap verirsin. Bu kişi ile ilgili zihninde mutlaka birtakım duygu ve düşünceler oluşur. Bunlar yakından ya da uzaktan tanıdıkların olsun hiç fark etmez. Diğeri hakkında geçmişe dair zihnine imgeler gelmeye başlar.

DİLHUN: Peki bu diğerleri hakkındaki düşüncelerim her zaman doğru mudur? Bu düşüncelerime ne kadar güvenebilirim? Bu düşüneler gerçekçi midir? Bunları nasıl sorgulayabilirim?

VAVEYLA: İnsanların sende uyandırdıkları hisler senin için en iyi ipuçlarıdır. İsteğin üzerine seni kırmayan bir arkadaşın sinemaya geliyor ama bunun sonucunda da sende suçluluk duygusu uyandıysa bu suçluluk duygusu sende kalacaktır. Bu suçluluk duygusunu zihninin ilişkilendirme yapıp yapmadığına dair sorgulamalısın. Neden suçluluk duygusu yaratıyor? Unutma duyguların düşüncelerinden kaynaklanır ve yanıltıcı olabilir. Sen farkında olmadan bilinçaltın çocukluk döneminde kendini suçlu hissettiğin bir anıyla ilişkilendirme yapmış olabilir. Arkadaşın suçluluk yaratarak senin üzerinden ihtiyacı olan saygıyı almak istiyor da olabilir. Bunun için yapman gereken çok basit. Örneğin birisinin senin için gerçek hislerinin ne olduğunu, sevip sevmediğini ve daha birçok şeyi bu yolla öğrenebilirsin. Bu çalışmayı gökyüzüne bakarak yapmalısın. Gökyüzüne bak ve burnundan aldığın nefesi yavaşça ağzından ver. Bunu 10 kez tekrarla ve arkadaşınla gökyüzünde göz göze geldiğinizi imgele. Onun gözlerine bakarak 3 kez şu sözcükleri tekrarla: "Sen ve ben biriz!"

Sonra gökyüzüne bakarak şunları söyle: "Allah'ım ... kişinin benim hakkımdaki gerçek hislerini öğrenmeye niyet ediyorum. Lütfen bunu görmemi, duymamı, hissetmemi sağla." Bu şekilde 2-3 dakika gökyüzüne bakarak bekle. Böylece yanılmana sebep olabilecek duygular tek tek akacak, düşünen beynin susacak ve gerçekçi olan hisler sana kalacak. Sonra da aklını kullanarak kararlar alacaksın.

DİLHUN: Of! Ben bu teknikle neler yaparım neler. Harika! İnsanları tanımak gerçekten çok zor Vaveyla! Bu konuda fikirlerine daha çok ihtiyacım var. İlişkilerde çok zorlanıyorum. Harika fikirler veriyorsun lütfen biraz daha anlatır mısın? Lütfen!...

VAVEYLA: İlişkileri çözümlerken kendini de çözüyorsun bu yüzden hoşuna gidiyor. ilişkiler bulmaca gibidir çözdükçe tadına doyum olmaz.

Düşünceleri, fikirleri, duyguları, davranışları hakkında yorum yapıp tanımlamaya çalıştığın kişi senin bütün olarak görüp algıladığın kişi değildir. Senin zihninde oluşan "O" senin sadece gördüğün kadarıyladır. Bazen de zihnin daha da ilginç şeyler yapar. Bu kişiyi kendin gibi düşünürsün:)) Yani kendini nasıl seviyorsan onu da öyle seversin. Kendine kızdığın gibi ona da kızarsın:)) Seni ne harekete geçiriyor motive ediyorsa veya ne engelliyorsa onun için de aynı mevcut durumun olduğunu düşünürsün. Bu birçok kişi için geçerlidir. Mesela Hakan çok kıskanç olan bir kişi olduğu için, bu duygularının etkisi ile herkesi kıskanç olarak değerlendirebilir çünkü kendisinde bu duygu yoğun olduğu için ve diğerlerini de kendisi gibi gördüğü için zihni otomatik aynı şekilde algılar. Yine Hakan hava atmayı seven bir kişi olduğu için insanlara bu amaçla yardım ediyorsa, yardım da bulunan herkesi "Hava atmak için yapıyor" kalıplarına sokabilir.

DİLHUN: Bazen bazı kişilerin yaptığı gayet yerinde ve normal davranışları sebepsiz yere beni çok sinirlendirirken bazen de bazı kişilerin yersiz saçma sapan davranışlarına saatlerce gülebiliyorum. Neden böyle oluyor sahiden Vaveyla! Neden bazılarına karşı daha toleranslı oluyoruz? Neden bazılarını hiç tanımasak da bir anda kendimize daha yakın hissediyoruz?

VAVEYLA: Sevgini kazanan kişilere benzeyenleri kendine daha yakın hissediyorsun çünkü zihnin ilişkilendirme yapıyor.

DİLHUN: Sanırım bu yüzden sevdiklerimize ve kendimize yakın hissettiklerimize de tarafsız davranamıyorum öyle değil mi? Sevdiklerimi bütün olarak değerlendiremediğim için tarafsız olarak da değerlendiremiyorum.

VAVEYLA: Sen duygularının sana fısıldadıklarına göre, değerler sistemini oluşturuyor, hayatına anlam katıyorsun. Duyguların harekete geçtiğinde mantık yürütmüyor, aklını kullanmıyorsun.

İşte tam da bu yüzden sevdiklerine karşı tarafsız olamıyorsun evet. Yani, sevdiklerini bütün olarak algılayamıyorsun... Onların iyi ve kötü taraflarını net olarak göremiyorsun. Onları kusursuz olarak görmek istiyorsun. Sevmediğin veya kendine yakın bulmadığın kişilerde ise hep bir hata ve eksiklik arayıp duruyorsun! Tüm bunları yapanın içindeki çocuk olduğunun farkındasın değil mi? O kendisini duygu seline kaptırmış gidiyor!...

DİLHUN: Herkes herkese aynı davranmadığı için mi herkes herkes için aynı anlamı ifade etmiyor? Bu yüzden mi herkes herkes için aynı değildir?

VAVEYLA: Hiçbirimiz herkes için aynı değiliz. Bir insan herkes için aynı insan olamaz. Bu mümkün değil. Aysun'a yardım ettiğin için Aysun seni çok sevebilir. Ama Hülya seni bu yüzden niye sevsin ki? Hatta gıcık bile olabilir. Hele bir de Aysun'u sevmiyorsa:)) Hayatına çektiğin insanları senden yansıyanlar doğrultusunda çekersin. Kimseyi tesadüf hayatına almazsın. Hayatına giren kişiler 3 sebepten dolayı girer:

1) İhtiyacın olanı sana göstermek için. Örneğin gezip tozan ama eleştirdiğin, yargıladığın, ayıpladığın kişi varsa bu kişinin hayatında olmasının sebebi senin de gezmeye, eğlenmeye zaman ayırman gerektiğini göstermek için olabilir.

2) Kabul etmek istemediğin yönünü göstermek için: Örneğin kaba, yüksek sesle konuşan birisine aşırı derecede sinirlenip tepki veriyorsan senin de buna benzer özellikleri yaptığının bir yansıması olarak karşına çıkabilir.

3) Zenginlik, çekicilik gibi sahip çıkmaktan korkup üstünü kapattığın güzel yönlerinin yani ışığının yansıması olarak çekebilirsin. Kıskandığın, özendiğin, imrendiğin insanların potansiyelleri sende de vardır ve buna sahip çıkman için hayatına girerler. Işığına sahip çık!

DİLHUN: Anladım ki bastırdığım her şey ortaya çıkmak için pusuda bekliyor.

VAVEYLA: Bilinçaltına itilen bütün aç, doyurulmamış arzu ve istekler orada gece gündüz durmaksızın aktifler... Bu bilinçaltına itilen arzu ve istekler; kazalara, rüyalara, yanılmalara, unutkanlıklara, öfkeye, karışıklıklara hatta ruhsal hastalıklara sebep olurlar. Pusuda bekleyen duygularını, yazarak, müzik dinleyerek veya konuşarak mutlaka açığa çıkartmalısın. Açığa çıkardığın her duyguya karşı hayatını yönetmemesi için uyanık olmalısın. O duyguyu bedeninde hissedip hemen beynin ön kısmını geliştirerek dönüştürebilirsin. Derin bir nefes alarak aldığın bu nefesini beyninin ön kısmına yönlendirip orada tutarak bütün enerjini şimdiye odaklayabilirsin. Bu süreçte "Şimdi ve buradayım" telkinini kendine vererek zihnini şimdiye hızlı bir şekilde odaklayabilirsin. Unutma bilinçli nefes tutma anları geçmiş ve geleceğin etkisinden kopup şimdiye odaklandığın anlardır. Basit ama mucizevi bir tekniktir, çok faydasını göreceksin. Aklına geldikçe sık sık nefesini tutma çalışmaları yaparak akılcı yönünü güçlendirebilirsin. Ani öfke patlamaları, korku ve endişe için inanılmaz sonuçlar elde ettiğini göreceksin.

DİLHUN: Harika işte, bayıldım buna. Bu tekniği çok sık kullanacağımdan şüphen olmasın:)) Peki bir şey söylemek istiyorum. Bu bilinçaltına attığımız duygular pusuda bekliyor dedik ya hani. Bu bastırdığımız cinsel duygularımız için de geçerli mi? Aslında çok şeyi merak ediyorum, cinsel duygular hayatımızı gerçekten çok etkiliyor mu?

VAVEYLA: Cinsel duyguların hayatını yöneten en güçlü enerjilerdendir.

Bilincinden ilk uzaklaştırdığın duygu ve arzuların cinsellikle ilgili olanlardır.

İnsanlar cinsel hayatlarını yaşadığı toplumun kurallarına uygun halde yaşamak için bastırmaya çalışırlar. Anne babaların çocuklarına daha küçük yaşlarda cinsel organları veya cinsellikle ilgili yaklaşımlarına kızarak cevap vermeleri bunun en büyük sebebidir. Çünkü onay almaya ve ait olmaya kodlanan insan beyni daha çok küçük yaşlarda da olsa bunu mimikleriyle algılar. Yaptığı davranış karşısında onay almadığını hissedince bunu mümkün olduğunca tekrar etmemeye başlar. Anne babalar çoğu zaman bunu bilinçsizce yaparlar. Çünkü çocuklarının da bir cinsel hayatlarının olduğunu kabul etmek istemezler. Bu onlara tehlike gibi gelir.

DİLHUN: Cinsel duygular çocukluk döneminde bu kadar güçlümüydü ki herkes ondan korkup, utanıp, yok saymaya, bastırmaya çalıştı?

VAVEYLA: Evet Dilhun cinsel güdüler çocukluk döneminde de aktifti. Ruh dünyan ve bütün davranışların, duyguların, kısaca hayatın üzerinde oldukça etkiliydi.

Bizler çocukluk döneminde uzun süre cinsiyet ayrımını yapamayız. Belli bir yaştan sonra oluşmaya başlayan cinsel kimliğimiz ile birlikte duygusal dünyamızda da değişimler oluşmaya başlar. Hatta bu gelişim süreci en çok da hislerimize, duygularımıza yansımaktadır.

Küçük yaşlarda anne babalarımıza çok farklı anlamlar yükleyebiliriz. Neden bazı durumlarda erkekler mesela kendilerinden daha büyük biriyle, kızlar da tanınmış kişilerle birlikte olmak isterler? Bu durumun günümüz toplumundaki ilişkiler gözden geçirildiğinde de her geçen gün arttığı görülmektedir. Günlük hayatın stres ve yoğunluğundan dolayı erkek çocukların annelerinden almaları gereken sevgiyi alamamaları kendilerinden büyük kadınlara âşık olmalarının başlıca sebeplerindendir... Erkeğin bilinçaltı kendisinden yaşça büyük olan kadını annesinin yerine koyuyor ve ona ilgi göstermeye başlıyor. Annesinden alamadığı sevgiyi alıp tamamlamaya çalışıyor. Kadının kendisinden yaşça büyük, güçlü, zengin ve etiketi yüksek bir erkeğe âşık olmasının ardında da yine bilinçaltının oyunlarını görüyoruz. Babanın gücünden ve desteğinden mahrum kalan kadın erkeğin üzerinden bu ihtiyacını tamamlamaya çalışır. İlerleyen yaşlarda ise durum farklı bir yön almaya başlıyor. Kadın eşinden bulamadığı yaşam enerjisini kendisinden daha genç erkeklerde aramaya başlıyor. İçinde giderek cazibesini kaybettiğini düşündüğü genç kız onu harekete geçiriyor. Erkekler de yine ilerleyen yaşlarda içindeki gücü ve çekiciliği harekete geçirecek kendisinden daha genç kadınlara ilgi duyabiliyor. Oysaki eşler birbirlerinin içindeki bu çocukları karşılıklı harekete geçirerek bu süreci çok keyifli hale getirebilirler. Üçüncü bir kişiye ihtiyaç kalmadan veya dördüncü:))

Çocukluk döneminde kız çocukları annelerinden uzaklaşıp babaya yakınlaşırken, erkek çocukları da tam tersine anneye yakınlaşıp babadan uzaklaşmaktadırlar. Karşı cinsteki ebeveyni sahiplenme ve kendi cinsinden ebeveyni saf dışı etme konusunda çocuğun beslediği duygu, düşünce, dürtü ve fantezilerin toplamı normal koşullar altında 5-6 yaşlarında kaybolur. Yani bilinçten uzaklaşır. Ancak bilinçten uzaklaşması ile bu durum tamamen ortadan kalkmış sayılmaz. Aşk ve evlilik ilişkilerinde seçim gördüğün gibi bilinçaltındaki çocukluk dönemine ait olan anne ve baba hayalidir.

DİLHUN: Beynimiz hayalle gerçeği ayırt edemiyor demiştin ya bu cinsel arzular için de geçerli mi?

VAVEYLA: Aç olduğunu düşün Dilhun. Açsın, leziz bir yemek fantezisi kuruyorsun, bu fantezi doyurmuyor, beslenmene ya da doymana yol açmıyor ve hayal ettiğin bu yemeği gerçek dünyada nasıl bulabileceğini düşünmeye başlıyorsun. Farkında mısın burada sürecin başında fantezilerin var ve sonunda da arzuladığın yemeği gerçek dünyada elde etmeye çalışıyorsun. Kritik nokta beklenen tatminin gerçekleşmemesi, hayal edilenin gelmemesidir. Arzu edilen şeye ulaşamadığında hayal kırıklığı yaşarsın. Hüsran karşısında senin başvuracağın ilk yol fantezi aracılığıyla mükemmel ve hüsran yaratmayan bir figür oluşturarak kendini tatmin etmektir. Bu başarısızlığa uğrayınca geriye sadece gerçekliğe dönmen kalır. Önceden arzuladığın tatminin başarısızlıkla sonuçlanması daha gerçekçi bir tatmin olasılığına yol açar. Fantezi yoluyla tatmin işe yaramayınca sen dış dünyadaki gerçek durumlara dair kafanda bir şekil oluşturmaya karar verip harekete geçerek onları değiştirme yoluna girersin. Bu cinsel arzuların için de geçerlidir anlıyor musun demek istediğimi?

Nasıl hayalinde sevdiğin bir yemeği yemekle gerçekten eline alıp yemen arasında bir fark varsa aynı şey cinsellik için de geçerlidir. Erotik ve romantik gündüz düşleri kurmakla gerçekten biriyle bir araya gelmek arasında dağlar kadar fark vardır. Bir araya gelmek çok daha fazla emek ister.

Gerçek dünyada yaşadığın tatminin arzuladığın fantezi, kurduğun tatminle örtüşmezse hayal kırıklığı yaşarsın.

DİLHUN: Bazıları cinsel arzulara çok önem veriyor bazıları hayatı cinsel arzular yönetirse tehlikeli olur diyor. Günlük hayatımızda cinsel arzularımızı nasıl dengelemeliyiz veya dengelemeye çalışmalı mıyız?

VAVEYLA: Eğer cinsiyetin bir saplantı olması istenmiyorsa herhangi aç birisinin bir yiyeceğe bakmak gibi değil ahlakçıların yiyeceğe baktığı gibi bakmak gerekiyor. Cinsellik yemek içmek gibi doğal insan gereksinimlerinden biridir. İnsanoğlunun yemeden içmeden yaşayamayacağı ama cinsellik yapmadan yaşayabileceği gerçektir. Psikolojik olarak cinselliğe duyulan istek yemeye içmeye olan istekle hemen hemen aynıdır, yani verilen tepki. Bu istek karşılanmadığı zaman hızla büyür. Karşılandığında ise bir süre yatışır. Karşılanmazsa istek dayanılmaz bir hale geldiğinde insanın kafasında cinsiyet dışındaki tüm dünya silinir. O anda dışta kalan tüm ilgiler yok olur ve daha sonra suçluluk duyacak olan o andaki hareketlere delilik gözüyle bakılır. Cinsellik konusundaki saplantılı duyguları ve enerjileri boşaltmadan sağlıklı bir ilişki zordur. Bunun için yine alnının ortasına direnç koyduğunu düşündüğün cinsellik ile ilgili kelimeleri imgeleyip derin nefesle üfleyerek enerjinin kalkmasını sağlayabilirsin. Yukarıda uyguladığımız bu tekniği ve ayrıntılarını biliyorsun Dilhun, bu tekniği tüm duyguları dönüştürmek için kullanabilirsin. Sonrasında da bilinçli sorularını evrene sormayı sakın unutma ama! Bilinçli ve sağlıklı hiç kimse ilgi alanının merkezi olarak kendi kendini ve cinsel arzularını koymaz. Tıpkı yiyecek istif eden kişinin bir zamanlar yoksulluk çekmiş ya da aç kalmış olması gibi şehvet düşkünlüğü ile cinsel haz düşüncesinin yoğunluğu ve saplantıları arasında da bağ kurulabilir.

Cinsiyete bakışımızda yemek yemeye bakışımızdan daha fazla ahlaklılık ve kendi kendini kontrol olmalıdır. Yiyecek çalmayı, ortak sofrada payımıza düşenden fazla almayı ve bizi hasta edecek kadar çok yemeyi yanlış buluruz. Cinsiyet söz konusu olduğunda benzer sınırlandırmalar temel alınmalıdır. Fakat getirilen bu kısıtlamalar çok daha karmaşık ve çok daha fazla özdenetim gerektirir.

DİLHUN: Sağlıklı ve olması gereken cinsel ilişki nasıldır Vaveyla? Ben cinsel arzularımla ilgili sorunlar yaşadığımı düşünüyorum. Bence günümüz insanı da bu konuda ciddi sorunlar yaşıyor sadece ben değil. Ne dersin? Karmaşık o kadar karmaşık şeyler yaşıyorum ki bu konuda yine bilgilerine ihtiyacım var...

VAVEYLA: Doğru bir tespit, bireyler kendilerini bulunduğu toplumda güvende hissetmezlerse ilkel dürtüleriyle hareket etmeye başlarlar. Yani yemeye, içmeye, cinselliğe olan ilgi artar. Hayatın tehlikede olduğuna dair bilinçaltına veriler gittiğinde bilinçaltı panikler ve neslimi devam ettirmeliyim, yok olmamalıyım diye daha çok çiftleşmeye başlar. Bu tamamen bilinçaltından kaynaklanan insanın farkında olmadığı bir süreçtir. Hayatının tehlikede olduğunu algılayan bilinçaltı yine bu süreçte giderek bencil bir toplum oluşturmaya hizmet eder. Bunun çözümü ise insanların bir an öne akıllarını kullanmaları ve bilinçaltını ele geçirmeleridir.

Doğal olarak da dediğin gibi bu cinselliğe de yansıyıp farklı sorunlar ortaya çıkmaya başlar.

Bak Dilhun maalesef günümüzde yaşanan birliktelikler daha çok düşük bilinç seviyesinde yaşanan birlikteliklerdir. Bu da ruhsal anlamda birey o anda farkına varmasa da zamanla ciddi zararlar vermektedir. Yüksek bilinç seviyesinde olmayan kişiler cinselliği daha çok bilinçsizce yaşarlar. Bu düzeyde cinsel eşiyle karşılıklı zevk için ilişkiye girer. Cinsel ilişki sırasındaki bilinç sevişirken ve özellikle doruk noktasına ulaşılırken sahip olunan duygularla ilgilidir. Cinsel eşin bilinci de benzer şekilde zevkli duygularda odaklanacaktır. Olan şey ile ilgili arada işbirliği ve uzlaşma olmasına karşın birbirini cinsel hisler için duyulan arzuyu tatmin etmek için obje olarak kullanmak söz konusudur. Düşük bilinçle yaşanan cinsellik bireyi daha güzel duygulardan mahrum eder ve bilinçte ayrılık yaratır.

Bilinçsizce veya düşük düzeyde yaşanan cinsellik çoğu zaman bireyi incinmeye açık kılar. Bu gecenin deneyimini bir önceki gecenin yüksek hazzıyla kıyaslayabilir ve bu kıyaslama bu gece olanın yeterli olmadığını hissetmeye neden olabilir. Cinsel eşin yorgun ya da bir nedenden ötürü ilgisizse düş kırıklığıyla incinmeler yaşanabilir... İlişki zevk verdiyse bu kez de bilinç ne kadar zaman sonra aynısını tekrarlayabileceğini ya da hiç tekrarlayıp tekrarlayamayacağını merak etmeye başlar.

Bu açgözlü yönlendirici bilinç odağı burada ve şimdide tam anlamıyla yaşamak yerine geleceği düşünme alışkanlığını, birliktelik deneyiminin değerini korkunç derecede düşürür. Örneğin bir adam, bilincinin büyük bir bölümü karşısındaki kadınla o gece yatma beklentisiyle meşgulken, kadınla konuşup yemek yiyerek bir akşam geçirebilir. Bedeni onunla birliktedir fakat bilincinin büyük bir bölümü gelecekle ilgili düşüncelerle yani yatak kısmıyla meşguldür:)) Birlikte olduğu kadının algısı açıksa (ve aynı oyuna yakalanmazsa) burada ve şimdi etkileşimindeki canlılık ve birliktelik eksik olan bir şey olduğunun farkına varacaktır. Yani karşısındaki erkeğin aklının başka yerde olduğunu, orada olmadığını anlayacaktır:))

Planın işlediğini ve adamın aklından geçenleri gerçekleştirdiğini düşünelim. Bu kişi günlük hayatta anı yaşayamadığı için cinsel hayatında da yaşayamayacaktır. İçinde bulunduğu sürece değil hep bir sonraki sürece odaklanacaktır. Tüm ilişki boyunca yaşayacağı tek an doruk noktası anı olduğu için günlük hayatın sıkıntılarından uzaklaşıp şimdide kalabilmek adına bilinçsizce farklı cinsel arzular içerisine girebilir. Birey böyle bir sürecin farkına vardığı anda yine hemen aklını kullanarak bilinçaltının oyunundan çıkabilir. Birçok kişi maalesef bilinçaltının bu oyunu yüzünden ilişkisine zarar verebiliyor. Hemen içindeki çocukla sağlıklı bir ebeveyn olarak konuşmak, ona yol göstermek etkili bir tekniktir. Ayrıca bilinçli nefes tutma çalışmalarını sık sık yaparak bireyin şimdinin gücünde kalma sürecini artırması, bilinçaltının oyunlarına karşı uyanık olup oyuna girmemesini de sağlayacaktır.

DİLHUN: Bilincimizin yükselip yükselmediğini ve bunun cinsel hayatımıza yansıyıp yansımadığından nasıl emin olacağız peki:)) Yüksek bilinç seviyesinin bu denli cinsel hayatımızı etkileyeceği hiç aklıma gelmemişti. Cinsellikle ilgili soru soracağım zaman kararsız kalmıştım, biraz da çekinmiştim. İyi ki sormuşum, çok değişik fikirlerin var bu konuda...

VAVEYLA: Yükselmiş bilinç seviyenin cinsel hayatına yansıyıp yansımadığını öğrenmek istiyorsan aşağıdaki testi uygulayabilirsin. Eşinle yarım saattir yatakta olduğunu ve ilişkiye başlama noktasına yaklaştığını varsayalım. Tam o sırada daha 10 aylık olan bebeğin mama diye ağlıyor. Çok acıkmış ve ısrarla susmadan mama diye ağlıyor. Sinirlenmeden süreci yönetebilir misin? Düş kırıklığına yer vermeden az önceki deneyim için açgözlülük duymadan bilincinin burada ve şimdi durumuna yönelebilir misin? İlişki sırasında yaratılan enerjiyi bebeğini doyurmaya kanalize edebilir misin? Bilincin burada ve şimdi deneyiminden bir diğerine akabiliyorsa yaşam nehrinde huzur ve güzellikle akıyorsun demektir. Eşinin tepkilerini ölçerek onun da bu konudaki bilinç seviyesi hakkında bilgi edinebilirsin.

Bilinç seviyesi yükselmemiş düşük bilinç seviyesine asılı kalmış bir kişi yukarıda tanımlanan durumda kendini, eşini ve bebeğini sinirlendirir. Bebeğini doyurup gerekeni yaptıktan sonra bilinci hâlâ engellendiği şeye duyduğu kırgınlıkla dolu olacaktır. Eşine geri döndüğünde bilinci az önceki burada ve şimdi durumundan zevk almak yerine zihnini geçmişle meşgul etmesi de en çok yapmak istediği şeyi yapmasına engel olur. Birisinde içindeki yaralı çocuğun oyunun en keyifli yerindeyken tam eğlenirken oyunu yarım kaldığı için öfkelendiğini düşün. Diğer durumda ise içindeki çocuğun tam en keyifli yerindeyken annesinin çağırması üzerine öfkelenmeden oyunu terk edip yanına gittiğini düşün.

Bilinç seviyesi düşük kalmış bir kişi burada ve şimdide asla tam olarak yaşayamaz. Örneğin bilinç seviyesi düşük bir kadın gördüğü her erkeği cinsel eş olarak incelemeden aklından geçirir. Yaşamına giren her bireye tepkisi heyecanlı bir yatak arkadaşı için kafasında taşıdığı kalıba bu erkeğin uyup uymadığına dair analiziyle sınırlanır. Karşısındaki insana bir bütün olarak tepki vermek yerine mevcut olanın yalnızca çok küçük bir bölümüyle ilgilenir. Aynı süreç erkek için de geçerlidir.

Bazılarının içindeki çocuk yaşamı sadece eğlence alanı olarak görür Dilhun ve o sürekli, mutlu olmak ister, doyumsuzdur. O nefisleri üzerine eğitilmediği için haz odaklı yaşar. Hazlarını gerçekleştiremediği zaman da tıpkı oyuncağı elinden alınmış küçük ve hırçın bir çocuk gibi davranır.

Küçükken ailesi tarafından sınır koyulmayan, her isteği yerine getirilmeye çalışılan kişiler genelde böyledir. Çocuğun karşılaştığı problemler ailesi tarafından çözümlenmeye çalışılır veya yok sayılırsa çocuk büyüdüğünde de sorunlarını çözemez. Onları görmezden gelerek, yok sayarak yaşamaya çalışır. Zor durumlarla başa çıkmak için de hayatın hazlarına daha fazla yönelerek unutmaya çalışır. Yaramaz çocuk eğitilmezse sürekli eğlenmek için yeni arkadaşlar peşinde koşup reddedildiğinde de tüm hırçınlığını gösterecektir. Hırçınlaşan çocuk kendisini sakinleştirmeyi bilmediği için öfkesi dininceye dek zararlı çarelere başvurmaktan da geri kalmayacaktır. Hiç kaybetmek istemeyip hep kazanmak isteyen yaramaz çocuk hayatta bazı şeyleri elde edemeyince bununla nasıl baş edebileceğini bilemeyip saplantılı farklı süreçlere girebilir.

Birçok kişi güzel kadınların aldatıldığını duyunca çok şaşırır, bu kadar güzel bir kadın niye aldatılsın ki diye. Bunun sebebi avcının daha avını görür görmez onu güzel ve diğerlerinden farklı algıladığı için zor bir av olarak düşünmesidir. Böylece bu zor avı elde edip kendi gücünü diğer avcılara gösterecektir. Bakın en güçlü benim en zorunu ben elde ettim diye ilan edecektir. O avın tadına baktıktan sonra içindeki avcı yeniden harekete geçip yeni avlar peşine düşmeye başlayacaktır çünkü çevresindeki diğer avcılara gücünü gösterecek başka bir özelliği yoktur. Bu herkes için geçerli değildir tabii ki de. Haz odaklı ve en iyisi her zaman benim olmalı bilinciyle yetişmiş kişilerin içindeki yaramaz çocuğun bu yönde hareket edebileceği de unutulmamalı.

Bazılarında da tam dersi durum görülür. Ailesi tarafından sürekli eleştirilerek, yargılanarak büyüyen çocuk kendisini eksik ve yetersiz hisseder. Zamanla hayatın hazlarına karşı kendisini kapatır çünkü hak etmediğini düşünür. İşte ben böyleydim Dilhun. Yaşamdan zevk almıyordum, yaşam bana göre sadece sorumlulukların olduğu çok sıkıcı ve yorucu bir yerdi. Hayatın belirsizlikleriyle uğraşmak zamanla içimdeki korkuları daha da artırmıştı. Ben karanlık bir tünelde kaybolmuştum ve hiçbir ışık göremiyordum. Kendimi bu dünyaya ait hissetmiyordum. Eşim ve çocuklarım olmasına rağmen ben yalnız, yapayalnız hissediyordum kendimi. Logos'la tanıştıktan sonra aklımı kullanıp süreci yönetmeye başladım. Beni maniple edenin ailemin sesleri olduğunu fark ettim. İçimdeki incinmiş küçük Vaveyla'yı hâlâ cezalandırıcı ebeveynlerim yönlendiriyordu. Yetişkin bir birey olarak ben devre dışı kalmıştım ve hareketlerimin, davranışlarımın, duygularımın belirlenmesine hâlâ cezalandırıcı ebeveynlerim karar veriyordu. Bu oyunun bu tuzağın farkına varır varmaz süreçten çıktım. Ne zaman kendimi istemediğim bir süreçte bulsam, hep zihnimden ben küçükken bana söylenen incitici seslerin ve davranışların süreci ele geçirip yönetmeye başladığının farkına vardım... İşte bu farkındalıkla aklımı kullanıp, hemen yerine zihnimde sağlıklı ebeveyn sesleri ve davranışları oluşturup içimdeki çocuğa yol göstermeye başladıktan sonra tüm hayatım değişti.

Yaşamın boyunca aklını kullanarak sürecin farkında olup içindeki çocuğa ebeveynlik yapıp onun gelişimini tamamlamaya çalışmalısın. İnan bana bu hem çok kolay hem de eğlenceli. Hayatını kendin yönetmeye başlıyorsun. Kimse seni üzemiyor. Tüm sınırlarını çizmeyi öğreniyorsun. İşin güzel tarafı içindeki çocuğa birkaç kez yol gösterince o hemen yapması gerekeni öğreniyor. Tüm bunların sadece ilişkiler için geçerli olmadığını, para, kariyer, başarı için de geçerli olduğunu hep hatırla.

İşte tüm bu süreçler aynı veya benzer şekillerde cinsel hayatımıza da yansıyor. İçindeki çocuğun cinsel hayatını da yönetmeye çalışacağını sakın unutma. Ayıplar, yetersizlikler, coşku, korku gibi hayatın tüm duygularını orada da görebilirsin. Aklını kullan Dilhun, her zaman uyanık ol ve aklını kullan!

DİLHUN: Olur olmaz zamanlarda karşımızdaki kişiye karşı cinsel arzularımızın uyandığını hissettiğimizde ne yapmalıyız peki? Bu süreçten nasıl çıkabiliriz? Bilincimizin büyük bir bölümünün bu cinsellik tuzağına düştüğünü keşfettiğimizde ne yapmamız gerekir yani?

VAVEYLA: Güzel soru! Bilincinin büyük bir kısmı cinselliğe odaklanmış kişi her zaman her istediği kişiyle birlikte olamayacağı için düş kırıklığının harekete geçireceği öfke bu kişiyi içten içe rahatsız eder. Zihninde devamlı ilişki saplantısına sahipse bu ona zamanla yük olacaktır. Bu yüzden hissettiği endişe vs. yüzünden de sevmek istediği insanlara yabancılaşabilir.

Böyle anlarda karşındaki kişinin gözlerine yoğunlaşma. Onun yerine tam iki gözünün arasındaki burun köprüsüne hafifçe bak. Burnun alınla birleştiği yerde bir parlaklık fark edeceksin büyük olasılıkla. Bu ışık dairesini bul ve ona dikkat et. Gözleri, burnu, dudakları tüm yüzü hâlâ göreceksin. Karşındaki kişinin yüzü çeşitli şekiller alacak, daha önce hiç hissetmediğin hem güzel hem çirkin yönlerini göreceksin. Fakat bu algıların hiçbirine kilitlenme. Yaşam dansının parçaları olarak geçmelerine izin ver. Sen orada oturup sevgilinin yüzüne bakarken, sevgi, anlayış ve birliğin gelişmesine izin ver. Tamamen yeterli buluncaya, zihninin durmak bilmeyen dizaynlardan kurtulduğunu ve başka bir şeyin arzulanmadığını hissedinceye kadar bunu sürdür. Yarattığın güzelliğe katkıda bulunmak için her haliyle biz yaşayan sevgiyiz cümlesiyle başlaman yerinde olur.

Hissetmeden yaptığın hiçbir şeyin hayrını göremezsin. Hissederek yaşarsan zarar veren kişilerin oyunundan da çıkabilirsin.

DİLHUN: Belki de günümüzün en önemli sorunu bu değil mi? Hissetmeden bulunduğumuz anın içinden akıp gidiyoruz. Ne çok hatalar yapıyoruz, tehlikeli yollara giriyoruz. Yanlış olduğunu, bize zarar verdiğini bildiğimiz birçok kişiden ve şeylerden vazgeçemiyoruz.

VAVEYLA: Biliyorsun tüm bunlar bilinç seviyesi ile ilgili. Bilinç seviyesi yüksek kişi kolay kolay oyuna gelmez, duygularının esiri olmaz ve olayları gerçekçi yorumlar. Kısaca aklını kullanıyordur. Yaşadığı tüm deneyimlerin onda bıraktığı hislerin farkındadır. Hislerinin farkında olan kişi daha duyarlı yaşar. Kendisine iyi gelmeyen hisleri başkalarına da yaşatmak istemez. Aldığı kararların, yaptığı davranışların sorumluluğunu alır ve arkasında durur. Duygusal olarak reddettiğin bir şey seni mutsuzluğa sürükler çünkü ondan yoksun olduğunu düşünürsün. Yoksunluk duygusu çektiğin şeyi daha da büyütürsün. Çünkü odağın ve tüm enerjin onda olacaktır. Odaklandığın şeyi büyüttüğünün farkında olman odağını başka bir yöne çevirmeni kolaylaştıracaktır. Eğer bunu yapamazsan ve yoksun olduğunu düşündüğün şeye odaklanmaya devam edersen sana mutsuzluk getirecek başka bir bağımlılık oluşturmuş olursun. Bu giden bir sevgilinin yoksun sayılmasından paraya kadar hep aynıdır. Yani sevgilinin yoksun olduğunu düşünmen telefon bağımlılığını, sigaradan yoksun olduğunu düşünmen yeme bağımlılığını doğurabilir. Hiçbir şeye tutunmamayı ve yaptığın şeyin yaşadığın anın zevk alınabilir bir parçası olmasına izin vermeyi öğrenebilirsin. Bunlar hep öğrenilebilecek ve geliştirilebilecek süreçlerdir. Yeter ki kararlı ve sabırlı ol. Yoksunluk çektiğin anlarda içinde bir boşluk duygusu oluşacaktır. Bu boşluk duygusunu hissettiğin anlarda derin bir nefes al ve içini Yaradan'ın sevgisiyle doldurmaya çalış. Unutma içinde hissettiğin boşluk duyguları Yardan'a yaklaşman için yaşamın en güzel anları ama birçok insan bu boşluk duygusundan korkuyor. Boşluk duygusunda kaybolup gideceğini düşünüyor. Oysaki ilahi düzende hiçbir boşluk ve hiçbir şey tesadüf değildir. İçindeki boşluk duygusunu ne kadar derin hissedersen, Yaradan'a aynı oranda çekileceksin. İçindeki tüm boşluğun Yaradan'ın aşkıyla dolacağını unutma. Böylece yoksun olduğunu düşündüğün şeyin yerini dışarıdan başka bir şeyle doldurman gerekmeyecek. Bu süreçte bilinçli aldığın derin bir nefesle "Yaradan'ın sevgisini tüm hücrelerime kadar içime dolduruyorum" telkinini kendine vermen ve bunu hissederek yapman seni birçok bağımlı olduğun şeyden kurtaracaktır.

DİLHUN: Buradaki en zor olan şey anın içinde kalabilmek, zamanla birlikte akabilmek değil mi? İnsan hep bir şeyleri kontrol etmek istiyor. En çok da bir sonraki anı! Özellikle beklediği birisi, bir mesaj bir haber varsa şimdide kalabilmek, zamanla akabilmek o kadar zor ki...

VAVEYLA: Bu süreçte bir şeyi oldurmaya veya oldurmamaya çalışma. Serbest bırak! Yaptığın şey ne olursa olsun yaparken kendini sürece bırakır ve serbest olursan onu yeteri kadar hissedersin. Şimdinin gücüne odaklanarak yaptığın her şeyden keyif alırsın. Dakikaları önceden planlamaya çalışma. Zorlamadan ya da kontrol etmeye çalışmadan birbiri ardına akmasına izin ver. Hakan'ı beklerken örneğin enerjini yaptığın işe odaklasaydın zamanla süreçten çıkman çok daha kolay olacaktı... Kahve yaparken örneğin sadece yaptığın kahveye odaklan.

Bunu öncelikle bilinçli zaman ayırmadan gün içerisinde yapman gereken sorumlulukların üzerinde uygula. Örneğin; saçını tararken sadece tarağı, dişini fırçalarken sadece diş fırçanı izle. Merak etme odağının kaybolduğu şey zamanla zihninden de kaybolacaktır. Bu söylediklerimi küçümseme. İlahi düzende küçük büyük yoktur, bu anlamları yükleyen sensin. Hakan'a herkes senin kadar büyük anlam yüklüyor mu? Hayır öyle değil mi? Ona bu kadar değer yükleyen kişi sensin. Hakan'a yüklediğin büyük değer zamanla kaybolacak. Bu süreçte gerçekten kendini çok tükenmiş hissettiğin anlarda ise harekete geçmek için şöyle bir yol izleyebilirsin, yani zihnini tazelemek, kısırdöngüyü kırmak için. Zihnini başıboş bırakırsan o tıpkı sahipsiz ve yırtıcı bir hayvan gibi sürekli o tarafa bu tarafa saldırır. Onu yönetmeyi öğrenmelisin! Buna şuradan başlayabilirsin: Sabah uyandığında gün boyunca yapman gereken her şeyi kendine sadece bir kez hatırlat. Sonra yapman gerekenlerin adım adım zihnine gelmesine izin ver. Her adımda sadece o adıma odaklan. Yoksa tüm yapman gerekenler gün boyu zihninde dolaşacaktır ve seni huzursuz edecektir. Örneğin ütü yaparken yemek yapman gerektiğini, yemek yaparken faturaları yatırman gerektiğini düşünürsen her bir anı kaçırmış olursun. Oysaki yemek pişirirken sadece pişirdiğin yemeğe odaklanman hem çok lezzetli bir yemek yapmanı hem de yaptığın yemekten keyif almanı sağlayacaktır. Yemek pişirme sürecini tamamlarken bir sonraki adımı düşünüp zihninin rahatça geçiş yapmasını sağlayabilirsin.

Yaşamın her alanına tamamıyla duyarlı ol. Hayatla her zaman sözlü ve sözsüz iletişim halinde ol. Olayların sana verdiği mesajları her an almaya hazır ol. Çıkmaza girdiğinde kendini çaresiz hissettiğinde tüm mesajlar sana geliyor! Tek yapman gereken şey sana gelen ipuçlarını almak için kendine izin vermen! İhtiyacın olan her şeyi Yaradan avuçlarına bırakıyor. Yalnızca onların bilincine akmalarına izin vermen gerekiyor. Bu süreci yaşayabilmen için Evren'le birlikte tek bilinç olarak akmalısın.

Tek bilinç olarak akabilmen için kendini bu dünyaya ait hissetmelisin! Hissederek hem de tüm hücrelerine kadar! Unutma duygularının gerçekliği karşısında aklını kullanıp ilişkilendirme yapıp yapmadığının ayrımına varabilmen senin hayatındaki kilit noktan olacak.

DİLHUN: Oysaki ben kendimi bu dünyaya öylesine yabancı öylesine garip hissettim ki. Kendimi hep diğerlerinden eksik gördüm. Bozulmuş, kokuşmuş, tarihi geçmiş bir nesne gibi! Sanki hep ters yöne gittim. Gittiğim yollarda ne güzel kokan bir çiçek ne de cıvıldayan kuşlar gördüm, duydum, hissettim. İçi boşaltılmış, gereksiz, bomboş ve işe yaramaz biri gibi hissettim hep kendimi. Yanıma yaklaşanların içimdeki o kokuşmuşluğu görmelerinden öylesine korktum ki... İçimdeki yaralı çocuk ve ebeveynlerimin eleştirel sözleri nasıl da ben farkına varmadan yıllarca yönetmiş beni. Ya yaptığım hiçbir gerçekçiliği olmayan tüm ilişkilendirmelere ne demeli? Kızarmış ekmek kokusu hep annemin sevgisiz suratını hatırlattığı için yıllarca nefret ettim ondan. Makarnanın üzerindeki yoğurttan da yıllarca nefret ettim çünkü babamın en sevdiğiydi. Salatalık kokusunu hep sevdim çünkü anneannemin bahçesi sevgi kokuyordu ve onu çok seviyordum. Mavi en sevdiğim renkti çünkü dedemin en sevdiğiydi. Şimdi düşünüyorum da sevdiklerim ve sevmediklerim, hiçbiri bana ait değil bunların. Hep zihnimin kurnazca ilişkilendirdiği oyunlarmış.

VAVEYLA: Bunlar bana çok tanıdık geliyor! Ben de simit kokusunu çok sevdim ve hâlâ seviyorum. Bize kendimizi iyi hissettiren ilişkilendirmelerin hiçbir zararı yok. Dengeli bir şekilde ve bilinçli farkındalıkla hayatımızda bunlara yer vererek daha mutlu olabiliriz. Güzel şeyler olacak hissediyorum, bahar seni kucaklamak üzere yola çıkmış Dilhun! Tüm bunlar baharın habercisi! Kendini bu dünyaya öylesine ait hissedeceksin ki her geçen gün köklerin daha da güçlenecek. Güçlenecek ve sen ilahi düzenden sana gelen tüm izleri takip edebileceksin. Evren'in aklını çözebileceksin.

DİLHUN: Peki bu Hakan'ın aklıma geldiği veya kendimi tamamen çaresiz hissettiğim anlarda başka neler yapabilirim? Zihnimin kontrolünü nasıl sağlayabilirim? Artık beni hiç kimsenin ve hiçbir deneyimin üzmesini istemiyorum.

Buna izin vermeyeceğim. Evet kendimi şu anda çok iyi hissediyorum. Gücüme inanıyorum ve kendimi gerçekten çok seviyorum. Sadece yapmak istediğim bu sürecin devamını sağlamak. Senin gibi olabilmek Vaveyla! Bu soruları sorarak başa döndüğümü sohbetimizin hiçbir faydası olmadığını düşünme. Geldiğim noktaya inanamıyorum!

VAVEYLA: Enerji boşlukta kalmaz, ilahi düzende akacak bir yer bulur. Enerjini büyümesini istediğin şeylere yönelt. Bunun için yapabileceğin en güzel şeylerden biri, yine enerjini büyümesini istediğin şeye yönlendirebilmek için evrene sorular sorabilirsin. Enerji sorduğun soruyu ve sözcükleri takip eder bunu sakın unutma! Örneğin "Kendimi nasıl daha iyi hissedebilirim? Ne yaparsam bana iyi gelir? Nasıl harekete geçebilirim? Hakan'dan nasıl özgürleşebilirim? Kendimi nasıl daha iyi hissedebilirim?" gibi. Soru sorman çok önemli çünkü hareketsiz ve uyuşmuş beynini tüm bu sorular harekete geçirecek. Zihninin Evren'le yeni bağlantılar kurmasını sağlayacak. Tüm cevaplar ilahi düzende unutma! İlahi düzenin aklını unutup başkalarının akıllarına inandın.

Akıllıca sorduğun her sorunun cevabı zaten kendiliğinden seni ihtiyacın olan enerji alanına yönlendirecektir. Zihninin ağına düşüp kurtulamıyorsun, beyni en çok ve en hızlı harekete geçiren şey nedir biliyor musun? Merak ve şaşırma duygusu! Bilinçli soru sorarak beynini hemen harekete geçirebilir, kısırdöngüden kurtulabilirsin! İkincisi bilinçli olarak kendini şaşırtabilirsin. Örneğin kendi kendine "Aaa gerçekten mi? Bu harika! Cidden mi? Müthiş!" Yine burada enerji duygu yüklediğin, vurguladığın kelimeyi takip ederek seni mucizelere götürecektir. Bu süreçte mimiklerin ve bedensel hareketlerinle de merak duygusunu pekiştirip sürecin iyice içine girmeye çalış. Zaman çok hızlı akıyor, insanlar birçok şeye kısa yoldan ulaşmaya çalışıyor, giderek tembelleşiyor, dilin sözcüklerin gücünün farkında değil. Oysaki oturduğu yerden hiçbir çaba sarf etmeden sadece sözcüklerinin gücüyle kendi dünyasını yeniden dizayn edebilir. Sözcüklerin gücüyle harekete geçip kendi dansını başlatabilir.

Başkalarından duyduğun söylentilerle hayatını yönlendirmeye çalıştın.

Biliyor musun beynin gördüklerinden çok duyduklarına inanıyor. Sözler hayatın tam kendisi. "Beni yanlış anladın", "Öyle demek istememiştim" türünden cümleleri gündelik hayatında sıkça kullanıyorsundur. Hakan sana en sevdiğin çiçekleri dünyanın en pahalı hediyelerini de alsa senden nefret ettiğini söylediği anda zihninde bu sözcükler kalacaktır. Hakan'ı kendi zihninde bir yere koymaya çalıştığında aldığı çiçeklere rağmen son kararın "Benden nefret ediyor!" olacaktır. Zihnin bu süreçte ilişkilendirme yapacaktır. En sevdiğin çiçekleri gördüğünde Hakan'la çiçekler arasında nasıl bir bağ kurduysan o kalacaktır. Hatta bir sonraki sevgilin sana en çok sevdiğin çiçekleri alsa da senin ilk aklına gelen Hakan olacaktır. Belki de yeni sevgilinden bu çiçekleri görür görmez soğuyacaksın, çünkü onun da seni Hakan gibi bırakıp gidebileceğine dair bilinçaltın bu ilişkilendirmeyi senin yerine çoktan yapmış olacaktır. Tüm bu ilişkilendirme sen farkında olmadan bilinçaltında yapılır. Bu yüzden bilinçaltı derya deniz değiştiremezsin. Hangi birini değiştireceksin ama sözcüklerin gücüyle hayatını hemen değiştirebileceğini sakın unutma. Yine söylüyorum ısrarla söyleyeceğim akıllı ol. Sen Hakan'dan ayrıldığın süreci çok zor atlattın çünkü yönetimi bilinçaltına bıraktın. O da bol miktarda ilişkilendirme yaparak hep bu duygunu sıcak tutmana sebep oldu. Sahile geldiğinde bilinçaltın hemen hop ilişkilendirmeyi yaptı ve seni Hakan'la sahilde el ele dolaştığınız anlara götürdü. Nerede havuçlu kek görsen birlikte kahkahalarla yediğiniz anlara götürdü. Nerede bir gelinlik görsen evlenme planları yaptığınız mutlu günlere götürdü. Şimdiyle hiçbir gerçekçiliği olmayan duygu, düşünce ve hislere götürdü. İşte bilinçaltının geçmiş, gelecek ve şimdiki zaman arasındaki bağı koparacak tek şey sözcüklerdir. Bu sözcükleri ifade edeceğin sırada bilinçli olarak nefesini tutman ve bu süreçte bulunduğun ortamda var olan eşyalara odaklanıp onları tek tek sayman seni hemen içinde bulunduğun ana odaklayacak çok güçlü bir çalışmadır. Nefes tutma anlarında bilinçaltı devre dışı kalır ve düşünen beyin olabilecek en hızlı haliyle çalışır çünkü bu sayede beyne giden oksijen miktarı bol miktarda artar ve seni bilinçaltının oyunlarından koparır. Yine nefesini tutarak sadece bulunduğun ortamdaki eşyalara odaklanarak onları kâğıda yazıp sözcüklerle aktarman mucizevi sonuçlar almanı sağlayacaktır. Örneğin: masa, çanta, annem, portakal gibi. O anda bulunduğun ortamda gelinlik, çiçek, kavun da olsa artık o duygular seni esir alamayacak.

DİLHUN: Peki gelinlik, çiçek veya bana kendimi kötü hissettiren herhangi bir şey görüp bilinçaltımın ilişkilendirme yaptığının farkına vardığım anlarda bu dediğini yapsam doğru olur mu? Yani hemen nefesimi tutup gelinlik dahil tek tek orada bulunan eşyalara ve kişilere odaklanıp bunları içimden sözcüklerle ifade etsem?

VAVEYLA: Tam da yapmanı istediğim şey bu zaten. Tabii ki nerede olursan ol nefesini tutup o an sadece orada olanlara odaklanıp bunları zihninde sözcüklendirebilirsin. Bunu kimsenin anlamayacağından ve adeta sihirli bir yöntem olduğundan şüphen olmasın.

DİLHUN: Ah Vaveyla ah! Hakan'dan ayrıldığım o terk edilme kâbusuyla baş başa kaldığım anlarda bunları bilseydim içinde bulunduğum süreci ne kadar kolay atlatırdım. Tamam kızma kızma, artık biliyorum ilahi düzende her şey olması gereken zamanda en iyi şekilde olur diyeceksin:)) Neyse bundan sonra tekrar terk edilecek olursam reçetem hazır:))

VAVEYLA: Hayatı çoğu zaman senin için anlamsız kılan anlam ve anlama sorunların oldu. Düşünce yaratıcının sana bu dünyadaki en güzel armağanıdır.

Kullandığın sözcüklere dikkat et. Zihninin bu konuda yaptığı ilişkilendirmelere karşı uyanık ol. Başkalarının söylediği sözcüklerin gerçekliğini ve samimiyetini her zaman sorgula. İnandığın sözcüklere dikkat et. Bundan sonra ilişkilerinde kullanacağın sözcükleri dikkatli seç. İlişkilerinde net ol. Yaşamında ortaya çıkan sorunlardan biri bulanık mantıksal çıkarımlar yapman ve değişik anlamları olan sözcükleri birbirine karıştırmandır. Bu nedenlerden kaynaklanan sorunları çözmek için de bulanık mantıksal çıkarımlar yerine açık seçik mantıksal çıkarımlar oluşturman ve tek anlamlı sözcüklerden oluşan samimi, net bir dil sistemini kurman gerekir. Sevdiğin birisine sevgini göstermekten ziyade net bir şekilde bunu ifade etmeye çalış. Hoşlanmadığın bir durum olduğunda yine net bir şekilde bunu karşı tarafa aktar. Düşüncenin aracının sözcükler olduğunu unutma. Sözcükler de dille ifade edilir. Sözcükler sayesinde gerçekliğin yapısını da çözeceğini unutma çünkü sözcükler hayatın ta kendisidir! Hislerinle sözcüklerini birleştirdiğinde harikalar yaratacağını hiç unutma!

DİLHUN: Sürekli bir şeylerin peşinde koştum hayatım boyunca, çoğu zaman ne aradığımı bilmeden. Bulduklarımın aradığım olmadığını anladığımda hayal kırıklıkları yaşadım. Anladım ki her şeyin bittiğini sandığımız yerde her şey yeni başlıyormuş. Her şey siyah dediğimiz anda bir sürü renk geliyormuş. Bizi zirveye götürüyormuş. İçimizdeki boşluk duygusunun en çok olduğu zaman, en büyük bereket geliyormuş. Kendimizi yalnız hissettiğimiz zaman en çok büyüyeceğimiz zamanmış. Kısaca hayat çok güzelmiş Vaveyla! Bana verdiğin her şey için çok teşekkür ederim.

VAVEYLA: Yaşamın sana sunduklarını reddetmek ya da peşinde koşmak zorunda değilsin evet. Sen hep güzeli, iyiyi ve doğruyu aradın. Hepsi güzel. Bedeninin nerede olduğu ve ne yaptığı değil bilincinin nerede işlediği hayati önem taşıyor. Yaşamla senin aranda akan bir birlik olduğu sürece her çeşit deneyimden oyunun bir parçası olarak zevk alabilirsin. Her dakika için ödüllendirilirsin.

Yaşam enerjini yaşamın sana sunduğu güzelliklere bakarak artırabilirsin. Dokunma ya da başka bir şey yapma isteği duymadan yaşamın tüm güzelliklerine bakman bile yeterli olacaktır.

Yaşamın tüm sunduklarını yargılamadan kabul etmelisin. Sevgi ve ilahi düzenle birlikte olman için bunu yapmalısın... Olanı olduğu gibi kabul ettiğinde Evren'den olağanüstü mesajlar sana akmaya başlayacak. Bu mesajları hissedeceksin! Ve bu hisler sana her geçen gün daha dolu gelecek ve sürekli olarak zevk verecekler. Açgözlülüğünden, düş kırıklıklarından arınmış olacaksın çünkü hissettiklerine karşı bilinçaltının bağını koparıp şimdinin gücüyle hissedeceksin. İçinde bulunduğun anda gerçekten kendini iyi hissetmene veya kötü hissetmene sebep olacak bir şey varsa yani sadece olanı hissedeceksin. Mucizeleri Yaradan'ın sevgisi ve gücüyle sadece şimdide görebileceğini hep hatırla. Uyan artık Yaradan'ın sevgisi o kadar büyük olacak ki içindeki enerjiyi yönlendirdiğin her yere onu da götürmüş olacaksın. Senin aracılığınla herkese ve her yere Yaradan'ın sevgisini taşımış olacaksın. Bunun yüceliğini hissedebiliyor musun? Giderek dünyadaki kötülüğü iyiye dönüştürmek için hizmet etmiş olacaksın. Sen göremeyeceksin ama gittiğin her yere bir iz bırakacaksın! Orada bulunanlar bu izi görmeye, almaya ve hissetmeye başladıklarında bunu sen de hissedeceksin. Bunlar geçmişten veya gelecekten gelen değil içinde bulunduğun anın içinden çıkıp sana gelen hisler olacak. Bunlar taptaze, ışıl ışıl, gerçekçi hisler olacak, sen ve çevrende bulunanlar hep yenilenerek ilerleyeceksiniz. Birlikte daha da büyüteceksiniz! Bilinciniz birlikte gelişecek! Böylece Evren'in bilinç seviyesinin yükselmesine hizmet edeceksin! Sen bu hizmetin karşılığını mucizelerle alacaksın! Bekle ve gör! Böylece ne olursa olsun ilahi düzenle birlikte akabileceksin. Her anı kendin için zevkle yaşayacaksın.

Bu gelişim yüksek bilinç düzeyinden yaşamı tatmanı sağlayacak! Açılmıyor dediğin kapıları sana aşkla açacak. Yavaş yavaş ilahi düzen mutluluğun için ihtiyacın olanı hatta daha fazlasını sana göndermeye başlayacak! Yaşamın ne kadar sınırsız bir cömertliğe sahip olduğunun farkına varacaksın. Yaşamda düş kırıklığı ve acı hissetmene sebep olan olaylara bakış açın değişecek. Tüm bunların karşına ilahi düzenin birer parçası olarak çıktığını anlayacaksın. İşler planladığın gibi gitmediğinde hissettiğin kızgınlıkların yaşam tarafından yüksek bilinç gelişimine yardımcı olmak için verildiğini bileceksin. Artık her yaşam deneyiminin seni büyütmek için olduğunu anlayacaksın. Bunun yüksek bilince doğru gelişimin için Evren'in sana bir jesti olduğunu bileceksin! Evet sahne senin için yeniden düzenleniyor ve bu daha iyi bir oyuncu olman için Evren'in sana armağanı! İlahi düzen sana mesaj veriyor! Arkandayım, duy sesimi, senin için çalışıyorum hadi diyor!

DİLHUN: Ben ise hep o açılan perdeleri ya görmemeyi ya da görüp açmamayı seçtim! Perdenin arkasındaki oyundan çok korktum. Sanki beni içine çekecek bilinmez âlemlere götürecek gibi hissettim.

VAVEYLA: Sen şimdi önüne gelen perdenin arkasında ne olduğunu bilmeden korkusuzca açıp sahnedeki yerini almaya hazırlanıyorsun Dilhun! Bilinç seviyen yükseliyor! Zamanla yüksek bilinç yolculuğunu hızlandırmak için arzularını kullanmayı öğreneceksin. Evren'in aklıyla senin aklın arasındaki bağı kurduğunda oyunun dansa dönüşecek! Aklının yaşadığın dünyayı oluşturduğunu anlayacaksın. Aklın seni değişik yerlere koyar ve bilinç gelişimine yardımcı olmak için değişik şeyler yaşamanı sağlar. İlahi düzende olmayan hiçbir şey senin zihninde olamaz! Yaradan sana seçme şansı vermiş. Bak ben sana her şeyi bol bol veriyorum ve sen zihnini bunlardan istediklerinle doldur diyor! Sadece seçme şansını değil seçtiklerinin miktarlarını belirleme fırsatını da sana vermiş. Acı, neşe, bolluk, kıtlık! Hepsinden bir miktar ilahi düzende var ama bunlardan seçip izlediğin senin sahneni hazırlayacak diyor! Perdeyi

açmaya korkma, onları sen seçmiştim ve ben de senin için
en iyi şekilde hazırladım, hadi büyüt diyor. Sen neyi ne
kadar seçtiğini görmediğin için düşüncelerine dikkat etmi-
yorsun! Oysaki düşüncelerin sahnenin hazırlanmasındaki
en güçlü faktörler! İnsan soyut şeyleri görmediği için gü-
cüne de inanamaz. Ta ki perdeyi aralamak zorunda kalıp
sahnede yer alanları görene dek!

DİLHUN: Peki bu sahnede görmek istediğim güzellik-
leri daha kolay belirleyip, seçip koyabilmek için ne yapabi-
lirim? Bu sahne örneği çok hoşuma gitti.

VAVEYLA: Sahneyi çok ciddiye almayacaksın ama!
Çünkü bir perdenin kapanıp diğer perdenin açılacağını her
zaman kendine hatırlatmalısın. Dekor ve oyuncular değiş-
meden hiç kimsenin oyunu sürekli aynı sahnede aynı oyun-
cularla oynanmaz bunu asla unutma!

Bunun için şöyle yapabilirsin. Evet haklısın zihin soyut
olan şeyleri çok sevmiyor. Her sabah uyandığında gece yat-
madan önce ve ihtiyacın olduğunu hissettiğin her anda bir
semt pazarında gezindiğini düşün. Cebinde istediğin mik-
tarda sınırsızca harcayabileceğin sana ait para var. Elindeki
pazar filesine pazarda bulunan tüm malzemeden istediğin
kadar koyarak fileni dilediğin gibi doldurabilirsin. Bu mey-
ve sebzeleri kendin seçersen çok daha keyif alırsın! Çürük
çarık olmadan en güzellerini en tazelerini seçersin. Sonra
eve gelip tatlarını beğenmediğinde "Olsun ben seçmiştim,
bir dahakine daha dikkatli seçerim" dersin! Zihnini de aynı
şekilde düşün! Sürekli acı biber, ekşi erik, çürük domates,
turşuyla doldurmaya çalışırsan ne olur? Bir de bunları sürek-
li senin zihnine diğerlerinin seçip istediği miktarda istediği
kadar doldurduğunu düşün!

DİLHUN: Anladım, çok iyi anladım Vaveyla! Bundan sonra kendim en güzel semt pazarına çıkıp kendi ellerimle en taze en leziz meyve sebzelerle seçip dolduracağım filemi!

VAVEYLA: Bu filenin içerisine bol miktarda arzularından koy! Sonra pazardan uzaklaş. Şöyle hayatın içerisinde dolaş. Beğendiğin, senin de sahnende olmasını istediğin ne varsa filene doldur. Araba, ev, iş, başarı, para, aşk vb. File sen doldurdukça genişleyecek, yenileri için sana yer açacaktır merak etme. Arzularına ulaşmayı yaşamının bir parçası olarak gör! Açık, anlayışlı ve sevgi dolu olduğunda seni bekleyen en yüksek mutluluğu yaşayacağını unutma. Hamurunda olanları ancak filene doldurabileceğini, bunların zaten sende olduğunu hatırlamak için doldurduğunu unutma. Bu yüzden kendini serbest bırak ve alışverişini rahat yap. Bu arada fileni doldururken içindeki çocuğu sakın unutma:)) Onu sen mutlu edemezsen kimse edemez. Onun sevdiği şeylerden de al. Onun oyuna, eğlenmeye ihtiyacı olduğunu, tüm yaratıcılığını oyunla sergilediğini, oyunla büyüdüğünü unutma. Sadece oyununu rahatça oynayabilmesi için seçtiği arkadaşlarına ve oyuncaklarına dikkat et. Onun da sorumlulukları olduğunu ona sık sık hatırlat. Hayatı sadece severek yaşamadığımızı, sorumluluklarımız olduğunu unutmasın. Oyuna fazla dalıp gitmesin, içinde kaybolmasın. Akıllı bir çocuk olarak oyun sürecini en iyi şekilde yönetmesi gerektiğini anlat ona. Aklını kullanmasını öğret. Aklını kullanırsa istemediği, pişman olacağı oyunlara girmeyeceğini de öğret olur mu? Fileni doldururken içindeki çocukla sürekli iletişim halinde olmalısın, onunla bağını koparmamalısın. Merak etme tüm bunları Logos'un sayesinde çok rahat yapacaksın. Senin artık akıllanman, sürekli aklını kullanman ve bilinç seviyeni geliştirmen gerekiyor. Tek başına sadece kendi aklınla yetinerek tüm süreci yönetemezsin, buna kimsenin aklı da gücü de yetmez. Yaşam döngüleri devam ettikçe sürekli akıl almaya ihtiyacın devam edecek. Bu süreçte Logos'un aklından başka hiç kimsenin aklına güvenmemelisin, çünkü o ilahi düzenin, varoluşun aklıdır. O sana Yaradan'ın en güzel armağanıdır. Yaradan sana tüm deneyimlerini akıllanman ve Logos'un sesini duyabilmen için yaşattı. Logos dışında başkalarının aklını kullanman çözüm değil. Bu Yaradan'la olan bağını kopararak seni daha çok yalnızlığa itecek bir süreç. Senin doğrularını kimse senden daha iyi bilmez. Başkalarının doğruları ruhunu her geçen gün daha da zehirleyecek ve seni çıkmaz yollara sokacak. Benden sonraki sürecini Logos'la geçireceksin. Logos'la birlikte yola devam ettiğin sürece hiç merak etme altından kalkamayacağın, baş edemeyeceğin hiçbir şey olmayacak.

DİLHUN: Artık sen Logos der demez kalbim yerinden fırlayacakmış gibi oluyor. Kim bu Allah aşkına? Bu arada ben bu fileye hemen aşk koydum biliyor musun:)) Sonra içimde yeniden aşkı yaşamaya dair inanılmaz kıpırtılar hissettim. Bu duygumu uzun süre önce kaybetmiştim aslında. Aşk evet ben aşk istiyorum artık. Acaba kime, nasıl birine âşık olacağım bunu düşünmek bile inanılmaz heyecan verici.

VAVEYLA: Âşık olacağın insan aslında rüyalarının erkeğidir. Daha tanışmadan önce onu hayal etmiştin. Bunu yaşanmış veya arzulanmış deneyimlerin doğrultusunda yaptın. Âşık olduğun o kişiyi gördüğünde şaşırmayacaksın, onu çok net ayırt edebileceksin. O kişiyi o denli net bir biçimde ayırt edebilmenin sebebi onu bir anlamda zaten tanıyor olmandır. Onu bunca zamandır beklemiş olduğun için çok eskiden beri tanıyormuşsun gibi gelir. Ama aynı zamanda sana gayet yabancıdır. Tanıdık bir yabancı kişidir o senin için!

DİLHUN: Ben hayatım boyunca aşağılık duygusuyla yaşadığım için hep beni aşağılayacak kişileri hayatıma çektim. Sonra da büyük bir hüsrana uğradım. Benim tanıdığım o yabancı kişiler hep aşağılık duygusuyla kaplıydı ne yazık ki... Bundan sonraki sürecin değişeceğini biliyorum artık, güzel olan da bu sanırım.

Hakan mesela bulunduğu sosyal çevrede kendi gücünü ve üstünlük duygusunu gösterip kanıtlamak için didinir çırpınır dururdu.

Kendisini anlamsızca yorardı, sürekli oradan oraya koştururdu. Resmen hayatını işkence haline getirdi. Bunu yapmasının nedenini şimdi çok iyi anlıyorum. En büyük sebebi üstünlüğünü sağlamak ve bunu çevresine kanıtlamaktı. Bu güç sayesinde çevresindekilerin ilgisini toplamak da onun için ayrı bir keyifti. Kendisini değersiz, eksik ve yetersiz hissettiği için, büyük, zengin, güçlü, başarılı gözüküp değer kazanmaya çalışıyordu. İnsan kendisini ne kadar küçük görürse o kadar büyük görünmek istermiş meğerse... Ne kadar karmaşık ve ilginç varlıklarız ya da ben hep filemi çürük çarıkla doldurmuşum.))

VAVEYLA: Şunu unutma ama Dilhun, sen Hakan'la birlikte olduğun süreçte senin de içindeki duygular aynıydı. Boşuna çekmedin. Hakan'ın ruh eşin olarak geri dönebilmesi için ihtimal olduğunu unutma. Aynı senin gösterdiğin bilinç seviyesi sürecini onun da gösterebilme olasılığı olduğunu da unutma. Onun da bu süreçte farklı sınavlardan geçerek bilinç seviyesini yükseltmeyi seçip seçmeyeceğini, yaşayacağı deneyimlerin onu nereye götüreceğini kimse bilemez. Eğer o senin ruh eşinse, belki o da öyle bir deneyim yaşıyor ki senin karşına aynı oranda tamamlanmış olarak çıkacak ve siz birlikte yeniden akmaya başlayacaksınız.

DİLHUN: Olabilir mi gerçekten acaba? Böyle bir şeyi hiç düşünmemiştim. Gerçekten oda kendisiyle yüzleşmiş bütünleşmiş olarak bana dönse ne yaparım acaba?

VAVEYLA: Bunu böyle bir beklentiye girmen için söylemedim. Olacaksa olur ve bunun önüne kimse geçemez. Bu kadar. Sen yoluna devam et.

DİLHUN: Yo hayır, anlattığın bunca şeyden sonra öyle bir beklentiye girmem merak etme. Kapıyı açık bırakmayı öğrendim. Gelene merhaba gidene eyvallah demeye hazırım. Canımı yakanları o kapıdan uğurlayabilecek kadar güçlü, girmek isteyenleri davet edebilecek kadar yürekliyim artık. Filenin ağzı açık merak etme:))

VAVEYLA: Güzel, kendinle dalga geçebiliyorsan artık bu gerçekten hikâyenin dışına çıkabildiğinin bir göstergesidir. Hakan'ın ve senin yaşadıklarını şu anda toplumun büyük, çok büyük bir kısmı yaşıyor. Bazı olaylara daha bütünsel bakmak gerekir. Toplum sancı çekiyor ama bu aslında tekâmülün önemli ve gerekli bir basamağı. İnsanlar birey olmayı öğreniyor. Bu süreçte gerektiğinde hayır gerektiğinde evet diyerek kendileri olmayı, kendi akıllarını kullanmayı öğrenecekler. Bir insanın kendisi olması ne demektir biliyor musun Dilhun? Bir insanın kendisi olması kendi aklını kullanması demektir. Kendi aklıyla kendi gerçekliğini oluşturabilmesidir. Bilinçaltından gelen ilişkilendirmeleri kesmiş bir kişi ancak kendisi olabilir unutma. Bundan daha güzel bir şey olabilir mi? Etrafına bak, zarar gören, kandırılan, aldatılan, dolandırılan ne kadar çok insan var. Burada sadece mağdurların aklını kullanmadığını düşünme. Aldatan, kandıran, dolandıran, yalan söyleyen asıl aklını kullanmadığı için bunları yaşayıp yaşatıyor. Bu kişilerin bilinçaltının ilişkilendirdikleri tüm hayatını yönetiyor ama farkında değiller. Zaten farkında olsalar süreç bilinçaltından bilinçli zihnin yönetimine geçmiş olacak. Akıllı insan Yaradan'ın armağanı olan diğer insana acı çektirir mi, zarar verir mi? Aklını kullanan insan suç işleyerek, zarar vererek kendi ve diğerlerinin hayatını tehlikeye atar mı? Kendisi olmayı öğrenen birey kimseye zarar vermeden ilahi düzene hizmet edebilen kişidir. Kendi gücüne inanıp ben de varım diyenlerdir. Başkasının gücüne ve aklına inanarak iş yapanlar sistem tarafından asla kabul edilmeyenlerdir. İlahi düzen, bu süreçte sadece Yaradan'dan gelen güce güvenip kendi aklını kullananlara kapıları açıp mucizeleri sunuyor. İnsanların gücünü eline alabilmesi, birey olabilmesi, Logos'la tanışmaları için hizmet ediyor. İlahi düzenin şu anki en büyük hedefi bir an önce herkesi Logos'la tanıştırıp akıllarını kullanıp birbirlerine ve sisteme zarar vermeyi önlemek. Sistemin kendisi akıllı çünkü, akıllı olmayan, gücüne ve kendisine hizmet etmeyeni barındırmak istemiyor artık. İnsanların güce ihtiyacı var, herkes güç arıyor. Kimisi parayla, kimisi kariyerle, kimisi de etiketle bu güce sahip olmaya çalışıyor ama kimse bu güce aklıyla ve Yaradan'ın aşkıyla sahip olabileceğine inanmıyor. Oysaki Logos'la tanışıp akıllarını kullanmayı seçince Yaradan'dan gelen sevgiyle zaten çok güçlü olduklarını hissedecekler. Böylece insanlar kendini güçlü hissetmek için dışarıdan destek beklemeyeceğinden dolayı dünyadaki birçok kötülük de ortadan kalkacak. Bu yüzden ilahi düzen Yaradan'dan gelen farklı deneyimlerle bizleri kendimiz olmaya çekiyor. Sen yaşadığın deneyimler sayesinde birey olmayı, kendin olmayı seçtin! Artık yolun ve deneyimlerin değişti! Hepimiz bunu farklı şekillerde öğreniriz. Önemli olan travmaya maruz kalmadan ilahi düzenden gelen mesajları okuyabilmek. Unutma gelen mesajları okuyamadığın, reddettiğin sürece yaşam dersin daha rahat görmen için daha da büyük bir versiyondan gelecektir. Önemli olan en az yarayla yaşam dersi küçükken uyanmak ve mesajları alabilmek.

Zamanla her şeyin değişimi gibi insanın düşünce, duyma ve davranışları da değişmektedir. Dediğim gibi bu bir tekâmül süreci...

DİLHUN: Oysaki ben hep kendimden ve bu mesajlardan kaçıyormuşum. Sabırsızca her istediğim olsun diye bekledim, olmayınca isyan ettim! İsyan ettikçe yalnızlaştım.

Birçok insan aynı şekilde bilinçsizce aynı süreci yaşıyor. İnsanların ne kendisiyle ne de diğerleriyle bir ilişkisi kaldı. Hiç kimse tanıştığımız gibi kalmıyor. Belki de tanışsalar çok iyi anlaşacak olanların da yolu kesişmiyor. Birçok insan elinden gelmediği için değil, içinden gelmediği için harekete geçmiyor, enerji harcamıyor. İyi ki varsın dediğimiz insanların sayısı giderek azalıyor. Çoğumuz tek çare olarak hikâyemize inanmayı seçiyoruz. Düşündüğümüzü sandığımız çoğu zamanlarda da önyargılarımızı daha da derinleştirip hikâyelerimizde kayboluyoruz. Belki de katlandığımız şeyden daha önemli olan nasıl katlandığımız sürecini gözden kaçırıyoruz. Sevinçlerimizi paylaştığımız insanlar değerli hikâyelerimizi paylaştıklarımız ise vazgeçilmezlerimiz. Bu hayatta tek vazgeçilmezimin sen olman benim için ne kadar da acı... Ama artık bunun sadece benim sorunum olmadığını, etrafı insanlarla çevrili birçok kişinin de aynı yalnızlığı taşıdığını biliyorum.

Ortak yaşam alanlarına mesela kafelere baksana, artık oralar da sessiz! İnsanlar birbiriyle konuşup sohbet etmiyor, gülmüyor, eğlenmiyor, bir araya gelip telefonlara gömülüp sessizleştikçe sessizleşiyor! O eski uğultuyu özlüyor insan. Bu sessizlik bazen beni korkutuyor...

VAVEYLA: İlahi düzen kendisini her an tertemiz, saf sevgiden açılacak sahnelere hazırlıyor! Merak etme sürecin sonu ışık, sürecin sonu aydınlık! Hepimiz saf sevgiyle Yaradan'a yürümeyi, O'na gitmeyi öğreniyoruz! Sahnemiz çok güzel açılacak rahat ol Dilhun!

DİLHUN: Yazık gerçekten yazık, birçok kişi bu kadar değerli bilgilerden mahrum yaşıyor! Bu kadar kişi acı çekiyor! Bu bilgiler insanlığa öğretilmeli Vaveyla! İnsanlar üzülmemeli! Yazık bazı aileler iyilik yaptığını düşünerek kendi içindeki hırs, intikam ve yetersizlik duygularını çocuğuna aşılayarak onu hayata hazırladığını sanıyor! Oysaki ilahi düzen artık hırsı, kötülüğü, nefreti, öfkeyi istemiyor! Aksine kendisini bunlardan kurtararak arınmaya çalışıyor! Yine aynı şekilde gençlerin davranışlarına karşı aşırı sabırsız olduklarını düşünüyorum. Gençlerin hiçbir taşkın harekette bulunmadan, söylenen her şeyi itiraz etmeden yapmaları bekleniyor. Ders başarılarından tüm yaşam başarılarına kadar her şeyi dört dörtlük yürütmeleri istenir. Ders başarısını hayat başarısı sanıyor! Oysa çevremde akademik başarıyı yakalamış ama mutsuz, depresif, amaçsız o kadar çok insan var ki! Günümüz yetişkin insanı bile bunu yapamazken hormonların en aktif olduğu dönemde bunu gençlerden beklemenin hiç de adil olmadığını düşünüyorum. Yine

AVM'lerde, marketlerde, metrobüs kuyruklarında, trafikte, fasst food sıralarında sinirlenen sabırsız insan toplulukları! Sürekli bir çatışma ve haklı çıkma arzusuyla günden güne mutsuzlaşan insan toplulukları! Kendisinden daha iyi koşullara sahip kişileri asla çekemeyen insanlar... İyi niyetli verilen nasihatleri, fikirleri bile kabul etmek istemeyen ve sinirlenenler... Başına buyruk ve sadece kendi istek ve arzuları doğrultusunda hayatını yaşamak isteyenler de cabası! Birbirine güvenmeyen, bulunduğu hiçbir yere kendisini ait hissetmeyen, sabırsız, sürekli oradan oraya koşan insan toplulukları, zavallı insanlar! Artık insanlara yeni bir insanla tanışmak o kadar zor geliyor ki. Artık kimse hayal kırıklığı, hüzün ve acı yaşamak istemiyor, herkes herkesten kaçıyor. Olmazsa olmaz sandıklarımızın daha sonra gereksiz olduğunu düşünüp, üstüne basıp acımadan yürümeye devam ediyoruz. İnsanların ömrü değiştiremeyecekleri şeylere zaman ayırarak geçiyor. Birçok kişi güvenmediği insanları hayatından çıkarma gücünden yoksun! Güveneceği insanları ise aklına gelmeyeceği dengesizliklerle kendisinden uzaklaştırıyor. Kimse gurur yapmadan acılarını olduğu gibi karşısındakine dökemiyor.

Neden birbirimize bu kadar güvenmez olduk Vaveyla? Ne haldeydik ne hale geldik! Bu bilgiler, bunlar yok olmamalı! İnsanlık kurtarılmalı, insanların elinden tutup bataklıktan çıkartılmalı Vaveyla!

VAVEYLA: Dur sakin ol! Dedim ya her şey daha güzel olacak emin ol! Şu anda sadece bunları konuşarak bile sisteme hizmet ediyoruz unutma! Devamı için zaten elimizden geleni yapacağız! Tekâmül hep iyiye gidiyor merak etme. İlahi düzen uyanmayan bu insanlara uyanmaları için fırsat veriyor. Uyanmayıp oyuna devam edenler sistemden devre dışı bırakılıyor. Gün gelecek ilahi düzen içindeki ona hizmet etmeyenleri atacak ve geriye saf sevgi kalacak. İşte sistem buna hizmet ediyor. İnsanlar giderek daha seçici olmaya başladı. Paralarını, zamanlarını, enerjilerini gereksiz şeylere harcamak istemiyor. Artık birçok şeyi tüketmekten doyup keyif almamaya başladı. Gerçekten zevk alacağı, ona fayda sağlayacağına inandığı şeylerin peşinde koşuyor. İnsan artık o kadar bencilleşti ki çıkarına uymayan, işine yaramayan hiçbir şeyi ve kimseyi hayatında istemiyor. Üretici kazanabilmek ve ayakta kalabilmek için daha farklı olanı ve faydalı olanı üretmek zorunda kalıyor. İnsan zihni artık karmaşık, entelektüel sözcüklerle uğraşmak istemiyor. Sözcükler giderek inceliyor ve sadeleşiyor. İnsanlar gerçekten yürütmek istediği ilişkilere, birlikte keyif alacağı insanlara yönelmeye başlıyor. Zamanla sahte ilişkilerin yerini samimi dostluklar alacak. Bu dostluklar ve birliktelikler faydalı şeyler üretmek üzere dizayn edilecek. Artık dünya kendisi için yeni şeyler üreten ve kendisi olabilen kişilere göz kırpıyor. Birey olabilen kişi kendisine neyin iyi gelip neyin iyi gelmediğini anlayacak. Kendi gücüne inanıp diğerinin yönetiminden çıkıp beklentiye girmeden kendi gerçekliğini oluşturmayı öğrenecek. Bunlar zamanla olacak şeyler. Uykudan uyanan, aklını kullanan birey diğerine verilen zararın kendisine döneceğini anlayacak. İşlerini yürütebilmesi, istediği hayatı yaşayabilmesi için diğerine olan ihtiyacı anlayacak. Zamanla bencillikten kurtulup birey olmayı ve birlikte yaşamayı öğrenecek. Şu anda toplumda tehlikeli olanlar narsis ve bencil olup bu sürece takılarak ilerleyemeyenler birey olamamış bencil insanlardır. Bu insanların bir dönüşüm sürecinde olduğunu hatırla ve dikkatli ol. Toplumun büyük çoğunluğu şu anda bu sürece yani bencilik sürecine takılmış durumda. Bir an önce bu kişilere yardım edilip birey olmaları için gerekli olan yapılmalıdır. Bu kişiler genelde nasihat dinlemek istemezler ve deneyerek, başını duvara vurarak öğrenmek isterler. Gerçekleri anlatmaya çalışsan da yüzleşmekten korkarlar ve kabul etmezler, kaçarlar. Bu kişilerin içindeki yaralı çocuğun çok inatlaşıp kızıştığını ve bencilleştiğini hatırla; çünkü kendisini çok yetersiz, değersiz hisseden incinmiş çocuk bu duygularla nasıl baş edebileceğini bilmez. Ne yapacağını bilmediği için daha bencil, öfkeli ve korkaktır ama bunları kapatabilmek için öylesine güçlü bir maskesi vardır ki onu uzaktan gören korkar ve kaçar. Sen böyle insanları gördüğün anda hemen içlerindeki çaresiz ve yaralı çocuğun yardım isteyen sesine odaklan. Çaresizlikten yerlerde debelenen, kapıları tekmeleyen minik çocuğu hayal et gözünde. Bu kişileri yetişkin birisiyle konuşur gibi konuşarak sakinleştiremezsin. Bu kişilerle ancak bencil bir çocuğu eğitir gibi sakin ve sabırlı bir şekilde iletişime geçerek güven ve aitlik duygusunu hissettirebilirsin.

İşte sistem daha iyiye gitmek için kendisini temizlemeye çalışmasaydı, bu bencil kişiler sistemin büyük çoğunluğuna hâkim olacaklardı. Sistem onları önlerindeki basamağa çıksınlar ve özgürleşsinler diye hizmet ediyor destekliyor, bu yönde deneyimler gönderiyor ama bazıları ısrarla bunu görmüyor. İçinde bulunduğumuz süreç çok önemli. Bu insanlara güven ve aitlik duygusu verilip korku psikolojisinden çıkartılabilirlerse çok hızlı bir şekilde bencillik basamağından birey basamağına yükselebilecekler. İlahi düzenin kaynağı saf sevgi olduğu için buna asla izin vermeyecek. Bak Dilhun yaşam koşulları ağırlaşıp ayakta kalmak zorlaştıkça bencilleşen birey hayatını sürdürebilmek için her şeyi tehlike olarak görmeye başlar. Burada sadece insanları suçlayamazsın. Bu insanları suça iten, öfkelendiren, kendisini güvende hissetmesine engel olan süreçler ortadan kalkmazsa bu davranışlar da kalkmaz. Hiçbir çocuk davranış bozukluğuyla dünyaya gelmemiştir. U-T tekniğini hatırla lütfen. Nedenler ortadan kalkmadan davranışlar da kalkmaz. Bu mantıkla hareket ederek içinde bulunduğumuz toplum ilerlemeye, gelişmeye çalışıyor. Evet haklısın bu biraz sancılı bir süreç ama sistem ancak böyle ilerliyor. Bu süreçte bireysel olarak yapmamız gereken en önemli şey ayakta kalabilmek ve sistemin bizi barındırmasını sağlamak için yönetimi bilinçli zihnimize verip akıllı olmak. Aklımızı kullanırsak zaten ilahi düzenin dilinin sevgi, güven ve aitlik duygusu olduğunu anlayacağız. Aklını kullanmayanlar ise herkesi kendisi gibi adeta bir avcı olarak niteler. Zamanla kendi hayatını sürdürebilmek için yalan, dolan, üçkâğıt, dedikodu gibi davranışlara yöneldikçe önce kendisine olan güvenini kaybeder. Kabul etmek, yüzleşmek istemediği gölge yanlarını daha da bastırıp görmemeye çalışır. İnsanları çok çabuk karalayıp ötekileştirir. Ayakta kalmak için her şeyin mubah olduğunu düşünür. Diğerlerinin de aynı düşüncede olduğunu düşünerek sürekli korunma, kaçma moduna girer. İlahi düzenin adaleti de işte bu süreçte devreye girer.

Yaşamda her dönemin kendine özgü birtakım özellikleri vardır. Bu özellikler o dönemde yaşayan kişilerin yaşam şeklini oluştururlar. Günümüzde yaşanan patlamalar, katliamlar, saldırılar, tacizler, ekonomide yaşanan olumsuz süreçler, hastalıklar insan psikolojisini direkt etkilemektedir. Korkuyu, öfkeyi, kaygıyı, güvensizlik duygusunu artırmaktadır. Bu duygular da insanın aile hayatından iş hayatına kadar tüm yaşamına yansımaktadır. Hayatta kalmaya programlanan bilinçaltı kendisinin tehlikede olduğuna dair herhangi bir komut alırsa bireyde kaygı, stres, panik giderek artar. Bu yüzden sakin, huzurlu bir hayat için bilinçaltını güvende olduğuna ikna etmek gerek. Unutma her zaman bizi bilinçaltımız yüzde doksan dokuz oranında yönetse de son kararı bilinçli zihnimizin yani beynimizin ön kısmının verdiğini hatırlayıp "Kendimi nasıl güvende hissedebilirim?" gibi sorularla bilinçli zihnimizi güçlendirmeliyiz. Bu kısmı sana defalarca tekrar ettim, umarım artık anlamışsındır.

Günümüzdeki insanların fazla düşünmekten kaçmasının, bencil olmasının, başkalarına kolay kolay güvenmemesinin, karamsar olup umudunu giderek kaybetmesinin sebebi bilinçaltı düzeyde her gün gördüğü, duyduğu, izlediği olaylardan dolayı hayatının tehlikede olduğunu düşünmesidir. Sabırsızlanıp, öfkelenip önüne bir engel çıktığında mücadeleden vazgeçmesinin en büyük sebebi zihninde oluşan "Hayat tehlikeli ve çok kısa, mümkün olduğunca en kestirme yoldan en iyi şekilde yaşamalıyım" düşüncesidir. Bu süreçten kurtulmak için de sürekli bilinçaltını değiştirmeye çalışıyor. Böyle olunca da önce bilinçaltının derinliğinde sonra da gerçek hayatta kaybolmaya başlıyor çünkü zorla değiştirilmek istenen bilinçaltındaki inançlar direnç göstermeye koyuluyor! Birey zamanla kendini daha değersiz hissedip, daha öfkeli oluyor, daha çok aldatılıyor, daha çok iflas ediyor! Birey, kendisini güvende hissetmediği anlarda bu duygulara daha çok tutunup farkında olmadan enerji yükleyip güçlendirmiş oluyor. Örneğin aldatmaların giderek arttığını duyan kadın kocasını elinde tutmak, aldatılmamak için farkında olmadan bilincinde sürekli kaybetme, aldatılma korkularına enerji yükleyerek onu büyütüp gerçekleşmesini sağlıyor! Enerjinin sözcükleri takip ettiğini hep hatırla!

Aslında tekâmül sürecinde beynimiz gelişiyor ve bu süreç bize kendimiz olmayı, kendimizi korumayı öğretiyor. İnsanın birey olabilmesi, haklarını koruyabilmesi, hayır diyebilmesi gördüğün gibi trajik ve kötü değil aslında. Tarihe baktığımızda da hastalanan, kullanılan, ezilen insanların büyük çoğunluğunun sorunlarının birey olamamaktan kaynaklandığını görüyoruz. Kendi haklarını koruyamayan, "Ben de varım!" diyemeyen kişi sömürerek güçlü olmaya çalışan narsis insanların yemi olmaya hazırdır. İçinde bulunduğumuz süreç toplumlar tarafından doğru kullanılır ve yönlendirilirse ilahi düzene çok büyük katkısı olacak harika işler ortaya çıkarılabilir. Sürekli diğerini idare etmeye, diğeri için yaşamaya çalışan kişi için hayat koskocaman bir yük, engebeli bir yol haline gelmeye başlıyor. Kendisine sürekli yüklediği yeni sorumluluklar ve zorluklarla hayatını tam bir işkence haline dönüştürüyor. Şöyle düşün, elinde bir mercek var ve sen o merceği neye tutarsan o şey daha da büyüyor! Şimdi elindeki bu merceği sürekli kin, öfke, kıskançlık, kıtlık dolu şeylere tuttuğunu düşün! İşte birçok insan bilinçsizce merceğini yanlış yere tutuyor! Merceğin tutulması gereken yerler bunların tam zıt noktaları olmalı. Sevgi, şefkat, bolluk gibi! Ve merceği doğru yere tutup tutmadığını sürekli kontrol etmek gerekir. Bu merceği tutarken istemediği her şeyin üstünü kapatıp, bastırıp gitmemelidir! Bu merceği objektif bir şekilde tüm olana tutup, süzgeçten geçirip sonra istediği yere odaklaması gerekir! İnsanın kurtuluş süreci, onu kendisi olmaya zorladıkça güçlenip gerçekten içindeki cevheri keşfedip üretmesinde. Burada dikkat edersen bencil insanla kendisi olup ben de varım diyen güçlü insan arasında çok ince bir çizgi var. Ben de varım diyen özgüveni yüksek olan kişi güçlü olmak için diğerini ezmez, kendisini diğerinden üstün görmez. Bencil ve özgüveni olmayan insan ise kendi başarısı için her şeyi mubah görür ve diğerini ezmek, yok saymak pahasına da olsa hazlarından vazgeçmez. İşte ilahi düzen de artık bünyesinde bu kişileri barındırmak istemediği için ilk fırsatta eliyor! İlahi düzene sadece Yaradan'ın saf sevgisi hâkim. Bu yüzden güçlü olacağım diye bencil olan kişiyi artık sistem barındırmak istemiyor.

Bu yüzden seni üzen, canını yakan kişiyi ilahi düzene teslim et. Bütün işlerini ilahi düzenle halletmeyi öğrendiğinde ilahi düzen sana kendisinde daha çok yer açacaktır. İlahi düzenle arana kimsenin girmesine asla izin verme.

DİLHUN: Tüm bunlarla birlikte birçok insan sevdiği işi yapmıyor, mutsuz ve kendisini çaresiz hissediyor.

VAVEYLA: Tıpkı senin de yaşadığın süreç gibi. Hakan'la olan sürecini çözdükten sonra hemen hangi sürece geçtin, iş sürecine değil mi? Aslında mimar olduğunu ama işini sevmediğini fark ettin...

İnsanın gerçekten içinden gelerek, severek iş yapması çok önemli. İşte sen hikâyenin sana sunduğu armağanı bulmayı seçtin ve buldun... Artık merak etme yaptığın birçok işte başarı kendiliğinden gelecek. Önemli olan bunu insanlığa yayabildiğimiz kadar yayıp acılarındaki hikâyenin kendilerine ve ilahi sisteme hizmet etmesini sağlamak.

Çalışılan ortamda yaptığı işi benimseyen kişilerin enerjileri direkt ilişkilere de yansır. Davranışlarda yakınlıklar doğar. Güçlü bir işbirliği kurulur ve başarı grafiği otomatik olarak yükselir. İşte ilahi düzenin tekâmül sürecinde birey olmayı başaran kişiler, kendisine iyi gelmeyen şeylere zaman ve enerji harcamayarak içlerindeki armağanı alıp yaratıcılıkla birleştirerek sevdikleri şeylerden para kazanmaya başlayacaklar. Zorunluluklar değil yetenekler konuşacak. İçindeki armağanı dünyanın ihtiyacı olan şeye aktarıp onu üretmeye başladığında kapılar açılacak. Kendinin inanmadığı bir şeye asla insanları inandıramayacağını unutma. İnsanlar senin inanmayıp onları inandırmaya çalıştığın şeye karşı samimi olmadığını anlayacaklar. Önce kendine sonra da diğerine ve yaşama karşı dürüst ve samimi olmayı öğrenmelisin.

DİLHUN: Ben yaptığım işe hiçbir zaman kendimi ait hissetmemiştim. Sebeplerini şimdi çok daha iyi anlıyorum. Ama yapılan iş karşılığında alınan ücretin az olup yetersizliği de verimliliği çok etkiliyor diye düşünüyorum. Emeğinin karşılığını alamadığını düşünen kişi yaptığı işte verimli ve başarılı olamıyor. Kendisine olan güveni gittikçe azaldıkça yaşam enerjisi de gittikçe düşüyor. Kendisini fazla yormak istemiyor. Çünkü sadece aldığı para kadar iş yapmak istiyor. Bu da onun kapasitesinin, enerjisinin sadece bir kısmını kullanmasına sebep oluyor. Bilmiyorum, bende öyle oldu. Aldığım maaşın yetersizliği beni mesleğimden de soğuttu. Hak ettiğin değeri göremediğini hissediyorsun içten içe. Değerli olsam bana ihtiyaç olsa daha çok para ödenirdi diye düşündüm hep.

Çalıştığı yerde manevi anlamda gerekli değeri görmediğini düşünen insan da çalıştığı kuruma kendisini ait hissedemiyor. Kendisini memnun etmeye çalışılmadığı gerekli değeri görmediği düşüncesi ile bulunduğu yere çok da faydalı olmak istemiyor. Hani biraz önce de dediğin gibi insan gerçekten kendisini ait hissetmediği yerde büyüyüp gelişemiyor.

Çalıştığım ortama kendimi ait hissedip hissedemediğimin göstergeleri nelerdir, bunu nasıl anlayabilirim veya kendimi ait hissetmek için neler yapmalıyım? Şu anda benim durumumda olan o kadar çok insan var ki! İşinden memnun olmayan! Bedeninin gittiği ama ruhunun gitmediği! Bunun bir çözümü olmalı. Bunun çözümü herkes sevdiği işi yapsın olmamalı. Günümüzde kaç kişi severek yaptığı işten para kazanıyor ki? O zaman bir sürü doktor, avukat, öğretmen, bankacı, muhasebeci, kasiyer, şoför işini bıraksın mı? Bu insanların çoluk çocuğu var nasıl cesaret etsin? Adam muhasebeci, yaptığı işi hiç sevmiyor. Sevdiği asıl iş ise resim yapmak. Kaç kişi resim yaparak para kazanıyor! Bu adamın kirasını, çocuklarının okul masraflarını kim ödeyecek? Toplum cinnet getiriyor, insanlar çok bunalımlı Vaveyla! İnsanlara yardım edelim. Onlara çözüm yolları bulalım lütfen! Bu hepimizi etkiliyor! Bir insan tek başına nereye kadar ne zamana kadar mutlu olabilir ki? Çevremde mutsuz insanları gördükçe benim de suratım asılıyor!

VAVEYLA: Dur sakin ol, yine heyecanlandın Dilhun! Senin kaygılarını çok iyi anlıyorum. Biraz önce benzer şeyleri sana söylemiştim. Şimdi diğerleri için doğru cevabı duymak istiyorsun. Bu kendi hikâyenden artık uzaklaştığını gösteriyor, harika! Unutma tüm sorularının cevabı ilahi düzende! Seni Logos'la tanıştırdığımda evrenle çok daha kolay iletişime geçebileceksin. Şimdi gelelim sorularının cevaplarına. Kendini çalıştığın yere ait hissetmezsen zaman zaman çalıştığın yere zarar vermekten çekinmezsin.

Bu kendi işyerin de olsa bir kurum da olsa işleyiş aynıdır. Değişmez. Geç gider, erken gelirsin. Hatalar yapar, verilen molaları giderek artırırsın. Trafik yoğunlaşır, daha çok hastalanır, arabalar, vapurlar daha çok kaçmaya başlar, anlıyor musun:)) Yalnız bütün bu işleri bile bile yapmazsın. Neden işini eksik yaptığını, ihmal ettiğini, yarım bıraktığını, niçin arada sırada veya sık sık vapuru, treni, otobüsü kaçırdığını, hastalandığını bilmezsin. Hatta kayıp neden ayağını kırdığını, sık sık neden tuvaletin geldiğini, sürekli karnının acıkıp bir şeyler yemek istediğini anlamazsın.

DİLHUN: Çünkü beni bu şekilde davranmaya iten sebepler bilinçaltındadır:)) Dersimi iyi öğrenmiş miyim:))

VAVEYLA: Evet hem de çok iyi öğrenmişsin:)) Tüm bunlarla birlikte insanların birbirlerine verdiği değeri anlamak çok da zor değildir Dilhun. Bilinçaltının oyunlarını izleyerek bundan sonra kimin kime ne kadar değer verdiğini, onun için ne anlam ifade ettiğini çok rahat çözebileceksin. İstedikleri kadar oyun oynasınlar yalan söylesinler artık kimse seni kandıramaz. Hayatı izlediğinde hiçbir unutmanın tesadüf olmadığını görürsün. Seni sevip sevmediğini, değer verip vermediğini anlaman için falcılık yapmaya gerek yok. İzle, hisset ve aklını kullan yeter! Kadın istemeyerek yemek yaptığında parmağını keser. Bir adam toplantıya gitmek için hazırlanıp tıraş olurken yüzünün bir tarafını keser. Bir öğrenci okula giderken merdivenden inerken düşer, bir yerini incitir. Bir kadın ütü yaparken kocasının gömleğini yakar:)) Bir işçi çalıştığı atölyede-fabrikada kullandığı bir aleti bozar, düşürür, parçalar. Kullanılmayacak bir hale getirir:)) Karıkoca tam yatağa girdiğinde kadının başı ağrır, adamım uykusu gelir:)) Kadın günlerce banyo yapmaz, yaparsa kocasının onunla birlikte olacağını düşünür ve farkında olmadan bilinçaltı direnç koyarak onun kokmasına ve pis olmasına sebep olur. Böylece kocası onu arzulamayacaktır. Anne çocuğuna yardım etmesini istediğinde çocuk koltukta uyuyakalır:)) Erkek nişan yüzüğünü kaybeder:)) Bazı randevulara geç gider bazılarına saatinden önce gider beklersin:)) Artık bütün bu olaylara kaza veya tesadüf demeyeceksin değil mi Dilhun:)) Bu süreçte zihninin ilişkilendirme özelliğini de hep göz önünde tutup bağlantıları bu yönde kurmaya çalış lütfen.

İnsan kendisini sarmayan, memnun etmeyen yerde isteyerek kalmak istemez. Kendisine sıkıntı veren yerden uzaklaşmak ister. Bu isteğini gerçekleştirmek için de çeşitli yollara başvurur. Bu yüzden de saati yanlış kurar, tam evden çıkarken tuvaleti gelir, anahtarı kaybolur, otobüsü-vapuru kaçırır.

Diğer sorunun cevabına gelince evet herkes hemen işini bırakıp sevdiği işin peşine koşamaz! Öncelikle bulunduğu yere kendisini ait hissetmeye çalışması, bunun için zihninin ayrılık bilincinden kurtulması çok önemli. Yani ben diğerlerinden farklıyım, beni dışlıyorlar, sevmiyorlar düşüncelerini kendi zihninin yarattığının bilincinde olup hemen merceğini değiştirmeli! Gördüğü her kişiyi Yaradan'ın birer armağanı olarak görmesi, zihninde onlarla kucaklaşması iyileşme ve değişim sürecini hızlandırır. Dışarıda bıraktığı her şeyin kendisini göstermek için var olduğunu unutmamalı. Böyle anlarda içindeki çocuğun kendisini ait hissetmediği yine hatırlanıp ona sahip çıkmalı. Yine soracağı akıllıca sorularla sürecin içinden çıkabilir. Her attığı adımda Yaradan'ın gücünü, her aldığı nefeste Yaradan'ın sevgisini hisseden birey zamanla o hiç sevmediği, kendisini ait hissetmediği işyerinde en çok sevilen kişi olduğunu görecektir! Böylece alternatif arayışlar, debelenmeler ortadan kalkacak, kapılar kendiliğinden açılacaktır. Bulunduğu yerin değişmesi gerekiyorsa bunun hazır olduğu zaten ona mesajlarla gelecek ve o da bu mesajları okuyacaktır! Bir insanın bulunduğu yeri tam olarak içine almadan, olanı olduğu gibi kabul etmeden isyanla yapacağı değişim hayırlı olmayacaktır! Çünkü yaşam dersini vermeden sadece mekânı değiştirmek hiçbir şeyi değiştirmeyecektir. Dışarıda bıraktığı, kabul etmediği şeyler kabul etmesi onaylaması için sürekli karşısına çıkacaktır. Ancak artık yargılamaktan, ikilikten kurtulduğunda, bulunduğu yeri kabule geçtiğinde istediği değişim olacaktır. Merceğinin odağı neden olmuyor, buradan nasıl kurtulabilirim soruları olmayacaktır. Bu yüzden en güzel şeyler hiç beklenmediği zamanda olur. Çünkü yaşam dersini vermiştir, akıştadır artık kişi ve çok da umursamamaktadır gelecek olanı. Her gelenin hayrına olduğunun bilincindedir çünkü.

DİLHUN: Bugün şimdi teşekkür etmek istiyorum Yaradan'a. Her gözyaşım için karşılığında bana gülücük veriyor. Her vedadan sonra varlığına şükredeceğim insan veriyor. Her çektiğim acı için bana büyüme fırsatı veriyor. Her kriz döneminden sonra bana neşe veriyor. Her düştüğümde bana hediyeler veriyor. Her zorluk için bana yeniden doğma şansı veriyor. Yaşadığım her şeyle baş edebilmem için bana inanç veriyor. Her hatam için bana umut veriyor. Her belirsizlik için öğrenme fırsatı veriyor. Her güvensizlik için bana güven veriyor. Yaralarımı sarmak için bana sevgisini veriyor ve tüm bunları görebilmem için bana Vaveyla'yı veriyor. Şükürler olsun Allahım, yaşadığım her şeye şükürler olsun.

VAVEYLA: Bence düşüncelerini çok güzel ifade ediyorsun, içindeki öğretme isteğinin seni iyi bir yazar yapacağını düşünüyorum. Belki de bu öğretileri sen bir kitap haline getirip insanlara aktarmaya çalışırsın ne dersin, nasıl fikir sence?

DİLHUN: Kendimi gergin, stresli ve sanki dünya batacakmış, her şey altüst olacakmış gibi hissediyordum. Oysa hayatta çok kez daha yeni başlangıçlar yapmak zorunda kalacağımı anlıyorum. Ben insanım çünkü, bazen ileri gitmek yerine geriye de gitmek zorunda kalacağımı kabul ediyorum. Bundan sonraki hayatımda ne kadar kötü süreçler geçirecek olursam olayım her şeyin sürecin bir parçası olduğuna, düşsem de yeniden daha da güçlenerek ayağa kalkabileceğime inanıyorum. Hayatta olduğum sürece her zaman sıfırdan başlayacak cesareti de kendimde görüyorum çünkü sayende yaşamın şifrelerini öğrendim. Okurlarıma kucak açıp bu öğretileri onlara da aktarabilmek bana onur verir. Neden olmasın Vaveyla?

VAVEYLA: Şimdi sana başarı için çok önemli bir duygudan intikam duygusundan bahsedeceğim. Hani şu seninle ilk tanıştığımızda sende bol miktarda olan duygudan. İçinde derinlerde ne kadar iyileşmiş gibi gözükse de o intikam duygusu pusuda bekliyor ta ki o duyguyu hatırlatacak bir şey karşına çıkana dek. **Tekâmül sürecinde intikam duygusu oldukça yararlı bir amaca hizmet eder; öyle ki bu beklenti bile insana zevk verir. Peki intikam duygusu neden vardır? Sana demiştim, yaşadığın hissettiğin hiçbir duygu boşuna değil, seni daha iyi bir noktaya getirmek için var diye!** İntikamın umulmadık bazı yararları var Dilhun:))

Yapılan araştırmalar aşağılanan veya sosyal bakımdan reddedilen bir insanın duygusal acı çektiğini ve sosyal reddedilme karşısında saldırgan tepki gösterenlerde beynin acı ile bağlantılı bölgelerinin daha aktif olduğunu gösteriyor.

Fakat reddedilme duygusu başlangıçta acı verse de intikam alma fırsatı ortaya çıktığında bu acı zevk ile maskelenebiliyor. Saldırgan bir tutum göstermeleri için provoke edilen insanlar beyinlerindeki ödül bölgesinin harekete geçmesiyle gerçekten de tatlı bir intikam hissine kapılıyor.

O an iyi duygular veren intikam, tıpkı bağımlılıkta olduğu gibi, bir süre sonra başlangıç noktasından daha kötü bir noktaya çekiyor insanı.

Bu süreçte affetmek senin yaşadığın süreçte de olduğu gibi çok da kolay olmuyor. Ben ruhsal olarak seni rahatlatmak için affetmeni sağlarken sen farkında olmadan bilincine intikam duygunu başarıya çevirecek mesajlar verdim. Senin ilerleyebilmenin, kendini ve Hakan'ı affedebilmenin temelinde bu var. Çünkü aşk en savunmasız duyguların yaşandığı bireyin kendisini en rahat bıraktığı yerdir. Aşkta hissedilen intikam duygusu çok güçlü olur. Bu duyguyu sadece affet unut gitsin gibi sözcüklerle dönüştürebilmek imkânsızdır. Sen intikam almak istedin çünkü haklı ve varoluşsal olarak kendini, onurunu korumak istedin. Sen değer verdiğin ve sevdiğin için intikam almak istedin. Her ne kadar onu cezalandırmak ona acı çektirmek için intikam almaya çalışsan da temeldeki amacın bu değildi. Tüm amacın kendini kendine ispat edebilmendi. Yaralarını intikam alarak sarmaya çalıştın. Kaybettiğin gücü ve onurunu intikam alarak geri kazanmak istedin. Çok kırıldığın ve intikam almak için yanıp tutuştuğun olayı irdelediğimizde kendinle ilgili duygu çıktığını gördün. Diğer tüm negatif duygularda da olduğu gibi intikam duygusu kendinle ilgili bir gerçeği görmen için sana öğretmenlik yaptı.

Asıl şimdi yapman gereken intikam duygunun içinde kalan kırıntılarını başarıya çevirerek kendine olan saygını geri kazanmak. Yüreğinin derinlerindeki kıvılcımı ancak böyle tam olarak dindirebilirsin. O kalın intikam enerjisini onuruna yönlendirerek kendinin ve bütünün hayrına olacak şekilde yaptığın işe yüklemeni istiyorum. Ama sevgiyle, Yaradan'ın aşkıyla. Odağın kendini onurlu hissettiğin anlarda olsun. Bunun için çok büyük başarılar elde etmek zorunda değilsin. Yaptığın lezzetli bir makarna veya tavşan kanı demlediğin bir demlik çayla da bunu hissedebilirsin. Odağını yaptığın işlerde tutup az veya çok anlamını yüklemediğin sürüce Yaradan avuçlarını dolup taşacak kadar dolduracaktır merak etme. Yaradan sana o intikam duygusunun içindeki öğretiyi boşuna armağan etmedi. Hepsini şimdiki Dilhun olabilmen, bilincini yükseltebilmen için sana armağan etti. O artık bir intikam duygusu olmaktan çıktı. O kıvılcım kaderine yön verebileceğin güçlü bir yaşam enerjisi olarak sana geri döndü. Sen Hakan'a ve kendine intikam duygusunun ateşiyle zarar vermekten vazgeçtin. Sen armağanı gördün ve dönüşümü seçtin. Yaradan şimdi sana kapıları açıyor, hazır ol ve koş hadi! Sen kendi gücüne sahip çıkmayı seçtin! Şimdi olayları daha iyi birleştirebiliyor musun? Senin çocukluğunda hissettiğin önemsenmeme duygusu sevginin gücünü hissetmen olarak geri dönmüştü. Bir derse girsen hangi konuda öğretmenlik yapmak istersin dediğimde sevginin gücünü öğretmek isterim demiştin. Şimdi sevginin gücünü al ve bu konuda dünyanın sana ihtiyacı olduğunu hatırla ve kaybettiğin onurunu yeniden kazan. Kendini bundan daha iyi hissettirecek dünyada hiçbir şey bulamayacağına dair de garanti veririm.

DİLHUN: Bu görevi en iyi şekilde yerine getireceğimden emin olabilirsin Vaveyla, hiç şüphen olmasın!

Hakan beni terk ettikten sonra tüm bedenimi intikam duygusu sardı. Onda ise birlikte olduğumuz süreçlerde de bana karşı içinde gizli gizli bir intikam duygusu olduğunu şimdi anlıyorum. Hakan bana kızdığı zaman söylediklerime doğrudan doğruya karşı geliyordu. Bunu yapamadığı zaman beni üzecek başka çarelere başvuruyordu. Ruhumu zarara uğratacak şekilde davranıyordu. Hiçbir şey yapmasa yemekte elinden kazayla düşürmüş gibi yaparak tabak bardak düşürüp kırıyordu. Geriyorsun beni bak yapma dercesine suçluluk duygusu yaratıyordu. Beni kendisi için zararsız bir hale getirip zayıf düşürmeye çalışıyordu.

Şimdi düşünüyorum da aslında bazen bardak benim yerimi alıyordu. Benim onun kalbini kırdığımı düşünerek o da beni kırma arzusu duyuyordu. Bunu dilediği tarzda doğrudan doğruya yapmadığı zamanlarda da dolambaçlı yollardan sağlamaya çalışıyordu. Saldırganlık yönünü daha zayıf varlıkla eşyalara yönlendirerek Hakan gerçek hedefine, bana saldırmış gibi oluyordu. İçinde bir rahatlık hissediyordu. Öcünü almış oluyordu. Yanıldığımı ve abarttığımı hiç sanmıyorum... Onun içinde ta o zamanlardan bana karşı bir intikam duygusu varmış aslında. Ondaki bu intikam duygusunun arzusu neydi acaba? Tüm bunları nasıl da göremedim?

VAVEYLA: Tüm bunlar onun içindeki yaralı ve incinmiş çocuğun hayatında güçlü bir şekilde olduğunun göstergesi. Bundan sonra da böyle insanlarla çok karşılaşacaksın.

Toplumsal kaos süreçlerinde bu giderek artan bir durumdur çünkü bilinçaltı insanları yönetmeye başlar. Hatta artık kardeşin kardeşle, annenin babanın çocuğuyla geçinemediği durumlarla da çok karşılaşacaksın. Bunlar hep bilinçaltından gelen sevgi, aitlik, güven ve saygı ihtiyacının karıştırılıp yanlış kişilerden alınmak istenmesinden kaynaklanıyor. Kardeşin annesinden alamadığı sevgiyi ablasından, annenin kocasından alamadığı saygıyı çocuğundan almaya çalıştığını, babanın karısından alamadığı saygıyı oğlundan almaya çalıştığını, annenin kendi babasından alamadığı güven duygusunu kocasından almaya çalıştığını anlayacaksın artık. İhtiyacı olan bu duyguları insanlar asıl almaları gereken kişiden alamayınca, sinsice intikam duygusu olarak bilinçaltından yansıyacak. Yani aile dinamiklerine baktığında, ebeveynlerin fiziksel olgunlukta olduğunu ama ruhsal olgunlukta olmadıklarını, bu yüzden rollerin ve görevlerin birbirine karıştığını, çocukların tek başına bir evde yaşamaya çalıştıklarını göreceksin. Hayatının yönetimini bilinçaltına bırakmış anne babaların yetişkin olduğu söylenemez. Bir insanı bilinçaltının yönetmesi demek içindeki çocuğun onu yönetmesi demektir. Bu yetişkin anne babalar kaç yaşında olurlarsa olsunlar akıllarını kullanamadıkları sürece hâlâ çocukturlar. Bu yetişkin dediğimiz çocuklar gerçekten yönlendirilmeye ihtiyacı olan 3-4 yaşındaki çocuklara ne kadar yardımcı olabilirler ki kendileri de aynı yaştayken? Çocuk çocuğu eğitebilir mi? İşte artık tüm bunların insanların hayata karşı giderek korkması ve kendilerini güvende hissetmemesinden kaynaklandığını biliyorsun. Bu yüzden böyle insanlarla karşılaştığında içindeki çocuğun onunla birlikte oyuna girmesine izin verme. Onları çocuğun gibi gör. Onları dinlemeye, anlamaya, problemlerini çözmeye çalış. Bol bol şefkat göster. Merak etme sen bu şekilde davranırsan içlerindeki çocuk tehlikeli bir durum olmadığını anlayacak ve yavaş yavaş sakinleşecektir. Bunu sadece karşındakine yaptığın bir iyilik, fedakârlık olarak görürsen idare ettiğini düşünür ansızın patlarsın. Bunu kendi içindeki çocuğun oyuna girmemesi için de bir eğitim, bir oyun süreci olarak görürsen çift taraflı bilinç seviyenizi yükseltmiş olursunuz.

DİLHUN: Bak şimdi aklıma ne geldi... Bir gün kardeşime güzel, değerli bir dolmakalem hediye ettim. Aradan aylar geçti. Kardeşim benim kendisine verdiğim dolmakalemi yanından ayırmıyordu. Bir gün biz kavga ettik. Kardeşim o gün kendisine hediye ettiğim dolmakalemi bana geri verdi. Ben de sinirle o kalemi kırıp attım. Böylece ben de gizlice ondan intikam almıştım Vaveyla ama sonra kardeşim çok ağlamıştı kalemimi niye kırdın diye, ben de belli etmemiştim ama sonra da çok üzülmüştüm. Oysaki birbirimize sarılsaydık ya da kendimizle dalga geçebilseydik çok daha güzel bir anı olarak bize kalacaktı.

Ben böyle şeyler yaşayınca çok kafaya takıyorum, işin içinden çıkamıyorum. Hakan'la da böyle olurdu. Basit bir şey de olsa "Bana onu neden yaptı, neden böyle dedi, keşke yapmasaydım" diye kafama çok takıyorum. Düşünmeyeceğim dedikçe daha çok düşünüyorum.

VAVEYLA: Sürekli bir şeyi düşünmemeye çalışmak kişiyi çok yoran yanlış bir yönlendirmedir. İnsan beyni bir şeyi düşünmemeye çalıştıkça onu daha çok düşünür! Olumlu veya olumsuz düşüneceğim diye düşüncelerini kontrol edemezsin. Tek yapman gereken sevgide ve şimdide kalmak!

Seni rahatsız eden düşüncelerden kurtulman için uygulaması çok basit bir teknik öğreteceğim. Bu tekniğin adını "sıfırlama tekniği" olarak düşünebilirsin. Korku, korkulan şeyi yaratır Dilhun. Bir şeyi aşırı derecede istemen de onu senden daha da uzaklaştırır. Örneğin Hakan aklına geldiğinde sen "Hakan'ı düşünmemeliyim" dememelisin. Hakan'ı her düşünmemeliyim dediğinde beklentisel bir kaygı oluşturuyorsun, bu da daha çok düşünmene sebep oluyor. Tam tersine Hakan aklına geldiği anda kendi kendine şunları söyle: "Hakan'ı daha önceden 1 saat düşünüyordum şimdi 10 saat düşüneceğim. Onu düşünebildiğim kadar çok düşüneceğim, onu daha da fazla düşüneceğim." Bu kısırdöngüyü ancak bu şekilde kırabilirsin. Bunları mizah yeteneğini kullanarak, gülerek, kendinle dalga geçerek söylersen döngüyü çok hızlı atlatırsın.

Önceden bende yüksek derecede kaygı vardı, herkes beni izliyor gibi geliyor utanıyordum. Bunları düşünmemeye çalıştıkça kaygım giderek artmıştı. Sonra tam tersini yapmaya başladım ve her şey düzeldi. Örneğin çalıştığım bankanın müdürü başımda beklediği zamanlarda panikliyor, bilgisayarın klavyelerine basamıyordum. Tuşların yerini bulamıyor terliyordum. Sonra kendi kendime şunları söyledim: "Müdür yanıma geldiğinde 1 kilo terliyordum şimdi 5 kilo terleyeceğim, müdür yanıma geldiğinde klavyenin tüm tuşlarını karıştıracağım ve hiç yazamayacağım:))" Bu sana komik ve saçma gelebilir ama o gün bugündür ne bir daha terledim ne de tuşların yerini karıştırdım. Önceden kendime "Müdür gelince terlememeliyim, tuşların yerini karıştırmamalıyım" diyordum. Bu şekilde düşündüğümde aşırı bir niyet oluşturuyor ve isteğimin gerçekleşmesini engelliyordum. Bu sıfırlama tekniğini aşırı niyet yüklediğin tüm hayallerin için uygulayıp dengeleyebilirsin. Burada espri yeteneğinle kendini aşacak ve birçok konuda harikalar yaratacaksın. Olayın mantığını anladın değil mi?

DİLHUN: Evet anladım. Tam tersini yapmaya çalışacağım:)) Bu çok hoşuma gitti.

VAVEYLA: Pekâlâ artık bilinç seviyen yükseliyor ve çok hızlı ilerliyoruz farkındasın değil mi? Kendini anın içerisine ne kadar güvenle bıraktığını hissediyor musun? Artık kendini saklama çabasına girmiyorsun, giderek güçleniyorsun...

İnsan kendini küçük gördüğü doğrultuda büyümek arzusunu, sönük bulduğu ölçüde de şişirilmek eğilimini duyar ama sen artık tüm bunlardan uzaklaştın.

Bundan sonraki yaşamında; gerçekçiliğini sorguladıktan sonra sana kendini iyi hissettirmeyen insanlarla arana mutlaka mesafe koy. Negatif insanlar iyi niyetli ve sınır koyamayan insanları yem olarak kullanırlar. Kimsenin ne yemi ol ne de kimseyi yem olarak kullan. Unutma kendi zayıf yönlerini ve hatalarını kabul edenler senin de zayıf olduğun yönlerini ve hatalarını kabul ederler ve seni korurlar. Kendi zayıflığına ve hatalarına dayanamayan kişiler senin yaptığın ilk hatada zayıf olduğun anlarda seni yok etmeye çalışırlar.

DİLHUN: Yaşadığım bir aşk hikâyem bana neler öğretti neler. Kalbim yalnız içini doldurabileceklere açık artık... Hakan'ın kalbimi doldurabileceğine nasıl da inanmışım. Bir insanın nasıl bir insan olduğunu anlamak için ilişkiyi nasıl bitirdiğine veya zor durumla karşılaştığında sorunu nasıl çözdüğüne bakmak gerektiğini de öğrendim. Bir kişi giderken ne kadar incitmeden nefrete dönüştürmeden gidebiliyorsa o kadar olgunmuş. Tabii sadece karşı tarafı suçlamamak gerekir. Sağlıksız bir şekilde ilişkiyi bitirecek kişiyi hayatımıza bizim çektiğimizi asla unutmamalıyız. Sanırım önce bunu sorgulayarak işe başlamalıyız.

Öğrendiğim en önemli şeylerden biri de, tüm dikkatimi ve ilgimi vererek sadece karşımdaki kişiyi izlemek, ona verebileceğim en büyük armağanmış. Bana bu armağanı verdiğin için teşekkür ederim Vaveyla!

VAVEYLA: Yaşadığın süreç için kendini ne ayıpla, ne suçla, ne de küçük gör Dilhun. Yaşadıklarını abartmadın, gerçekten zor bir süreç yaşadın ve emin ol senin gibi yeryüzünde sayısız insan var. Aşk kadında ve erkekte aynı özellikleri taşımamaktadır. Yani kadın her bakımdan erkek gibi, erkek de kadın gibi sevmez, sevemez. Aşkın kadına erkeğe göre değişen tarafları vardır. Aşk kadında ve erkekte aynı şekilde doğmaz. Aynı şekilde yaşamaz ve ölmez.

Kadın dünyaya analık duygusunu, sevmek ve sevilmek arzusunu taşıyarak gelir. Varlığını bütünlüğü ile verebilecek birini arar. Kendisini bütünlüğü ile isteyebilecek birini bulmak arzusunu duyar. Bir kadın hiçbir zaman beğenmediği, saymadığı, üstünlüğüne inanmadığı, hayranlık duymadığı bir erkeği kelimenin tam anlamıyla sevemez.

Kadın güzelliğin, üstünlüğün, kudretin hayranıdır. O kendine ait olan, kendine ait olmasını dilediği her şeyin güzel, üstün olmasını, dilediği her şeyin bütün insanların dikkatini çekmesini arzu eder. Bu duruma kadının bütün hayatında rastlanır.

Bu kadınlar üstünlüklerine, kudretlerine inandıkları, saygı ve hayranlık duydukları için bu erkeklere bağlanmışlardır. Bu saygı ve hayranlık devam ettikçe bu kadınların sevgilerinde bir değişiklik olmaz. Fakat sevdikleri erkeklerde bulduklarını sandıkları şeylerin yokluğunu görür görmez kadınlar onlardan yüz çevirirler. Onlardan nefret ederler.

Kadın en ziyade çevrelerinde iyi tanınan, sevilen, değerlerine inanılan, başarılı, güçlü, iyi özelliklere sahip erkeklere, oyunculara, sanatçılara, fikir adamlarına, idealist, iyilik yapmaktan zevk duyan kimselere gönlünü verir.

Kadının duyduğu sevgide zenginlik arzusunun da payı vardır. Kadın bu bakımdan eline bir şey geçirmek, iyi bir şeye sahip olmak, varlığını tamamlamak için sever. Kadının sevgilisi tarafından terk edilmekten korkmasının, terk edildiği zaman fazla ıstırap çekmesinin en önemli sebeplerinden biri budur. Kadının bu gibi durumlar karşısında varlığından bir şeylerin koptuğunu, eskidiğini, değerinde, zararına olarak bazı değişikliklerin olduğunu duymasıdır. Kendisini tehlikede bulmasıdır.

Kadının sevgilisi tarafından terk edildiği zaman büyük bir acı duymasının diğer önemli bir sebebi de onun terk edilmesiyle değeri arasında bir bağ bulunduğunu düşünmesidir. Tabii bağlandığı, sevdiği, değer verdiği bir kadından ayrılınca erkeğin de benzer duygu ve davranışlar içerisinde olması kaçınılmazdır. Tüm bunlar kadının bilinçaltında erkeği ihtiyacı olan gücü, erkeğin de kadını ihtiyacı olan sevgiyi alabileceği kişi olarak kodlandığından dolayı yaptıklarını unutma! Yaşadığın zor sürecin psikolojik kökenlerini şimdi biraz daha iyi anlıyor musun Dilhun? Bu yaşadıklarını kişiselleştirme lütfen. Bazı şeyler insanın yaradılışında var. Burada tek dikkat etmen gereken şey zihninin ilişkilendirme yapıp yapmadığı. Aklını kullanarak kendi gücüne inanıp sahip çıktın mı her şeyin üstesinden geleceğini göreceksin. Bir kadının kafaya koydu mu yapamayacağı şey yoktur çünkü kadının kendine özgü inanılmaz bir kıvrak zekâsı vardır.

Geçen gün bankadaki arkadaşım Bahar artık hiç çalışmak istemediğini, genel müdürden nefret ettiğini söyledi. Bahar kariyerinden memnun değildi ve bankanın kurallarına uymak ona zor geliyordu. Konuşmamız sırasında zihninde babası ile banka müdürü arasında bir ilişkilendirme yaptığı ortaya çıktı. Yani Bahar'ın işinden memnun olmamasının nedeni bilinçdışında babasına karşı beslediği nefret ve öfkeydi. Ona göre banka müdürleri ve otoriteler baba imajından başka bir şey değildi. İşte benzer ilişkilendirme şekilleri senin de aşk ve tüm hayatında karşına çıkabilir dikkatli ol.

DİLHUN: Sevilen bir kadın kendisinde sevilecek bir şeyler bulunduğunu düşünüyor ve seviniyor. Hayata bağlanıp güven içinde yaşıyor. Tersine olarak sevilmeyen, sevilmediğini gören bir kadın kendisinden soğuyor, kendisinden soğuduğu için başkalarına bağlanmak imkânı bulamayıp huysuzlaşıyor. Gerçekten çok sinirlenip hatta kontrolünü kaybedebiliyor. Saldırganlaşabiliyor...

VAVEYLA: Saldırganlık burada öz benliğine karşı duyulan sevgisizliğin, nefretin hazır bir ifadesi olarak ortaya çıkıyor... Ruhunda böyle bir duyguyu barındıran bir insan her şeyden önce kendisini hırpalamak, cezalandırmak ister. Bu işi doğrudan doğruya yapamadığı zamanlarda da başkalarına zarar vermeye çalışır. Başkalarına saldırmak suretiyle isteğine kavuşmaya uğraşır. Sevgilisi tarafından terk edilen genç bir kızın sevgilisini kaybeden bir kadının hırçın, sinirli, geçimsiz, huysuz olmasının kaynağını burada aramak mümkündür. Bunlar da sana tanıdık geldi mi DİLHUN:))

DİLHUN: Ve kadın kendisini seven kimseye bütünlüğü ile bağlanır. Yalnız sevdiği kimse için yaşar ve yaşamak ister. Sevgilisinin her şeyi ile ilgilenir. Onu tam olarak tanımaya, anlamaya gayret eder. Bütün bunlara karşılık sevgilisinin de kendisini bütünlüğü ile ele almasını, sevmesini diler. Sevgilisinin de bütünlüğü ile kendisine bağlanmasını arzu eder. Ruhunun, düşüncelerinin, duygularının onun tarafından beğenilmesini, takdir edilmesini ister. Yalnız vücudu ile vücudunun şu veya bu özellikleri ile değerlenen yakınlıktan hoşlanmaz. Bu çeşit yakınlıklar karşısında üzülür, acı çeker.

VAVEYLA: Bu acının sebebi vücut özelliklerinin, güzelliklerinin gelip geçici olduğunu bilmesidir. Günün birinde saçlarının ağaracağını, yüzünün kırışacağını düşünmesidir. Bunun neticesi olarak sırf vücut güzelliğine dayanan sevgilisinin yakınlığının zamanla azalacağını, yok olacağını aklına getirmesidir. Halbuki kadın, aşkın sonsuz olmasını, kendisi ve sevgilisi kadar yaşamasını ister.

DİLHUN: Kadının sevgilisinden daima beklediği en önemli şeylerden biri de ilgidir. İlgidir; çünkü, kadın ancak bu sayede sevildiğine inanır. Bu ilginin sözcüklere dökülmesini bekler. Kadın sevildiğini, özlendiğini duymak ister. Sevgilisinin sevgisinden emin olmak ister. Sevdiği kimsenin ilgisizliği, kayıtsızlığı ile karşılaşan bir kadın çok üzülür. Terk edildiğine ve terk edilmek üzere olduğuna inanır. Terk edildiğinde de kendisini dünyanın en zavallı en çaresiz insanı olarak görür.

Sonra sevgilisi tarafından terk edilen bu kadın çok büyük acılar çeker. Bu acıdan kurtulmak için çeşitli çarelere başvurur değil mi Vaveyla? Bu çarelerden biri de nefrettir. Nefret burada onun için en sağlam kalkan, en kuvvetli ilaçtır. Kadın ancak bu suretle kendisini az veya çok avutmak, korumak fırsatını bulur. Sevdiği kimsenin sevgiye layık bir varlık olmadığına kendisini inandırmaya çalışır. Aşkını yaratan saygı ve hayranlığı yok etmeye koyulur. Seven bir kadın bu yüzden sevdiği kadar nefret edebilir. Sevgisinden emin olmayan, uzun zaman sevebileceğine inanmayan bir erkek kendisini sevdirmekten kaçınmalıdır. Kaçınmalıdır; çünkü sevgileriyle baş başa bırakılan, sevdiklerine pişman edilen ve terk edilen kadınlar her zaman acılarını paylaşmaktan ve intikam almaktan geri kalmazlar. Ta ki Vaveyla ile tanışıp yaşamın sırrını öğrenene, akıllanana dek:))

VAVEYLA: Senin için artık yeni bir süreç başlıyor. Sevmeyi yeni öğreniyorsun. Gerçek aşkı, sevgiyi yeni yaşayacaksın. Sen en güzel günlerini daha yaşamadın. Zamanla evlenmek, yuva kurmak, çocukların olsun isteyeceksin ve unutma Dilhun, bir erkek de sevgi, ilgi ve saygı görmek ister. Birlikte olduğu kadın tarafından onaylanmak ister. Çocukça davranışlarını sergileyip eğlenmek, rahat olmak ister ve buna izin veren kadınlara bayılır. Bir erkek aynı zamanda kadından iyi bir aşçı, iyi bir anne ve yatakta iyi bir partner olmasını bekler. Kadın erkeğin elinden gücünü ve özgürlüğünü alırsa erkek o ilişkide kalmak istemez. İlişkide kadın sevgide, erkekse güçte kalmalı. Çünkü bir kadını da asla güvenemeyeceği, ihtiyacı olduğunda koruyamayacağı bir erkek tatmin etmez.

DİLHUN: Evlenmeyi bırak asla bir daha kimseyi sevmeyeceğim demiştim ama şimdi sadece evlenmek değil boy boy çocuklarım da olsun istiyorum. Hem kızım olsun hem oğlum. Çocuklarıma sevginin gücünü öğretmek istiyorum.

Hayalimdeki annelik duygusunu onlara yaşatmak istiyorum. Maddi anlamda almak, yedirmek, giydirmek değil bu. Saçlarını okşamak, başlarına ne gelirse gelsin her zaman onlarla birlikte olduğumu hissettirmek istiyorum. Dizlerime yatırıp Yaradan'ın sevgisini onlara hissettirmek istiyorum. Ah yine ağlıyorum. Sanırım iyileşmenin gözyaşları... Çocuklarıma söz vermek istiyorum Vaveyla, onlar bana Yaradan'ın en büyük emanetleri olduğu için onlara elimden geldiğince en iyi şekilde bakacağıma, üzmeyeceğime söz vermek istiyorum... Onlara küstahlığın özgüven olmadığını öğretmek istiyorum. Yaşamın tüm gerçekliğini travmatize olmadan kendi bilinç seviyelerine göre öğretmek istiyorum. Öğrenmek, olgunlaşmak, büyümek için illa ki acı çekmek gerekmiyor. Acıyla büyümek çok zor.

VAVEYLA: Dünyanın en tatlı, en sevgi dolu annelerinden olacağına inanıyorum Dilhun. Bilge ve tutkulu bir anne. Çocukların çok şanslı... İçinde bulunduğumuz toplumda birçok kişi evlilik hayatında mutlu değil Vaveyla... Evlendiğin zaman da çok akıllı olup oyuna gelmemelisin. İçinizdeki boşluk duygularını en güçlü sözcüklerle doldurmayı başardığınızda hiçbir fırtınanın dallarınızı kırmaya gücü yetmeyecektir.

DİLHUN: Evet farkındayım, evliliklerin ne kadar sorunlu olduğunu görüyorum. Bana biraz bu konuda bilgi verebilir misin Vaveyla?

VAVEYLA: Evlilik bekârlık hayatına son verir. İkili bir yaşayış şeklini zorunlu kılar... Eşlerinin yalnız kendilerine göre yaşamalarına fırsat vermez. Onları az veya çok başkalarına göre bir insan haline gelmeye zorlar.

Çeşitli sebeplerden ve hele yetersizlik duygusundan dolayı kendilerini fazla düşünenler böyle bir değişikliğe kolay kolay uyum sağlayamazlar. Bekârlık hayatının etkisinden kurtulamazlar. Aile hayatının gerektirdiği fedakârlıkları göze alamazlar.

Yetersizlik duygusunun etkisini fazla duyanlar her yerde ve daima kendilerini ön plana koyarlar. Başkalarına kolay kolay bağlanamazlar. Bağlanamazlar çünkü onların nazarında birine bağlanmak demek bir dereceye kadar onun için ona göre yaşamak, ona bir şeyler vermek demektir. Buna razı olamazlar. Bunun sebebi verdikleri oranda kendilerinde bir şeylerin eksikliğini duymalarıdır.

Bu yüzden eşlerin kendilerini tamamlamaları mutlu bir evlilik için çok önemli Dilhun. Birlikte olduğun kişi seni olduğun gibi kabul etmeli sen de onu. Hiç kimseyi değiştiririm umuduyla ilişkini devam ettirme. İlişkinde çok iyi davranan kişilere dikkat et. Bir insan her şeyine evet diyorsa korkularından dolayı ilişkiyi sürdürüyor olabilir. Eğer birlikte olduğun kişi seni şimdiki halinden daha iyi bir noktaya getirmek için can atıyorsa, senin başarın, kariyerin, ilişkilerin, sevdiğin insanlarla birlikteliğin, mutluluğun için planlar yapıp araştırmalar yapıyorsa, sana bunları tutkuyla sunuyorsa, bunları yaparken gözbebeklerinin büyüdüğünü, nefesinin hızlandığını, gerçekten heyecanlandığını hissediyorsan doğru kişi diyebilirsin. Bunları yapmıyorsa üzgünüm ama içindeki boşluk ve değersizlik duygusunu senin üzerinden prim yaparak gideriyordur. Hayata ve insanlara karşı esnek davranıyor ve olaylara çok fazla takılmıyor, olanı olduğu gibi kabul ediyorsa ailesine karşı da direnç koymama ihtimali yüksektir.

Kısaca birlikte olduğun kişinin senin için uygun bir kişi olup olmadığını hislerine baktıktan sonra bilinçli aklınla değerlendirmelisin... Ondan seni aldığında geriye onda ne kalıyor buna bak. Sadece hislerine göre karar verirsen yanlış karar verirsin. Bunu artık biliyorsun. Kendine şu soruyu sorabilirsin: "Çok sevdiğin bir arkadaşın evlenmek istediğin kişiyle evlenecek olsa ve onun nasıl birisi olduğuna dair senin fikirlerini almak istese ona ne derdin?" Yanlış bir karar verip ömür boyu acı çekmektense belli bir süre acı çekip hayata devam etmek çok daha mantıklı biliyorsun. Bununla ilgili gökyüzüne 2-3 dakika odaklanarak ihtiyacın olan soruyu sorup bekleyebilirsin. Örneğin "Allahım bu kişi benim için hayırlı mı değil mi bunu görmeyi, duymayı, hissetmeyi niyet ediyorum. Lütfen bana bunu göster" şeklinde sorabilirsin. Cevap mutlaka sana gelecektir.

Gelen cevabı dikkate mutlaka al ama:))

DİLHUN: Cevabı dikkate almazsam ya ömür boyu acı çekersin ya da boşanma dilekçeleri yazılır ve mahkemeye gidilir diyorsun yani:)) Bu arada sence neden bu kadar çok boşanma vakası yaşanıyor? Çevremde o kadar çok boşanan arkadaşım var ki bu aralar...

VAVEYLA: Boşanmanın ilişkiden ilişkiye değişen çok farklı nedenleri var. Boşanmanın başlıca sebebi eşler arasındaki anlaşmazlıklar, aldatmalar ve ilişkinin artık heyecanını yitirmesidir. Aldatmak bazen bitirilemeyen bir ilişkinin sonucu olarak ortaya çıkar. Aldatılan kişi genelde boyun eğen, saçını süpürge eden, hayatın tutkularından kaçıp yaşam enerjisini kaybeden, mızmızlanan yani pasif olan kişidir. İlişkide enerjiyi canlı tutmak bu yüzden çok önemli. Aldatmaların ve aldatılmaların önüne geçmek için yapılacak en hızlı çözüm birlikte olunan kişinin içindeki çocuğa ulaşmaya, yeniden eğlenmeye çalışılmasıdır. Birlikte çocuklaşılan, eğlenilen, heyecanını koruyan ilişki enerjiktir. Kişilerin eşlerini ve kendilerini çocuk olarak hissedip oyuna bırakması müthiş keyiflidir. Yani "Biz ikimiz de şimdi çocuk olsaydık nasıl eğlenirdik?" sorusunun cevabı doğru yere götürecektir. İlişkide gerektiğinde iki sağlıklı yetişkin olarak gerektiğinde de iki küçük çocuk olarak birbirlerinin ruhlarına dokunmayı başaran çiftler mutludur. Yani ilişkide karşılıklı içinizdeki çocuğa ne kadar hızlı manevralar yaptırabilirlerseniz o kadar mutlu ve dengede olursunuz. Bu çok güzel bir çalışma çünkü ilişkideki samimiyet ve masumiyet duygusunu harika pekiştiriyor. Yine birçok ilişki cinsel anlamda enerjisini yitirdiği için heyecanını da yitirmiştir. Bunun için her seferinde "Eşimle en tutkulu birlikteliği nasıl yaşayabilirim?" sorusunun sorulması önemlidir. Sorunun cevabı en iyi şekilde gelecektir merak etme:))

DİLHUN: Bana miras kalan deneyimlerden öğrendim ki aynı şeyi yapmaya devam edersem her zaman aynı şeyi elde etmeye devam edeceğim. Anladım ki drama dışarıda değil içeride. Başkalarının yaptıklarına değil kendi yaptıklarıma odaklanmalıyım ve ömür boyu öğrenmeye ve yeni deneyimlere açık olmalıyım.

VAVEYLA: Ne güzel şeyler söylüyorsun Dilhun aferin sana. Tam duymak istediklerimi duyuyorum. Bu Logos'la tanışmana az kaldığının bir göstergesi. Biraz ama birazcık daha yolumuz var...

DİLHUN: Ve ben anladım ki nefret duygusu aşk söz konusu olunca çok farklı şekillerde karşımıza çıkıyor. Nefret aşkın, gerçek aşkın gerçek neticesi, acı bir meyvesiymiş.

Kadın içinden bağlı olduğu, sevdiği fakat sevmesine imkân olmayan erkekten nefret etmeye çalışırmış. Daha doğrusu nefret ettiğini sanırmış. İnsan ruhunun böyle bir karışık çareye başvurmasının sebebi duyulan acının hafifletilmesi, unutulması arzusuymuş.

İnsanlar sevgi ve nefreti birbirine yüzde yüz aykırı iki duygu gibi düşünüyor... Sevgi ile nefretin aynı insanda aynı zamanda bulunamayacağına inanıyor. Sevginin yerleştiği yerde nefretin yer alamayacağını sanıyorlar. Nefretin barındığı ruhta sevgiye rastlanılmayacağı düşünülüyor.

Oysaki sevgi ile nefret aynı ruhta bulunabiliyormuş...

VAVEYLA: Yalnız her zaman böyle olmaz... İnsan bazen niçin sevdiğini, nefret ettiğini anlayamaz. Sevgisinin, nefretinin gerçek kaynağını bulamaz. Nefret ettiği için sevdiğini, sever gibi göründüğünü, sevdiği için nefret ettiğini, nefret eder gibi davrandığını bilemez.

DİLHUN: Yine gözyaşlarıma engel olamıyorum özür dilerim Vaveyla... Bir kız çocuğu sebepli sebepsiz, durup dururken kızan, sinirlenen, öfkelendiği zaman kendisini, babasını, kardeşlerini azarlayan, hırpalayan, ailenin huzurunu kaçıran, evdekileri hayattan bıktıran annesinden soğur, nefret eder. Onun evden uzaklaşmasını, yok olmasını diler. Bu dilek onda suçluluk, günahkârlık duygusunu yaratır. Sonra annesinin bu duyguları yaşamasına sebep olan asıl suçlunun babası olduğunu düşünür. Babası evine, çocuklarına, eşine sahip çıksaydı annesinin de bu denli öfke dolu ve sevgisiz olmayacağını düşünür. Bu defa babasının yok olmasını ister ama yine ruhunun derinliklerinde engel olamadığı bir suçluluk duygusu başlar. Amacına ulaşmak için babasına karşı duyduğu gerçek duygusunu, nefreti bilincinden uzaklaştırır, bilinçaltına atar. Babasından nefret etmediğine kendisini tam olarak inandırmak ve bunu başkalarına göstermek, böylelikle kabahatlilik duygusunun baskılarından sıyrılmak için en sağlam bulduğu çareye başvurur. Babasını sever gibi hareket eder. Eder ama zaman zaman içdünyasının derinliklerine yerleşen gerçek duygusunun etkisini duymaktan uzak kalamaz. Bu etkiye göre davranmaktan, yaşamaktan tamamıyla kurtulamaz.

Giderek sevgisizlik ve yalnızlık denizinde boğulan bu genç kız günün birinde bir delikanlıyla tanışır. Uzun zaman onunla arkadaşlık yapar. Bu delikanlıyı sever. Günün birinde gönlünü verdiği insan onu hayal kırıklığına uğratır. Kendisini içten sevmediğini anlar çünkü onu ansızın terk edip gider. Bu durum onu çok fazla üzer ve sarsar. Genç kız bu üzüntüden kurtulmak arzusunu duyarken bir yandan da intikam almak arzusuyla tutuşup hükmedemediği duygularıyla adeta cehennem hayatı yaşar. Bu amaçla çeşitli çarelere başvurur. Sevdiği delikanlıyı unutmaya karar verir. Onu görmekten, hatırlamaktan kaçar ama yapamaz. Ruhunun derinliklerindeki intikam duygusu unutmasına da izin vermez. Denediği hiçbir şey işe yaramaz... Genç kız sürekli olarak içini sızlatan bu olayın yıkıcı etkisinden bir türlü kurtulamaz. Bunun üzerine en son çareyi bulduğunu düşünür... Sevdiği delikanlıdan nefret ettiğine kendisini ve başkalarını inandırmaya çalışır. Bu suretle delikanlının iki hayali yok olur. Bilinçaltına sürülen ve sevilen insanı temsil eden hayal, bilinçte kalan ve nefret edildiği sanılan insanı temsil eden hayaldir. Genç kız birincisinin varlığını inkâr etmeye çalışır. İkincisinin varlığına inanır. Sonra bu nefretle artık baş edemediği, kâbuslar gördüğü anda bir yeryüzü meleği karşısına çıkar ve yaşadığı her şeyi Yaradan'dan ötürü kabul etmesi gerektiğini öğretir. Daha fazla devam edemeyeceğim. Sana sarılmak, sonsuza kadar minnettarlık duygusuyla sana sarılmak istiyorum Vaveyla...

VAVEYLA: Ah en sonunda beni de ağlattın Dilhun. Hikâyen gerçekten çok etkileyiciydi ve benim de kanayan yaralarıma derinden dokundu. Geçmişe mühürlediğim anılar bir bir süzülerek geldi zihnime. Seninle bir kez daha arındım, bir kez daha şifalandım. Yaşamıma kattığın anlam için teşekkür ederim. Bazen kendimizi yorgun hissederiz. Nefes almak, hava almak, konsantre olmak ve yeniden başlamak için ara vermek gerekir. Biz insanız, bazen yola devam edecek gücümüz kalmaz ve tükeniriz. Önemli olan yarın başka bir gün olduğunu hatırlayabilmek. İnancı, umudu ve güveni kaybetmemek. Unutma umut her sabah köşede seni bekliyor olacak. Umudunu almadan yola asla çıkma. Umudunu al ve yola devam et. Sen hazırdın ve biz tanıştık... Her şey olması gereken zamanda olması gerektiği gibi olur rahat ol.

DİLHUN: Birçok insanın sevmediğim kabul edemeyeceğim birçok yönüne bile göz yumdum. Sırf biraz olsun sevilebilmek arzusuyla! Ama hiç kimse benim mutluluğum için göz yummadı. Kimse beni sevindirmek için bir şey yapmadı... Evet yapmadı kimse, benim onları sevmeye çalışmam gibi beni sevmeye çalışmadı bu hayatta Vaveyla... Senden başka hiç kimse ama hiç kimse Vaveyla! Benim için o kadar değerlisin ki bunu sana anlatmam mümkün değil... Bu... bu...

VAVEYLA: Anlatmaya çalışma seni çok iyi anlıyorum Vaveyla. Bazen anlaşmak için susmak gerekir. Sus, sadede gel, bana sarıl ve birbirimizin sıcaklığını hissedelim. Sadece benim sıcaklığıma odaklan ve bunu hisset. Hadi sadece hisset...

DİLHUN: Allahım varlığına şükürler olsun. Beni dipsiz kuyulardan umutsuzluğun pençesinden tutup sen çıkardın Vaveyla...

Onun artık benim olmasına imkân olmadığını anladığım anda daha çok nefret etmeye çalıştım. Onu kötülemek için öylesine güçlü arzular duydum ki biliyorsun. Bunları hep ümitsizleşen ve üzüntü kaynağı olan sevgimden kurtulmak için yapmıştım. Sevdiğime o kadar çok pişman olmuşum ki, ondan nefret etmeye çalışmışım. En çok da beni sevdiğini sanıyordum ama onun için bir hiçmişim ya bu beni çok incitmişti...

Ondan nefret ederek kaybettiğim özgüvenimi yeniden kazanmaya çalıştım... Kendimi sevmeye çok çalıştım ama olmadı Vaveyla... Kendimden nefret etmemek için ondan nefret etmeye çalıştım.

Evet herkes hayatında en az bir kez terk edilmiştir! Terk edildiğin zaman anlarsın ki aşktan daha güçlü bir duygu; intikam duygusu pusuda bekliyordur, seni sinsice sarmıştır. İşte bu duyguyu onurunu geri kazanmak için yaşam enerjisine dönüştürebildiğinde insan ancak gerçek anlamda insan olabiliyormuş!

VAVEYLA: İnsan kendisine, küçüklüğünü, önemsizliğini, değersizliğini hissettiren kişilerden hoşlanmaz.

Sen Hakan'ı bu yüzden sevmemeye hatta ondan nefret etmeye başladın çünkü insan başkalarını kendine tercih edenleri sevemez. Tercih edilenlerden de soğur.

İnsan kaybettiği hele önem verdiği sevdiğiyle beraber birçok şeyini de kaybettiğini hisseder... Kendisinde bazı acı verici eksilmeler, değişiklikler hisseder. Kendisine eskisine göre daha az güvenir. Değerinin azaldığını sanır. Zamanla haksızlığa uğradığını düşünerek intikam almaya çalışır.

DİLHUN: Aynı zamanda sanki iyi bir dosttan iyi bir kazık yemiş gibi de hissettim. Sanırım bu da bana çok ağır geldi.

İnsan sevilmediğini, istenmediğini anlayınca içini öylesine güçlü bir üzüntü duygusu kaplıyor ki... Üzüntüsünün kaynağı olarak gördüğü kişiye sürekli üzüntü çektirmek arzusunu duyuyor. Bu o kadar baş etmesi zor bir durum ki... Zamanla bu arzusunu bütün insanlara, tüm çevresine yansıtmaya başlıyor. Başkalarını üzecek, rahatsız edecek ne varsa yapmak istiyor. İnanılmaz şekilde saldırganlaşmaya başlıyor.

Herkese çatma isteği duyuyor. Ve bu isteğe göre hareket ediyor. Vapura, trene, otobüse binerken yanlarında, önlerinde bulunanları iteklemek istiyor... Başkalarının ayaklarına basmak, onları ezmek, zarar vermek istiyor... Zayıf gördüğü kimselerin veya kendilerine uymayanların üzerlerine yürümek istiyor. Gittiği sinemanın koltuklarına, otobüslerin minderlerine bile zarar vermek istiyor. Parklarda bahçelerde oturduğu bankları çizip karalamak istiyor.

Kendisinden, hayatından memnun olmayan kişi sadece çevresine değil kendisine de acayip sıkıntı çektirmek istiyor. Yavaş yavaş kendisini yok etmeye çalışıyor. Üzüntülerden, kederden, acıdan hoşlanır hale geliyor. Adeta kendisini hırpalamaktan zevk duyuyor. Gece rahat uyuyamıyor. Her zaman her hallinden ve her şeyden şikâyet ediyor.

Kimseden memnun olmuyor... Fırsat buldukça başkalarını üzecek, kıracak işler yapıyor.

Daha çok ıstırap çektirmekten kurtulamıyor insan... Sevmediği, nefret ettiği fakat ortadan kaldırma imkânını bulamadığı varlığını başkalarının yardımı ile yok etmek için uğraşmaktan bir türlü vazgeçemiyor. İnsan yaşadığı çevreyi ve çevredeki herkesi adeta yok etmek istiyor. Bunun amacı aslında kişinin kendisini yok etme isteğiymiş.

Bu istek son zamanlarda bende çok kuvvetli hale gelmişti. Seninle karşılaştığımızda en son noktasına ulaşmıştı. Yaşama içgüdüm tamamıyla kaybolmuştu ve yerini zaman zaman intikam zaman zaman da ölüm içgüdüsüne bırakıyordu.

Hiç yapmadığım şeyleri yapmaya başlamıştım. Sürekli ağza alınmayacak şekilde küfür ediyordum. Oysaki küfür etmenin ardında da aşağılama niyeti gizliymiş. Benim gibi yetersizlik, aşağılık duygusu duyan, kendisini küçük gören bir insan başkalarını küçültebildiği ölçüde küçüldüğünü ancak unutabilirmiş Başkalarını önemsiz gördüğü ve gösterebildiği ölçüde önemsizliğinin acılarından uzak kalabilir ve önemini düşünebilirmiş. Bilinç seviyem çok düşükmüş Vaveyla. Beni uzun vadece hayata bağlayan Hakan'dan başka hiçbir amacım yokmuş. Şimdiki aklım olsa evet yine üzülürdüm ama kesinlikle kendimi bu durumlara düşürmezdim. Özgüven eksikliği ne kadar kötü ve önemli bir şeymiş. Aklı başında, bilinç seviyesi yüksek, hayata tutunan, geleceğe dair planları olan, kendisini seven bir kişi benim yaşadıklarımın binde birini bile yaşamaz. Bilinç seviyem o kadar yükseldi ki. İyi ki karşıma çıktın. Ya seninle karşılaşmasaydım, ya bu bilinç seviyesi ile evlenseydim? Aman Allahım, kendime, kocama, çoluk çocuğuma yazık edecektim.

Geçmişi değiştiremem artık, tek yapmam gereken geleceğe bakmak. Hakan beni terk etmeden önce o kadar iyi niyetli bir insandım ki kime sorsan Dilhun melek gibi bir insan derdi sana. Bir karıncayı bile incitmeyen, bir çiçeği bile dalından koparmaya kıyamayan. Bilmeyerek birisinin en ufak acısına bile sebep olduysam günlerce uyuyamazdım. Bu kadar iyi niyetli bir insan olarak nasıl bu kadar tam zıddı, kötülük yapma arzusuyla yanıp tutuşan bir insana dönüşmüştüm? Bir insan nasıl bu kadar karakter değiştirebiliyor? İçimdeki şeytanın harekete geçmek için bu kadar pusuda beklediğini bilmiyordum.

VAVEYLA: Neden iyi insanlar kötülük yaparlar diyorsun yani? Bunun sebebi sana daha önceden de söylediğim gibi bastırdığın her duygunun açığa çıkmak için seni beklemesidir. Sürekli iyi olmaya çalışıp içindeki kötü diye adlandırdığın duyguları bastırmandı sebebi. Bu yüzden artık bundan sonra her zaman pastanın hamurunun kıvamını tutturabilmen için hiçbir malzemeyi dışarıda bırakmadan itinayla karıştırman gerektiğini hatırla. Her hatırladığında da iyice karıştır ki topaklar kendisini göstermek için önüne çıkmasın.

DİLHUN: Tamam tamam ben bu pasta işini çok sevdim. Anlattığın her şey aklımda, tek tek uygulayacağım merak etme. Bakma böyle geçmişe dönüp durduğuma, geldiğim aşamayı kendime hatırlatıp güven duymak için yapıyorum bunu.

VAVEYLA: Şu anda toplumda çok yanlış bir inanç var Dilhun, bunu insanlara çok iyi kavratmalıyız. İnsanların olgunlaşması için illa ki acı çekmesi gerekmiyor. Acıların insanı büyüttüğünü düşünmeye ve buna odaklanmaya devam ederlerse farkında olmadan bilinçaltlarından büyümeleri için gelmesi gerektiğini düşündükleri acıları beklemeye devam edecekler. Sanki sadece acı çeken kişiler olgunlaşıyor, büyüyor veya gelişiyor gibi! Bu çok yanlış bir inanış. Ve biliyorsun insan neye inanırsa onu yaşar. Büyümem, güçlenmem, olgunlaşmam için biraz daha acıya ihtiyacım var diye düşünürler. Demek ki yeterince acı çekmemişim, olgunlaşmamışım ki bunları yaşıyorum, hadi o zaman biraz daha acı gelsin diye beklerler. Ama bunları ruhları duymaz çünkü sinsice bilinçaltları der. Zaten acıyı her türlü seven bir toplumuz. Yaşadıklarıma öyle bir anlam yüklediğim için öyle düşündüm, o zaman o deneyime ihtiyacım vardı demeleri gerektiğini öğretmelisin. Yoğun acı çeken kişilerin aksine duyarsızlaşıp, şefkat, merhamet duygularını, kısaca vicdanlarını yitirdiklerini öğretmelisin. Kendini hatırla, o kadar acı çekiyorum ki herkesin ölmesini her şeyin yok olmasını istiyorum diyordun. Zihninde sürekli çok iyi bir insanken nasıl bu kadar kötülük yapmak isteyebileceğini sorguluyordun. Birçok insan kendisini bu döngüden çıkaramıyor. Yaşam hikâyelerinin armağanlarını bulmaları için illa ki acı çekmeleri, yolda kaybolmaları gerekmiyor. Unutma acıdan kurtulamayan, uzun süre acı çeken, yaşamını dram haline getiren kişi gerçeklikten kopmuştur ve bilinçaltının gizli karanlık odalarında kaybolmuştur. Böyle durumlarda artık neler yapman gerektiğini zaten çok iyi biliyorsun. Önemli olan, çocuklara, gençlere, herkese yani tüm insanlara acı çektirmeden, yaşam enerjilerini artırıp daha üretken olabilmeleri için bir an önce hikâyelerindeki armağanlarını buldurmak ve bu öğretileri yaşamlarına aktarabilmelerini sağlamaktır. Unutma herkesin bir hikâyesi illa ki vardır! İnsanı asıl büyüten şey sevginin gücüdür bunu sakın unutma! Hele Yaradan'dan gelen koşulsuz sevgiyle insanlar yola çıksınlar bak nasıl da toplum düzeliyor. Bir insan ne yaşamış olursa olsun eğitim ve sevginin açamayacağı kapı yoktur! Ve sevginin öğrenilebilir olması ne kadar güzel bir şey öyle değil mi? İnsanlara pusulalarının sevgi olması gerektiğini öğret Dilhun!

DİLHUN: Evet haklısın, şu anda insanların büyük bir çoğunluğu bilinçaltının karanlık sularında kaybolmuş ama farkında olmadan kurban gibi yaşayıp gidiyor. İnanıyorum Vaveyla bu öğretilerin birçoklarının uyanmasına vesile olacağına ve gücüme inanıyorum. Bunun için elimden geleni her zaman her yerde yapacağım.

VAVEYLA: Mutluluk şimdinin gücünde Dilhun! Artık her şey geçmişte kaldı...

Çoğumuz arzularımızın bizi mutlu edecek şeyleri yapmamız konusunda en iyi kılavuz olduğunu sanırız. Ama şimdiye kadar hiç kimse sürekli arzularının peşinde koşarak mutluluğu bulamadı. Zevk anlarında evet ama sonrasında mutlular mı hayır! İstek ve arzularımız öylesine baştan çıkarıcıdırlar ki... Mutlu olmamız için tatmin edilmesi gereken ihtiyaçlar gibi görünürler. Bizi bir mutluluk illüzyonundan diğerlerine sürüklerler. Kimimiz başarılı olursam, CEO olursam, kimimiz evlenirsem, kimimiz para kazanırsam mutlu olacağım deriz. İstediği eğitimi tamamlayanlar çok mu mutlu acaba? Kimimiz âşık olacağım kişiyi doğru seçersem mutlu olurum deriz... Demek ki ne yapacaksın bundan sonra? Mutluluğunu herhangi bir sebebe bağlamadan bulunduğun anı yaşayarak ve direncini bırakarak huzuru yaşayabileceğini kendine hatırlatacaksın.

DİLHUN: Vaveyla biliyor musun sanırım ruh eşimle tanışmaya artık hazırım. Evet hazırım hazırım:)) Hem de tüm hücrelerime kadar hazırım Vaveyla!

VAVEYLA: Kendisi olabilen kişi ancak hak ettiği ilişkiyi yaşayabilir ve sen artık buna gerçekten hazırsın.

Kendisi olamayan kişi bağımlılıkları doğrultusunda doğru kişi dediği birini arar. Bu doğrultuda bulduğu kişiyle bir süre keyifli, tutkulu, eğlenceli anlar yaşar. Fakat sevmeyi bilmediği için ilişki yavaş yavaş çekim gücünü yitirmeye, bozulmaya başlar. İşte genelde burada dağılır ve ilişkiyi toparlayamaz. Bulduğu kişinin doğru kişi olmadığını düşünür.

DİLHUN: Sonra da kendisinde kabul etmek istemediği zorlayıcı bir duygu veya düşünceyle karşılaştığı zaman ilişkiden kaçmayı seçer ama kaçamaz. Genelde en önemli kısmını, başını duvara toslayınca, istediği ilişkiyi yine yaşayamayınca anlar. Ne oluyor yahu? Biri gidiyor öbürü geliyor ama değişen bir şey yok demeye başlar. Aynı sahne farklı oyuncularla devam ediyor der. Ancak yüksek bilince Vaveyla'yla birlikte ilerledikçe, doğru insan olmanın doğru insanı bulmaktan daha önemli olduğunu anlar.

Ah! Ah! İnsana şu hayatta en zor gelen şeylerden biri de kendisini olduğu gibi kabul edebilmesiymiş ama başarı da tadından yenmezmiş:))

VAVEYLA: Sadece sen değil hepimiz kendimizi arıyoruz. Hem arıyor hem de bulduğumuza dair en ufak bir işaret bile yakaladığımızda hemen üstünü kapatıp görmezden geliyoruz. İnsan bilinçlenmeye başladığı süreçten itibaren hep kendisini arar. İlginç olan bazen onu olmadık zamanda ve yerde yakalamasına rağmen kendisinden korkup hemen kaçmasıdır. Sonra yeniden yola koyulur ve bu böyle devam eder gider. Ama tüm koltuk değneklerini bırakıp ben bu kadarım, buyum dediği anda tüm gücünü içinde toplar. Hiçbir enerji kaçağı olmadan gücünü içinde toplayan kişi yaşamın en zor anlarında bile güzele odaklanmayı seçebilir.

Bununla ilgili bir Zen bilgesinin öyküsünü anlatacağım sana: Bilge bir uçurumun kenarına geldiğinde arkasına bakıyor ve kaplanların hemen gerisinde olduklarını görüyor. Aşağı sarkan bir sarmaşığı fark ediyor ve sarmaşığa tutunarak kendisini aşağıya bırakıyor. Aşağı baktığında kaplanların kendisini bu kez aşağıda beklemekte olduklarını görüyor. Yukarı baktığında ise iki farenin sarmaşığı kemirdiğini fark ediyor. Tam o anda güzel bir çilek görüyor, uzanıp alıyor ve tüm yaşamı boyunca yediği en lezzetli çileğin tadını çıkarıyor. Bilge ölüme birkaç dakika kala bile burada-ve-şimdinin tadını çıkarabiliyor. Yaşam bize sürekli kaplanlar ve çilekler gönderir. Çileklerin tadını çıkarabiliyor muyuz? Yoksa değerli bilincimizi kaplanlar için üzülmekte mi kullanıyoruz?

DİLHUN: Merak etme Vaveyla, bundan sonra hayallerim için yaşayacağım ve çilekleri her zaman görmeyi seçeceğim. İçimdeki neşe ve tutku her gün beni ayağa kaldıracak. Yaradan'ın sevgisi her zaman ruhumun içinde benimle olacak. Bugünkü eylemlerimin yarınki sonuçlarım olacağını biliyorum. Hayallerim beni bekliyor, dünya beni arzuluyor, yol beni çağırıyor! Kanatlarımı açıyorum ve daha fazla oyalanmadan artık uçmayı seçiyorum.

VAVEYLA: Yürümesi olanaksız olanı yürütmeye çalışmakla belki de birçok ilkel hayvanınkinden daha inatçı bir tavırla hatalarını körü körüne tekrarladın! Geldiğin noktaya gel, uzaktan bak ve kendinle gurur duy Dilhun.

Şimdi sana aklını kullanman ve yoluna çıkan engelleri daha rahat çözümleyebilmen için bir araştırmadan bahsedeceğim.

Werner Erhard bir farenin bile sonuçsuz kalmaya mahkûm olan ve kendisine hiçbir yarar sağlamayan davranış biçimlerinin tekrarından kaçındığını belirtmiştir. Yan yana dizilmiş 7 tünel olduğunu ve 3. tünelin sonuna bir miktar peynir koyduğumuzu varsayalım. Sonra tünellerin girişine yolu bulması için bir fare yerleştirdiğimizi düşün. Fare etrafı koklayacak, belki çabucak tünelleri inceleyecek ve içinde peynir olanı buluncaya dek tünelleri rasgele araştıracaktır. İkinci kez fareyi tünellerin yanına koyduğumuzda hayvan bir süre rasgele harekette bulunabilir. Fakat 3. tüneldeki peynire gitme olasılığı çok daha yüksektir. Bunu birkaç kez yaptıktan sonra da peynire ulaşmak için derhal 3. tünele koşacaktır.

Bir farenin hayatındaki bir gün yaklaşık olarak bir insanın yaşamındaki bir aya karşılık gelir. 60 gün boyunca farenin peyniri 3. tünelin sonunda bulduğunu varsayalım. Bu insan yaşamında yaklaşık olarak 5 yıla eşit olacaktır. Sonra peynirin 3. tünelden 4. tünele yerleştirildiğini düşünelim. Şimdi fareyi tünellerin yanına koyuyoruz ve o yine peynire ulaşmak için 3. tünelden aşağı koşuyor. Fakat artık peynir orda değildir. Fare dışarı çıkıp etrafı inceleyecek ve tekrar 3. tüneli deneyecektir. Bunu birkaç kez yineleyebilir. Fakat birkaç tekrardan sonra peyniri bulamadığında 3. tünelden aşağıya gitmekten vazgeçecek ve ötekileri araştırmaya başlayacaktır.

Bir fare ve bir insan arasındaki büyük bir fark farenin peynir vermeyen tünelden aşağıya koşmaktan vazgeçmesi ama bir insanın bütün bir ömrü boyunca orada olmayan peyniri bulmak için aynı tünelden aşağıya koşmaya devam edebilmesidir.

Sen iki yaşındayken peynire (ya da istediğin herhangi bir şeye) ulaşamamanın yolunun yüksek sesle bağırmak ve anne babana bu yolla istediğini adeta zorla yaptırmak olduğunu herhalde öğrenmişsindir. Sanki peynirin tüm kontrolü onlardaydı. Yeteri kadar ağlayıp olayı büyüttüğünde onların sana şekerleme vermelerini ya da geç yatmana izin vermelerini ya da istediğin bir şeyi yapmalarını sağlayabilirdin. Tüm bunların büyük ölçüde bilincinde değildin ve egon farkındalığını korkuların ve arzuların üzerine yoğunlaştırdı. Hayata baktığında sanki uzun bir tünelin içine bakıyor ve tünelin ucunda dünyanın yalnızca küçük bir noktasını görüyordun. Hayatın tam kapsamlı görüntüsünü tünelin kenarları kapatıyordu. Olgunlaşmamış bilincin korku ve arzularının bilinç perdene, çevrendeki yaşamın gerçeklerinin çok küçük bir bölümünü yansıtmasına izin veriyordu. Yaşamında hiç gerçek bir seçim hakkın olmadı çünkü çevrendeki kişi ve olayları geniş bir bakış açısından değerlendiremedin. Artık iyileştin ve mutlu olmak için ihtiyacın olan tüm öğretilere hazırsın. Tamamlanmamış döngünün büyük bir kısmını tamamladın, unutma bu döngü ömür boyu devam edecek. Bundan sonra yolculuğuna Logos eşlik edecek.

DİLHUN: Bana veda etme lütfen! Gidecekmişsin gibi konuşuyorsun. Beni karanlık tünellerden sen çıkardın, lütfen biraz daha benimle kal Vaveyla lütfen!

VAVEYLA: Henüz değil, henüz gitmiyorum Dilhun. O tünele ben de girmiştim ve beni de Logos çıkarmıştı o tünelden. Seni henüz Logos'la tanıştırmadım! Artık kahramanlık zamanın başlıyor Dilhun!

DİLHUN: Beni Logos'la ne zaman tanıştıracaksın Vaveyla? Bunu istiyorum. Senin hayatını kurtaran, bu kadar sevip değer verdiğin kişiyle ben de artık tanışmak istiyorum.

VAVEYLA: Evet hazır olduğunu görüyorum ama seni onunla öyle sıradan birisiyle tanışır gibi tanıştırmak istemiyorum. Bunu bir tören şeklinde gerçekleştirip taçlandırmak istiyorum. Bunun için bana biraz daha izin vermeni istiyorum. Olur mu?

DİLHUN: Tabii ki, sen nasıl istersen Vaveyla!

VAVEYLA: Gözlerini kapatıp güneşi karartabilirsin. Burnunu tıkayıp harika gülün kokusunu duymayabilirsin. Ne kadar güçlü olduğunu görüyor musun?

Sen parçaları bir araya getirdiğinde zihninde ışıklar yanmaya başlayacak. Kendini gittikçe daha çok sahiplendiğini ve başkasının seni mutlu etmesine duyduğun ihtiyacın gittikçe azaldığını göreceksin. Sen bir bütüne doğru tekâmül ediyorsun ve ışık oluyorsun. Ama başkalarına hükmetmek için bu gücünü asla kullanmamalısın. Eğer gücünü bunun için kullanırsan ilahi düzen seni hemen hizaya getirir.

Seni seviyorum. Benim hakkımda ne düşündüğün, beni nasıl algıladığın önemli değil... Bende her ne görürsen sen de öylesin, çünkü her şey sadece senin algı noktandan bir gerçekliktir. Çünkü sen ve ben biriz. Hepimiz biriz Dilhun!

Vaveyla'nın ne anlama geldiğini sormuştun. Vaveyla "haykırış, çığlık, feryat" demek, Dilhun ise "içi kan ağlayan, kalbi yaralı" demek. Biz çığlıklarımızı, feryatlarımızı, acımızı, kan ağlayan yüreğimizi, yaralarımızı; umuda, tutkuya, neşeye ve sevgiye dönüştürdük. Kaybettiğimiz onurumuzu geri kazandık. Yolumuz hep ışık, sevgimiz bol olsun Dilhun! Işığımızın çok kişiye ulaşması niyetiyle...

Sen gerçekten her şeye değersin. Mutlu olmanı istiyorum.

Sözcüklerin Yaradan'dan gelen güzel duyguları diğerleriyle paylaşman için en güçlü anahtarların. Sen hislerinin gücünden oluşan sessin. Ses vermekten, sesini duyurmaktan, özgürce kendin olarak yaşamaktan korkma. Sen sessin!

DİLHUN: Bilgi çoğu kez acı veriyor... Ama acıdan hayat doğuyor. Kim ve ne olduğunu kabul ettiğinde seni engelleyen bariyerleri çılgınlıkla değil zarafetle aşabiliyormuşsun. Hayata izin veriyorum! Yaşamak istiyorum!

VAVEYLA: Sen kendi özüne tam olarak ulaşmadan önce içinde büyük bir savaş oldu. Bu dibe vurduğun andı. Aslında bu ruhunla parçalanmış egon arasında olan güçlü bir savaştı. Özünün kazanacağı bir savaştı bu. Parçalanmış egon kazansaydı ölürdün! Sen bu savaşı, bu ateşi muhteşem bir şekilde kazandın Dilhun! Zafer senindir! Evet Logos'la tanışmanın zamanı gelmiştir! Kutlu olsun Dilhun!

DİLHUN: Ayaklarım adeta yerden kesildi Vaveyla! Sanırım bu heyecana dayanamayacağım. Dayanmam gerektiğini çok iyi biliyorum... Vücudumun her bir parçasına dayanmayı öğretmiştim oysaki...

VAVEYLA: Bu elimdeki poşette kendim için aldığım kırmızı bir elbise var. Şimdi bu elbiseyi giymeni istiyorum Dilhun. Bugün sen yeniden doğuyorsun, bugün senin doğum günün. Hadi al ve giy...

DİLHUN: Evet bunu ben de istiyorum. Günlerdir üzerimdeki bu kokuşmuş elbiselerle dolaşıyorum. Teşekkür ederim Vaveyla! Artık aklımı, kalbimi, ruhumu, bedenimi harekete geçirmek istiyorum. Mutlu bir hayatı hak ettiğime yürekten inanıyorum. Yaşamla dansımın bu kırmızı elbise ile başlaması için sabırsızlanıyorum.

VAVEYLA: Kırmızı renk ve bu elbise sana ne kadar çok yakıştı gözlerime inanamıyorum Dilhun. Ne kadar güzel bir kızsın. Senin duaların kabul oldu ve sen mutlu bir hayatı artık hak ettin. Mutlu bir hayatı yaşamak için ne bekliyorsun!

Pekâlâ hadi şimdi elimdeki şu aynayı almanı ve her yerin adeta beyaz ve saf bir buluta dönüşene dek sen ve ben biriz kelimelerini tekrar etmeni istiyorum.

DİLHUN: Gözlerim aynaya yansıyor ve sanki korkuyorum bu kadar derin bakmaya.

VAVEYLA: Korkma, bakmalısın! Evet ben de ilk başta çok korkmuştum. İnanılmaz acı çekmiştim! Alışacaksın, bunu başarmalısın, hadi devam et Dilhun! Devam et!

DİLHUN: Ne olduğumu kim olduğumu giderek unutuyorum. Zihnimden düşünceler, tuhaf, rahatsız edici düşünceler akıp geçiyor. Bu görüntü yelpazesi beni nefes almaya zorluyor. Derin bir uyuşukluk içindeyim. Kaçmak istiyorum ama kaçamıyorum. Sanki büyük bir güç beni kendisine doğru çekiyor. Her yer adeta beyaz ve saf bir buluta dönüşüyor ve sanki derinlerden birisi bana sesleniyor Vaveyla, korkuyorum Vaveyla...

VAVEYLA: Korkma konuş onunla Dilhun. Güven ve teslim et kendini ona hadi. Hepimizin içimizdeki bilgelik duygusunu yakaladığımız anlarımız vardır. Herhangi bir zamanda hepimizin içinde bir kıvılcım parlamış ve bazı sesler duymuşuzdur ama ya bağırarak o sesi bastırmaya ya da boğarak o ateşi söndürmeye karar vermişizdir. Niçin? Hikâyelerimizin içinde kalarak alışkanlıklarımızdan vazgeçmeyelim diye. Ancak her sezgimizi önemsemediğimizde, her içsesimizi dinlemediğimizde en derin "ben"imize zarar verip onun kurallarını ihlal ederiz. Bu zararlar karmik terazimizin dengesini bozar ve bizi dramlarımızın içine kilitlerler.

İçsesimizi dinlemediğimizde, sezgilerimize güvenmediğimizde veya isteğimize sahip çıkmadığımızda kendimize zarar veririz. Aklımızı kullanmadığımızda kendimize zarar veririz. Hayallerimize set çektiğimizde zaman ayırıp kendimize bakmadığımızda veya içdünyamıza öncelik vermediğimizde kendimize zarar veririz. Kendimizi takdir etmediğimizde mücadelelerimizin ve başarılarımızın değerini bilmediğimizde veya özel yeteneklerimizi yadsıdığımızda kendimize zarar veririz. Ne zaman duracağız? Suçluların kendimiz olduğunu gördüğümüzde ve içsel şiddeti durdurabilecek tek insanın kendimiz olduğunu anladığımızda.

Rejimimizi bozmak kendimizi cezalandırma şeklidir. Bütün gününü başkalarına adayarak kendi ihtiyaçlarına zaman ayırmamak da yine kendimize karşı geliştirdiğimiz bir zarar verme yöntemidir.

Dürüstlüğümüzü her ihlal ettiğimizde kendimizle diğer insanlar arasına bir duvar öreriz. Hayatımızın hangi alanında olursa olsun iç kurallarımızı ihlal ettiğimizde kendimizle gücümüz arasındaki bağı kopartırız. Ve istediğimizi gerçekleştirebilme yeteneğimizi de köreltiriz. Hepimizin kişisel bütünlüğünü oluşturan birbirinden farklı kişisel kuralları vardır. Çoğu insan kendi iç kurallarımızı bozmanın enerjimizden ne kadar çaldığını bilmez. Bütünlüğümüze tekrar kavuştuğumuzda şimdi sürdüğümüz yaşamı etkileyecek muazzam miktarda enerjimiz ortaya çıkar.

Kendimizi taciz etmenin kökeninde bütünlüğümüzü ilgilendiren iyileşmemiş meselelerimiz yatar. İçdünyamız ne kadar dengesizse dış dünyamızda kendimizi isteklerimizden o derece yoksun bırakırız. Kendimize duyduğumuz nefret bize en derin duygularımızı hatırlatacak insanları ve olayları evrenden çağırır. Unutma dış dünyan içdünyanın aynasıdır. Ve tersi de doğrudur. Kendi içimizde dengedeysek her istediğimize sahip olmaya kendimizi layık görürüz. İsteklerimizi sağlayacak insanları ve olayları hayatımıza çekeriz. Kendimizi iyi hissettiğimizde dışarıdaki dünya da iyi duyguları bize gönderir. Hikâyelerimizdeki bütünlük sorunlarımızı gidermediğimiz oranda gölgelerimizin cızırtılı sesini duymaya devam ederiz. Kendimizi bütün hissetmediğimiz sürece en iyi yaşamımızı sürmeye kendimizi layık görmeyiz. Hadi şimdi kendin için sadece kendin için korkma devam et Dilhun!

DİLHUN: Sanki gece çöküyor ve her zamanki gibi pırıl pırıl yıldızlar ortaya çıkıyor. Oysa ne gece var ne de yıldızların süslediği ihtişamlı bir gökyüzü, sadece sessizlik. Sessizliğin sağır edici sesi, sessizliğin gece duygusunun veren ilahisi. Sonra evet evet giderek her yer yine adeta beyaz ve saf bir buluta dönüşmeye başlıyor...

Bir sürü doğal duygu. Rüzgârın serinliği dudaklarıma kondurulan bir buse gibi... Dinginlikle coşku arasında gidip geliyor ruhum. Ürperiyorum bir anda, orada biri mi var? Çılgınca aramaya başlıyorum.

LOGOS: Elbette var, sen varsın!

DİLHUN: Kiminle konuşuyorum acaba?

LOGOS: Ben benim. Ben olanım. Karar veren ama sen karar verenin her zaman her yerde olduğunu ve hiçbir zaman kendin için karar verenin gerçekten kendin olduğunu düşünmedin.

DİLHUN: Giderek duraksıyorum, sanırım bilmek de istemiyorum. Bilmek yeni kapanmış yarayı yeniden kanatmak gibi geliyor. Arafta gibiyim, bilmiyorum, hiçbir şey bilmiyorum. Vücudumun ateş bastığını hissediyorum. Seninle tartışmak istiyorum ama öyle tuhaf oldum ki sanki tartışmaya bile gücüm yok. Sanki tüm gücümü yeniden yitirdim.

LOGOS: Yanaklarından aşağı gözyaşı deryaların dökülüyor. Gözlerinin o adalı kadınlara özgü bir edası var. Ayakların çırılçıplak, kumda uzanmış bedenini çevreleyen deniz yanan tenini okşuyor. Rahat ol! Güven bana, her şey yolunda. Sakin ol ve güven.

DİLHUN: Peki ama kimsin sen. Kimsin?

LOGOS: Seni buraya kim getirdi. Bir kaza mı getirdi seni bu kıyıya?

DİLHUN: Hayır. Kaza kelimesi hoşuma gitmiyor. Bu eskimiş söylemlerin hiçbir işe yaramadığını biliyorum. Cahillik bile eskiyi özlemden daha iyidir. Bu rastlantı da değil. Artık hayatta hiçbir şeyin rastlantı olmadığını biliyorum çünkü.

LOGOS: Aferin Vaveyla, bakıyorum da dersini çok iyi vermişsin.

VAVEYLA: Teşekkür ederim Logos, kimin öğrencisiyim:))

DİLHUN: Kimsin sen Logos?... Nereden geldin, niye geldin? Her şey gayet güzeldi, yolundaydı? Vaveyla bana ihtiyacım olan her şeyi yeterince vermişti.

LOGOS: Vaveyla her zaman seninle yaşamayacak Dilhun! O birazdan buradan ayrılmak zorunda. Onun tamamlaması gereken çok şey var. O yüreğindeki Yaradan'ın aşkıyla çok güzel ilerliyor. O ilahi düzene hizmet etmek üzere görevlendirdi... O daha senin gibi çok kişinin ruhuna dokunacak.

VAVEYLA: Sıcacıksın Logos, bana güç veriyorsun. İyi dostlarımın kimi öldü, kimi gitti, kimi de kaldı ama sen burada benim içimde ve her zaman benimlesin ve her zaman cenneti kurmak üzere keşfedilmeyi bekleyen adalara doğru yol alacağıma söz veriyorum.

LOGOS: Bak Dilhun, Vaveyla kanatlandı ve yeniden kelebeğe dönüştü ve daha niceleri... Seni de bütün güzelliğinle kanatlanmış bir kelebeğe dönüşmüş olarak görmek istiyorum. Hatta kopartılmamış bir gül gibi taçyapraklarından doğmanı. Bunun için buradayım. Ben aslında her zaman burada seninleydim, senin içindeydim ama sen beni görmek istemedin. Sana defalarca sesimi duyurmaya çalıştım ama duymadın. Şimdi benim sesimi duydun! Çünkü şimdi kanatlanmaya hazırsın! Anlıyor musun? Ben senin akılcı yönünüm Dilhun. Yıllarca düşüncelerinin hapishanesinde yalnızlığın, güvensizliğin verdiği o tuhaf duyguyla kalakaldın. Ruhunda yalnız, yapayalnızdın. Sürekli vicdan azabı çekiyordun, solmak üzere olan bir çiçek gibiydin. Bu yüzden hazır değildin ve duyamadın.

DİLHUN: Sesinin masumluğu aynı zamanda gücü beni de ateşlendirdi. Hazırım Logos! Seninle her şeye hazırım. Sesin masumlaştıkça seni daha çok içimde hissettim. Sanki birdenbire bütün gücünle yüklendin ve içime girdin. En sonunda hayatımın en önemli eyleminin gerçekten uyanmak olduğunu anlıyorum.

LOGOS: Ben senin akılcı yönümüm Dilhun.

DİLHUN: İlginç! Peki bu akılcı yönüm, yani sen ben doğarken var mıydın? Yoksa yaşım ilerledikçe mi ortaya çıkıp benimle iletişim kurmaya başladın? Sen ne zamandan beri benimlesin?

LOGOS: Logos düşünme, akıl, oran, ölçü demektir. Aynı zamanda evreni düzenli bir bütün olarak kuran ve hareket ettiren akılcı bir ilkedir. Buna göre Logos hem oluşumların altında yatan ve onları biçimlendiren düzen ilkesi hem de evrenin böyle bir düzen olarak kavranmasında belirleyici olan bilgi ilkesidir. Evrenin kavranması belirli orantılarına yani karşılıklı ilişki içindeki yasa niteliğinde bağlantılara göre gerçekleşir. Bu anlamıyla Logos özellikle rastlantı ve gelişigüzel karşıtıdır. Her insan kolektif bilinçten kendisine aktarılan bu Logos yani akılcı yönüyle birlikte doğar. Bu akılcı yönüyle iletişime geçerek en iyi hangi işi yaparak, yol arkadaşı olarak kimi seçerek daha mutlu olacağından, yaşam amacının şifrelerine kadar ulaşabilir. Kendi aklından başkasına güvenmemeyi öğrenmelisin. Yani benimle sürekli iletişim halinde olmalısın. Başın sıkıştığında, kararsız kaldığında beni çağırmalısın. Ben her zaman buradayım ve seninleyim. Sadece ihtiyacın olduğu anda bana Logos diye seslenmen ve başına gelmesini istediğin soruları sorman yeterli. Cevaplar sana her zaman olması gereken zamanda en iyi şekilde gelecektir.

DİLHUN: Çocukluk kaderim annemi ve diğerlerini mutlu etmekten ibaretti, dayanılması zor acılarla büyüdüm. Başkalarını sırf mutlu etmek için ağlamamayı, açıkmamayı, ihtiyaçlarımı duymamayı öğrendim. Sonuçta önce özgüvensizlik gösterdi, sonraki yıllarda da ağır bunalımlar, sorunlar... Tüm bu yaşadıklarımdan sonra kimseye güvenmeyeceğime kendime söz vermiştim. Kendime, diğerine ve yaşama karşı tüm güvenimi kaybetmiştim. Kendimi tutamıyorum, ağlamaktan, hıçkırıklarımdan anlatamıyorum. Ağlamaktan alamıyorum kendimi. Tüm dikkatimi yaşadıklarıma veriyorum ve bundan utanmıyorum. Yaşadığım hiçbir şeyden utanç duymuyorum... Eskiden ölümü bekleyen narin bir kuş gibiydim. Çocukluğumu çok uzaklara bırakmıştım, içimin derinliklerine gömmüştüm, ondan utanıyordum çünkü ama şimdi ikinize de söylüyorum tüm bunları! Sayenizde evet sayenizde bu çocuğu dipsiz kuyulardan çok uzaklardan tutup çıkardım. Ve şimdi göğsümü gere gere kendimle gurur duyarak bu çocuğu ortaya, tam ortaya, herkesin göreceği yere koyuyorum! Artık hiçbir parçamdan utanmıyorum.

VAVEYLA: Hepimiz birbirimize Yaradan'ın sevgi bağlarıyla bağlıyız Dilhun. Bu hep böyleydi, sen bunu yeni hissettin sadece...

DİLHUN: Hakan'ı düşünüyorum, kaybedilmiş aşkta yaşadığım her şeyi ve benden ve bizden geriye kalan her şeyi. Özlemiyorum evet hiçbir şeyi artık özlemiyorum. Onun da ne kadar zor süreçlerden geçtiğini tahmin edebiliyorum. Acaba o da benim ne kadar yalnızlık çektiğimi, zor günlerden geçtiğimi biliyor mu? Üstelik yanımda birileri olduğu günlerde bile. Bizi birbirimize bağlayan yaşadığımız gündelik acı kendimizi birden gereksiz hissetmenin dehşeti, hiçliğe olan hıncımızdı. Oysaki insan hiçlikte ancak gücünü yeniden kazanabilirmiş. Çalışmak, üretmek, sevmek, güçlü olmak, bir şeyler elde etmek istiyorduk ikimiz de. Bir kez yaşadığımız bu hayatta her şeyimizi vermek istiyorduk. Oysa tam tersine var olmanın bitmez molasında içine gömüldüğümüz boşlukta kayboluyorduk. Kendimizden yasaklı yaşıyorduk. Ruhlarımız adeta sürgündü. Sürekli hayat koşullarını sorguluyor, battıkça batıyorduk. Şimdi düşünüyorum da evet herkes için, her şey için bir yüzümüz vardı. Bizim birbirimize bakan yüzümüz sadece çocukluk yaralarımızı kanatan yönleriydi. Şimdi biliyorum ki cenneti yaşamak isterken cehennemi yaratmıştık kendimize. Ne yapacağımızı bilemeden yaşadık. Derin sularda yüzsek ne olacaktı, boğulsak ne olacaktı? Derinden kanayan yaralarımızla birbirimizin ruhunu inciterek ayakta kalmaya çalışıyorduk. Oysaki ikimiz de kendi duygularımızda kaybolmuş, kendi kaosumuzu yaratmıştık. Bir gün seni ayakta tutanın Yaradan'ın gücü olduğunu anlaman dileğiyle... Şimdi seni sevgiyle ait olduğun yere teslim ediyorum Hakan. Allah yolunu açık etsin ruh parçam, Allah bir an önce yolunu Logos'la veya bir yeryüzü Vaveyla'sı ile karşılaştırsın. Sadece yürekler kırılır, insanlarsa yeniden kelebeğe dönüşür. Yeniden kelebeğe dönüşmen dileğiyle Hakan yolun hep açık olsun.

Yaşamım boyunca yaşadığım her şeyi sevgiyle kucaklıyorum ve artık güneşli günlere doğru neşeyle yürümeyi seçiyorum!

LOGOS: Önceden bayağı olarak nitelendirdiğin her şeyden özgürleştin. Sana yavan gelen yaşamından iştah açıcı bir yaşamın gözlerini kamaştıracak olan çarpıcı resimlerine doğru yürüyorsun. Mutlu musun?

DİLHUN: Öğleden sonra aniden ortaya çıkan beyaz bir ay ufak bir bulut gibi gizlice gösterişsiz bir edayla gökyüzünden yeryüzüne doğru süzüldüğümü hissediyorum...

VAVEYLA: Sahneye çıkma cesareti olmayan, bu yüzden bir süre oyuncu arkadaşlarını izlemek isteyip sahne arksında duran oyuncuydun. Şimdi ise sahnenin perdeleri senin için açılıyor Dilhun. İlgiyi üstüne çekme derdi olmayan, gösterişsiz, sade ama güçlü bir oyuncu olarak.

LOGOS: Seninle asıl dostluğumuz yeni başlıyor Dilhun. Hızla akmakta olan bir nehirde sürekli olarak nehir yatağındaki her yükseltinin her oyuğun üzerinden yumuşak hareketlerle ve büyük bir uyum içinde geçen eğrilerin oluşturduğu en göz alıcı görüntüyü, belki de doğanın yaratabileceği en güzel uyumu artık sen de yakalayabilirsin. Su gibi ol Dilhun anlıyor musun? Su gibi ol! Günlük hayatının içinde sıkıntıdan kaynaklanan hafif bir melankoli dalgasını bile hissetsen Logos Logos diye bana seslenmen yeter. Ben her zaman seninleyim bunu sakın unutma. Artık aynaya baktığın zaman bu ilginç bu harika diyeceksin kendi kendine... Hadi o halde Vaveyla, Dilhun'un bize şimdilik ihtiyacı kalmadı. İhtiyacın olduğu anda bana nasıl ulaşacağını artık biliyorsun. Kıskaca alınmış bir hayattan şanlı bir hayata doğru yol alıyorsun ve yolun her zaman açık olsun. Her zaman yüreğini Yaradan'ın ateşi kavursun.

VAVEYLA: Gerektiğinde alçakgönüllülükle özür dileyeceğini, utanman gereken yerde utanacağını ya da rahatsızlık duyman gereken yerde duyacağını ama mükemmel bir özgüvenle yürüyeceğini hissediyorum. Sohbet etmeye her zaman beklerim. Bunu al ve kaybetme Dilhun. Üzerinde bana dair tüm bilgiler mevcut. İhtiyacın olduğu anda beni arayabilirsin. Yalnız Logos'la benim sadece senden tek bir isteğimiz var. Bizden öğrendiğin ve öğreneceğin tüm bilgileri ihtiyacı olan herkese aktarmaya çalış. Seni seviyoruz Dilhun...

LOGOS: İnsanların büyük çoğunluğu sıkıntılı ve acı çekiyor. Bu insanlar akıl hastası değil. İnsanların büyük bir çoğunluğu varoluşsal olarak içsel boşluk yaşıyor. Yaşamda belirsizlikler arttıkça insanlar daha güçlü olmaya çalışıyor. Güçlü olmak için kendisine, diğerine ve dünyaya giderek daha çok zarar veriyor. Olmadığı gibi görünerek, sürekli geleceği düşünerek, kendisini diğerleriyle kıyaslayarak günden güne tükeniyor. İnsanlara onları daha güçlü yapacak bu gerçekleri anlatmalısın. İlahi sistem olması gerektiği gibi en iyi şekilde ilerliyor. Bu süreçte aklını kullanamayıp öfke, hırs, kıskançlık, intikam duygusuyla yaşayanlar büyük yaşam dersleri ile sisteme faydalı olmaya ve saf sevgide kalmaya davet ediliyor. Sistem insanları bencillik sürecinden birey olma sürecine yönlendiriyor. İnsanlar akıllanmalı, bilinçaltının oyunlarıyla kimsenin oyununa gelmemeli! Yaşamda seni daha güçlü kılacak şu gerçekleri her zaman hatırla:

\# Kimse sana cevap veremeyecek ve zaman ayıramayacak kadar meşgul değildir. Canı isteyince sesini duyan kişinin öncelikli duymak istediği sesleri vardır.

\# Bir insan ne kadar sevgi dolu ve iyi olursa olsun, herkesin önceliği kendi çıkarlarıdır. Bu yüzden sınırlarını iyi belirle ve kimsenin bu sınırlarını esnetmesine izin verme!

\# Ne yaparsan yap herkesi mutlu edemeyeceğini unutma! Herkesin seni sevmesini sağlaman ne kadar imkânsızsa herkesi mutlu etmen de o kadar imkânsızdır. Sana doğru gelen seçimleri yap ve yola devam et! Merak etme yola devam etmek isteyen seninle gelecektir, gelmek istemeyen illa ki bir bahane üretecektir!

\# İlahi sistemin sana borçlu olduğu hiçbir şey yok! Bu dünyadaki en yaratıcı, en zeki, en güzel insan olabilirsin, yaşamdan istediklerini almak için harekete geçip bu özelliklerini kullanmıyorsan, durup dururken bu yeteneklerinden dolayı ödüllendirilmeyeceğini unutma!

\# Yapabileceğin şeyler için bahaneler üretmekten vazgeç. Niyetlerinden çok amellerinle yargılanacağını unutma!

\# Hayatını değiştirecek sihirli bir değnek yok! Dışarıdan bir kurtarıcı bekleme! Aklını kullan, Yaradan'ın gücünü ve aşkını hissedip harekete geç! Cevapları başkasında aradığında gücünü kaybettiğini unutma! Aradığın cevaplar ilahi düzende. Akıllıca sorular sorduğunda cevaplar sana tek tek gelecek!

\# Empati kurmak, insanları tarafsız değerlendirmek, affetmek, sorumluluk almak, özür dilemek ve teşekkür etmek bir insana en zor gelen davranışlardır. İlahi düzen affeder ama haklı çıkmaya çalışan bencil kişi asla affetmez! Kendi kul hakkını yiyip kimseye hak etmediği değeri verme! Kendi değerini küçültüp başkasının değerini büyüterek gücünü kaybetme!

\# Saygıdeğer olmaya göre başarılı olmanın çok daha kolay olduğunu unutma! Hiçbir zaman başarılı olacağım diye diğerlerini ezmeye çalışma. Ezmeye çalıştığın kişiyi daha da büyüttüğünü hiç unutma!

\# Kendini ve insanları her zaman cesaretlendir!

\# Hayat sana ne sunmuş olursa olsun Vaveyla'nın anlattığı Zen öğretisindeki bilge gibi kaplanlara değil, çileklere odaklanmalısın! Mucizeler şimdinin içinde saklı ve sen çilekleri sadece şimdinin gücünde kalarak görebilirsin!

\# Kıskandığın, eleştirdiğin, sevmediğin, dedikodusunu yaptığın kişilere enerji yüklediğin için onları daha da büyüteceğini ve besleyeceğini unutma! Neye, kime enerji yüklediğine dikkat et! Enerji gittiği yeri ayırt etmeden, sorgulamadan güçlendirir!

\# Ne yaşamış olursan ol, her şeyi belirleyecek olan yaşamının kalan kısmıdır!

\# Hayatta kendin dışında hiç kimseyle yarışma! Diğeriyle yarışmaya başladığın andan itibaren kendinden çok diğerine enerjini, gücünü harcamaya başladığını ve asıl onu büyüttüğünü unutma!

\# Yaşam boyu sana iyi gelmeyen her şeyi bırakacak kadar güçlü olmalısın. Gücünü Allah'tan aldığını ve sana herkesten her zaman daha yakın olduğunu unutma.

\# Sana kötülük yapana kötülükle karşılık verip enerjini almasına izin verme! Onun istediği senin enerjin, ona enerjini verme! Sana kötülük yapıldığında her zamankinden daha da iyi olmaya çalışarak ayakta kalmaya çalış! Onu ilahi adalete teslim et! Enerjinin ve gücünün sana lazım olduğunu unutma!

\# Mizahın her kapıyı açacağını, içindeki güzelliği açığa çıkaracağını unutma! Espri savunma mekanizmalarını ortadan kaldırır, olduğun gibi kabul edilmeni ve kabul etmeni sağlar. Ruhunu dengeye getirecek acılarının en güçlü ilacının mizah olduğunu hep hatırla! Güldüğün anda egonun duvarları yıkılır ve içindeki çocuğun yaşamla dansı başlar. Kendisiyle alay edebilen kişi olgun ve özgüveni yüksek kişidir. Espri yapmaya çalışma, kendini olduğun gibi kabul edip samimi ve doğal olduğunda zaten kendiliğinden hayata espriyle bakmaya başlayacaksın.

\# Senin hayal etme yeteneğin varsa evrenin de onu teslim etme yeteneğinin olduğunu unutma!

\# Sevmediğin bir insana umut vermek seviyormuş gibi bakmak veya davranmak kul hakkına girmektir. İlahi adaletin terazisinde sana geri dönüşü çok ağırdır! Gönül işlerinde sakın kimseyle oynamaya kalkma!

\# Gerektiğinde kendine ve diğerine zarar vermeden, üzmeden, yormadan vedalaşmayı öğren! Senden gitmek isteyene izin ver gitsin! Bitirmen gereken, sana zarar veren ilişkiyi bitiremediğinde kendi kul hakkına girdiğini hatırla!

\# Bazı insanlar daha iyisini hak ettiğini göstermek için hayatına girecek! Bu insanlara daha çok teşekkür et!

Yüreğinde acı hissettiğin anda kendini kurban değil iyi bir lider yerine koy!

Hayallerindeki insanı arama! Onun yerine hayallerindeki sen ol ve doğru kişi sana gelsin.

Bazı acılar canını yakacak, öğretecek ve zamanla azalarak bitecek! Bazı acılarının ise zamanla hafifleyeceği ama bitmeyeceğini unutma! Derin acı hissettiğin anlarda içinde kırk tane mum birden yanmaya başlayacak. Sonra her gün teker teker bu mumlar sönecek. Geriye kalan tek bir mumun sönmeyeceğini, onun içinde hep yanacağını kabul ettiğinde, onunla baş etmeyi öğrendiğinde, içindeki armağanı aldığında güçleneceksin! Bunların hepsini Vaveyla sana tek tek öğretti. Yapman gereken her şeyi artık biliyorsun! Acına tutunup sorumluluklarını ve yaşamı bırakamazsın, kendini gözden çıkaramazsın! Bundan sonraki yaşamında başına ne gelirse gelsin acına tutunma, gerektiğinde baş edemediğin acınla yaşamayı öğren ve yoluna devam et! Sen ayağa kalktığında en büyük destek ilahi düzenden gelecek merak etme! Mutlu insanlar acı çekmeyenler değil, acısıyla baş edip onunla yaşamayı öğrenenlerdir! Bak etrafında bir sürü insan var canından çok sevdiği insanları kaybeden ama hâlâ hayata tutunup içindeki iyilikten beslenip ilahi düzene hizmet eden!

Hayatında bir şeyleri ertelediğini fark ettiğinde kendini tembellikle suçlama! Bunun mükemmeliyetçi yanının sesi olduğunu hatırlayıp hemen bu sese espriyle cevap verip göndermeyi ve harekete geçmeyi unutma!

Yaşamda istediğin hiçbir şeyi sakın yargılama! Onu gözünde ne büyüt ne de küçült! Dengin ve senin olduğunu düşün. Yargıladığın ve küçümsediğin her şey beni yeterince istemiyor, beni beğenmiyor, ben yeterince iyi değilim diye

düşünür, sana küser ve gider! Gözünde büyüttüğün her şey de seni küçültür şımarır ve kaçar! Bunun için önce kendini yargılamayı, istediğin şeyi küçük ve büyük diye ayırmayı bırakmalısın. İlahi düzenin içinde barındırdığı hiçbir şeyi yargılamadığı gibi küçük ya da büyük diye bir ayrım da yapmadığını unutma! Tüm bu ayrımları yapanın zihnin olduğunu sürekli hatırla!

İstediğin para da, başarı da, ruh eşi de, sağlık da olsa bu böyledir!

\# Tüm sorunlarının çözüm iksiri kendinle, diğeriyle ve yaşamla olan samimiyetindir!

\# Her zaman diğer yanını da doldurmaya çalışma! Enerjini çalacak bir kişiyle doldurmaktansa diğer yanının boş kalması daha iyidir!

\# Yaşamda herkes tarafından sevilen ve hakkında hiç kötü şey söylenmeyen bir tek kişi bile yoktur! Bu hayatta diğerlerinin dediklerine ve olaylara takılmadan kendi şarkısını "Lay lay lom!" diye söyleyip yürüyüp gidenler kazanır! Sen hayallerine odaklan ve onları kimsenin yok etmesine izin verme! Cesaretini kaybeden her şeyini kaybeder! Unutma hayat cesurlara torpil geçer! O zaman şimdi cesur olma zamanı!

\# Niyetinin önüne geçemezsin! Niyetini temiz tut ve net ol!

\# En çok belirsizlikler karşısında cesur ol! Her belirsizlik içerisinde yepyeni fırsatlar sunar! Düşünsene hiç beklemediğin bir anda harika sürprizler kapını çalabilir, mucizevi haberler alabilirsin! Rahat ve cesur ol!

\# Kaybettiğini sandığın şey asıl kazanmak istediğini sana getirmek için sadece aracı olandır!

Nisa Suresi 28. ayeti hiçbir zaman unutma! "Allah yükünüzü hafifletmek ister; çünkü insan zayıf yaratılmıştır." Yorulduğun, tükendiğin, acı çektiğin anlar Yaradan'ın O'na yaklaş, O'nun gücünü hisset, yükünü boşaltıp hafifle diye senin yanında olduğu en değerli anlardır! İhtiyacın olan güç sadece Yaradan'dadır! Yaradan'a yaklaş ve ihtiyacın olan tüm gücü O'ndan al! Sadece kendine yaslanarak bu hayatta dik yürüyemezsin! Ancak Yaradan'a yaslanırsan içindeki gücü ve cesareti harekete geçirebilirsin! Gücünü ve cesaretini Yaradan dışında kimden almaya çalışırsan onu büyütür kendini küçültür ve bu uçsuz bucaksız evrende giderek kaybolursun!

Unutma gücünü ve cesaretini bulman, bu uçsuz bucaksız evrende nerede olduğunu bilmen demektir! Sen artık gücünü cesaretini buldun ve nerede olduğunu biliyorsun. Bak, Yaradan sana armağanlar gönderiyor! Hadi coşkuyla gülümse ve al onları! Her zaman hayal kurmaya, şükretmeye, dua etmeye ve mucizeleri almaya hazır ol! Hadi aç o zaman avuçlarını!

İşte tüm bunları ve tıpkı Vaveyla'nın yaptığı gibi kendi öğretilerini de saf sevgiyle alıp insanlığa aktarmalısın. Acının derin bir anlamı olduğunu ve gereksiz acı çekmenin kimseyi kahramanlaştırmadığını anlat. İnsanların sürekli acılarından bahsederek ona enerji yükleyerek daha da büyüttüklerinin farkına varmalarını sağla!

İnsanları bir an önce benimle tanıştırmalı ve onlara akıllarını kullanmaları için yardım etmelisin. Eğer insan aklını kullanırsa kendini ve ilahi sistemi tanır! Ancak akıllarını kullanarak, yaşamın en derinlerinde, çekirdeğinde bulunan sevgiye ve güce götüren acının insana değer katabileceğini çok iyi aktarmalısın. Hiçbir şekilde yaşamının değişeceğine inanmayan umutsuz bir kişiye bile sevginin gücüyle her şeyi aşabileceğini ve yaşamın anlamını bulabileceğini göstermelisin. Sen bireysel aşktan ilahi aşka ulaştın Dilhun! Yaratılan her şeyde artık Yaratıcı'nın gücünü ve aşkını görebiliyorsun. Aynada sadece gözlerinin içine bak ve kendindeki değişimi hisset! Yolun açık ışığın bol olsun Dilhun'um.

DİLHUN: Acılarını ilahi aşka dönüştürme sanatını sizlerden öğrenmiş birisi olarak duygusal acı içinde bulunan ve bana ihtiyacı olan herkese yardım edeceğime söz veriyorum. Ayrıca bilinçaltı çocuk yaşta acı çekerek olgunlaşabileceğine dair kodlanmış bir insana bile bu acıyı yaşatmadan sevginin ve aklının gücüyle ilahi aşka erişmeyi öğretmektir artık yaşam amacım. Kimse acı çekerek büyümek zorunda değil...

Bir dakika bir müzik sesi duyuyorum... Sen mi açtın, bu müziğin sesi nereden geliyor Vaveyla?

VAVEYLA: Yo hayır ben açmadım. Nereden geldiğini bilmiyorum.

DİLHUN: Bu bizim Hakan'la şarkımız. Bu şarkıyı pek kimse bilmez. Buralarda çalmaz. İlk kez buralarda duyunca çok şaşırdım...

VAVEYLA: Aaa evet hatırladım. Yaptığımız bir çalışmada duygularının yoğunlaşması için bu şarkıyı açmıştık ama şimdi ben açmadım. Nereden geldiğini de anlamadım...

LOGOS: Şu sahildeki bankta yalnız oturan erkek. Evet o, o dinliyor, ondan geliyor bu müziğin sesi...

DİLHUN: Ama... ama... şey... ama bu Hakan!...

-SON-

Kaynakça

Doğumun ve Ölümün Gizemi

Eşruhlar

Gölgenin Sırrı

İnsanın Anlam Arayışı

İnsanın İçyüzü

Niçin İyi İnsanlar Kötü Şeyler Yaparlar

Realiteyi Yaratma Sanatı

Serbest Bırakmanın Mucizesi

Sevginin Kökenleri

Sevgiyle Yükseliş

Yaşama Uğraşı

Yüksek Bilinç Kılavuzu

The power of the magic finger

It must have been at about this time that I, back in my own house, picked up the telephone and tried to call Philip. I wanted to see if the family was all right.

"Hello," I said.

"Quack!" said a voice at the other end.

"Who is it?" I asked.

"Quack-quack!"

"Philip," I said, "is that you?"

"Quack-quack-quack-quack-quack!"

"Oh, stop it!" I said.

Then there came a very funny noise. It was like a bird laughing.

I put down the telephone quickly.

"Oh, that Magic Finger!" I cried. "What has it done to my friends?"

"Enjoyably bizarre."   —*The New York Times*

Puffin Books by Roald Dahl